실전 문제로 중학 내신과 실력 완성에

빠르게 빵통하는

영문법 핵심 1200제

LEVEL 2

빠르게 통하는 영문법 핵심 1200제로
영어 자신감을 키우세요!

- 도표화된 문법 개념 정리로 문법 개념 이해 빠르게 通(통)
- 대표 기출 유형과 다양한 실전 문제로 실전 문제 풀이력 빠르게 通(통)
- 서술형, 고난도, 신유형 문항으로 내신 만점 빠르게 通(통)

학습자의 마음을 읽는 동아영어콘텐츠연구팀

동아영어콘텐츠연구팀은 동아출판의 영어 개발 연구원, 현장 선생님,
그리고 전문 원고 집필자들이 공동 연구를 통해 최적의 콘텐츠를 개발하는 연구 조직입니다.

원고 개발에 참여하신 분들

고미라 김경희 김수현 김유경 송유진 신채영 이남연 이윤희 진선호 진성인 하주영 홍미정

교재 기획·검토에 참여하신 분들

강군필 강선이 강은주 고미선 권동일 김민규 김설희 김은영 김은주 김지영 김하나 김학범
김한식 김호성 김효성 박용근 박지현 설명옥 신명균 안태정 이상훈 이성민 이지혜 정나래
조수진 김시은 최재천 최현진 하주영 한지영 한지원 한희정

빠르게 통하는

영문법 핵심 1200제

LEVEL

2

How to Study

이 책의 구성과 특징

Step 1 문법 개념을 확인하고 대표 기출 유형으로 연습하세요.

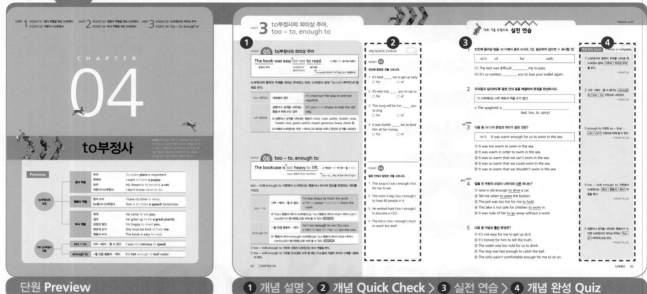

단원 Preview

각 Chapter에서 배우게 될 문법 용어 설명을 쉽게 이해하고, 단원에서 배우게 될 내용과 예문을 도식화하여 한눈에 이해할 수 있습니다.

① 개념 설명 ＞ ② 개념 Quick Check ＞ ③ 실전 연습 ＞ ④ 개념 완성 Quiz

핵심 문법을 이해하기 쉽게 표로 정리했습니다. 대표 예문으로 문법 사항을 직관적으로 접한 후, 알찬 내용의 개념 설명으로 내용을 익힙니다. 배운 문법 개념을 잘 이해했는지 개념 Quick Check에서 바로 확인합니다.

학습한 내용을 대표 기출 유형의 실전 문제에 적용합니다. 자주 나오거나 틀리기 쉬운 문제를 통해 실전 감각을 효율적으로 익힙니다. 실전 연습 문제를 풀고 나면, 개념 완성 Quiz를 통해 개념을 다시 한 번 다집니다.

Step 2 다양한 유형으로 서술형 실전에 대비하세요.

서술형 실전 연습

단계별로 다양한 유형의 서술형 문제를 풀면서 서술형 실전에 대비할 수 있습니다.

- Step 1에서 기본 서술형 문제로 준비 운동을 합니다.
- Step 2에서는 표, 도표, 그림 활용 문제, 조건형 서술형 문제와 같은 응용 문제들을 풀어 봅니다.
- 개념 완성 Quiz로 핵심 개념을 완벽히 이해합니다.

실제 학교 시험 유형으로 내신에 완벽하게 대비합니다.

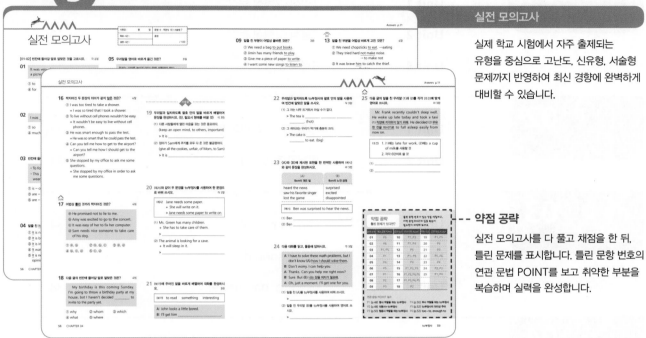

실전 모의고사

실제 학교 시험에서 자주 출제되는
유형을 중심으로 고난도, 신유형, 서술형
문제까지 반영하여 최신 경향에 완벽하게
대비할 수 있습니다.

약점 공략

실전 모의고사를 다 풀고 채점을 한 뒤,
틀린 문제를 표시합니다. 틀린 문항 번호의
연관 문법 POINT를 보고 취약한 부분을
복습하며 실력을 완성합니다.

**고난도 신유형 문제와 서술형 문제로
실력을 업그레이드합니다.**

Level Up Test

고난도의 신유형
문제와 서술형 실전
문제에 도전!
최고 난이도의 내신
문제를 만나도
당황하지 않을 힘을
길러 줍니다.

Final Test

전체 문법 사항을
고르게 평가할 수
있는 3회분의
Final Test를 통해
실전 감각을 완성할
수 있습니다.

CONTENTS 차례

The future belongs to those who believe in the beauty of their dreams.

- Eleanor Roosevelt

CHAPTER

01

문장의 형식

문장을 이루는 최소 단위는 주어와 동사이며,
동사 뒤에 어떤 문장 요소가 오는지에 따라서
다섯 가지의 문장 형식으로 구분할 수 있다.

Preview

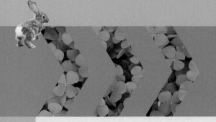

문장의 형식			
	1형식 문장	주어+동사	Birds fly.
	2형식 문장	주어+동사+주격보어	The cake tastes great.
	3형식 문장	주어+동사+목적어	Kate has a smartphone.
	4형식 문장	주어+수여동사+간접목적어+직접목적어	Mom gave Dad flowers.
	5형식 문장	주어+동사+목적어+목적격보어	The song made me sad.

UNIT 1 1형식·2형식 문장

POINT 01 1형식 문장

> Sam *sings well.
> 주어 동사 부사
>
> Sam은 노래를 잘해.
>
> * 1형식 문장에 쓰이는 동사는 목적어나 보어가 필요 없는 완전자동사야.

「주어+동사」만으로 문장이 성립하는 형식이며, 대개 부사(구)와 함께 쓰인다.

주어+동사(+부사(구))	The boy walks fast. The soccer team arrived at 7.

➕ 1형식 문장에 쓰이는 동사: be(~에 있다), go, come, arrive, leave, sit, sleep, run, smile, rise, talk 등

There+be동사+주어(+부사(구))	There were many people in the room. There is a picture on the wall.

ⓘ 부사(구)는 동사, 형용사, 부사, 문장 전체를 꾸며 주는 말로, 문장 성분에 포함되지 않는다.

POINT 02 2형식 문장

> You look *happy today.
> 주어 동사 주격보어 부사
>
> 너는 오늘 행복해 보인다.
>
> * 주격보어는 주어의 상태를 보충해서 설명해 주는 말로, 명사나 형용사가 쓰여.

「주어+동사+(주어를 설명하는) 주격보어」로 이루어진 문장이다.

주어+be동사+명사/형용사	Sue is an engineer. [명사 주격보어] The students were tired. [형용사 주격보어]
주어+감각동사+형용사	Dad looks angry. Do you feel cold? Her voice sounds beautiful.

➕ 감각동사: look(~해 보이다), feel(~하게 느끼다), smell(~한 냄새가 나다), sound(~하게 들리다), taste(~한 맛이 나다) 등

주어+상태·변화동사+명사/형용사	Jim became a dancer. The weather is getting cold.

➕ 상태·변화동사: become(~이 되다), get(~해지다), keep(~한 상태를 유지하다), turn(~하게 변하다), stay(~한 상태로 머무르다), go(~되다) 등

ⓘ 감각동사와 상태·변화동사 뒤에는 부사를 보어로 쓰지 않는다. 서술형 빈출
He looked happily. (×)   He became angrily. (×)

ⓘ 「감각동사+형용사」 vs. 「감각동사+like+명사(구/절)」
감각동사 뒤에 명사가 올 경우에는 「감각동사+like+명사」(~처럼 …하다)로 쓴다.
She looks excited. (신나 보이다)   She looks like a model. (모델처럼 보이다)

개념 QUICK CHECK

POINT 01

1형식 문장을 찾아 √ 표시하고, [예시]와 같이 주어, 동사, 부사(구)로 구분하여 쓰시오.

> [예시] Kelly / studied / at home.
>   주어   동사   부사구

1 They didn't come.   (   )

2 The dogs barked loudly.   (   )

3 The cake looks delicious. (   )

4 There were flowers in the box.
                             (   )

POINT 02

괄호 안에서 알맞은 것을 고르시오.

1 The pie smells (sweet / sweetly).

2 She became (good / well) at math.

3 He looked (old / an old man) in that suit.

4 Busan (feels / feels like) my new home.

대표 기출 유형으로 **실전 연습**

1 빈칸에 들어갈 말로 알맞지 <u>않은</u> 것은?

> He works _____.

① hard   ② happy   ③ every day
④ for the bank   ⑤ at the park

2 우리말과 일치하도록 [보기]에서 알맞은 말을 골라 문장을 완성하시오.

> [보기]   like   look   differently   different

> 너는 그 셔츠를 입으니 달라 보인다.

> You _____ in that shirt.

3 문장의 형식이 나머지와 <u>다른</u> 하나는?

① Jake runs fast.
② Ashley lives in London.
③ He is a famous movie star.
④ There is a lot of water in the cup.
⑤ Many people danced at the festival.

자주 나와요!
4 다음 중 어법상 틀린 문장은?

① I feel terrible now.
② Your voice sounds strangely.
③ She went to a bookstore today.
④ The students kept quiet in the library.
⑤ There is a picture of my family on my desk.

틀리기 쉬워요!
5 괄호 안에서 어법상 올바른 것끼리 순서대로 바르게 짝지어진 것은?

> • The soup tastes (salt / salty).
> • Sarah sings very (good / well).
> • The milk went (bad / badly) soon.

① salt – good – bad   ② salt – well – bad
③ salt – good – badly   ④ salty – well – bad
⑤ salty – well – badly

개념 완성 Quiz   *Choose or complete.*

1 동사 / 부사(구) 는 문장 성분에 포함되지 않는다.
> POINT 01

2 '~해 보이다'라는 표현은 look like+명사 / look+형용사 로 나타낸다.
> POINT 02

3 1형식 문장은 주어와 동사 / 부사(구) 만으로 문장이 성립한다.
> POINT 01, 02

4 감각동사와 상태·변화동사 뒤에는 주격보어로 형용사 / 부사 를 쓴다.
> POINT 01, 02

5 2형식 문장은 주어와 동사, 부사(구) / 주격보어 로 이루어진다.
> POINT 01, 02

POINT 03 3형식 문장

| My dog likes *playing with me. | 내 개는 나와 노는 것을 좋아해. |

주어　　동사　　　목적어　　*동명사구(나와 노는 것)가 목적어로 쓰인 문장이야.

「주어＋동사＋목적어」로 이루어진 문장이며, 목적어로 다양한 명사 어구가 쓰인다.

	주어＋동사＋(대)명사	The actor looked at me.
주어＋동사＋목적어	주어＋동사＋to부정사(구)	I want to go back home.
	주어＋동사＋동명사(구)	Dad enjoys playing the violin.
	주어＋동사＋명사절	Ann knows that I like her.

ⓘ 「동사＋전치사/부사」로 이루어진 동사구도 목적어를 취할 수 있다. 서술형 빈출
look at(~을 보다), look for(~을 찾다), turn on(~을 켜다), take care of(~을 돌보다) 등

ⓘ 목적어를 '~와, ~에'로 해석하지만 전치사와 함께 쓰이지 않는 동사: marry(~와 결혼하다), enter(~에 들어가다), discuss(~에 대해 토론하다), resemble(~와 닮다), reach(~에 도착하다) 등

POINT 04 4형식 문장

| Mom made *us *cookies. | 엄마는 우리에게 쿠키를 만들어 주셨다. |

주어　수여동사　간접목적어　직접목적어　　*간접목적어 자리에는 주로 사람(~에게),
　　(해 주다)　(~에게)　　(…을)　　　직접목적어 자리에는 주로 사물(…을)이 와.

「주어＋동사(수여동사)＋간접목적어＋직접목적어」로 이루어진 문장이다. 간접목적어와 직접목적어의 위치를 바꾸고, 간접목적어 앞에 전치사를 써서 3형식 문장으로 바꿔 쓸 수 있다.

4형식　주어＋동사＋간접목적어＋직접목적어 ↓ 3형식　주어＋동사＋직접목적어＋전치사＋간접목적어	Jane gave me flowers. → Jane gave flowers to me.

➕ **수여동사**: '(주어가 ~에게) …을 해 주다'라는 의미의 동사로, 4형식 문장에 쓰이며 두 개의 목적어를 필요로 한다. 3형식 문장으로 바꿀 때 동사에 따라 사용하는 전치사가 다르다. 서술형 빈출

to를 사용하는 동사	give, send, tell, lend, show, teach, write, pass, bring 등	Dad told us a story. → Dad told a story to us.
for를 사용하는 동사	make, buy, cook, get, find, bring 등	He bought me a ring. → He bought a ring for me.
of를 사용하는 동사	ask, inquire 등	I'll ask her a favor. → I'll ask a favor of her.

ⓘ 4형식 문장을 3형식으로 바꿔 쓸 때 동사 bring은 의미에 따라 간접목적어 앞에 to(~에게)나 for(~을 위해)를 쓸 수 있다.

개념 **QUICK CHECK**

POINT 03

문장의 형식에 √ 표시하시오.

1 She became a doctor.
　□ 1형식　　□ 2형식　　□ 3형식

2 Eric has a lot of friends.
　□ 1형식　　□ 2형식　　□ 3형식

3 They were in the garden.
　□ 1형식　　□ 2형식　　□ 3형식

4 I know that you are lying.
　□ 1형식　　□ 2형식　　□ 3형식

POINT 04

4형식 문장을 3형식으로 바꿀 때, 괄호 안에서 알맞은 것을 고르시오.

1 I'll write you a letter.
　> I'll write a letter (to / for / of) you.

2 Can you get me some water?
　> Can you get some water (to / for / of) me?

3 Mom made my brother a scarf.
　> Mom made a scarf (to / for / of) my brother.

4 My aunt sent me a long message.
　> My aunt sent a long message (to / for / of) me.

대표 기출 유형으로 **실전 연습**

1 빈칸에 들어갈 말로 알맞지 <u>않은</u> 것은?

> She likes _____ very much.

① Mary   ② dancing   ③ pretty
④ Korean food   ⑤ to play badminton

자주 나와요!
2 문장의 형식이 [보기]와 같은 것은?

> [보기]   He enjoys taking pictures.

① Her voice sounded excited.
② There is a flower in the vase.
③ I bought a nice cap yesterday.
④ He goes to school by subway.
⑤ The woman is my new English teacher.

3 우리말과 일치하도록 괄호 안의 말을 사용하여 문장을 완성하시오.

> Ted는 어제 우리에게 자신의 사진들을 보여 줬다. (showed, his pictures)

> Ted _____ _____ _____ _____ yesterday.

4 빈칸에 들어갈 말로 알맞은 것을 [보기]에서 골라 쓰시오. (단, 필요하지 않을 경우에는 × 표시할 것)

> [보기]   to   for   of

(1) We had to ask a favor _____ the man.
(2) I sent _____ my cousin a birthday card.
(3) Dad made a cake _____ Mom on her birthday.

틀리기 쉬워요!
5 빈칸에 들어갈 말이 나머지와 <u>다른</u> 하나는?

① I'll send the files _____ you.
② Jessy showed the letter _____ me.
③ Did you lend some money _____ him?
④ Please give the book _____ the librarian.
⑤ My grandmother bought this camera _____ me.

개념 완성 Quiz   *Choose or complete.*

1 like는 [주격보어 / 목적어]가 필요한 동사이다.
> POINT 03

2 3형식 문장은 「주어+동사+_____」로 이루어진 문장이다.
> POINT 03

3 수여동사가 쓰인 4형식 문장은 「주어+동사+간접목적어([~에게 / ~을])+직접목적어([…에게 / …을])」로 이루어진다.
> POINT 04

4 수여동사가 쓰인 3형식 문장에서는 [직접목적어 / 간접목적어] 앞에 전치사를 쓴다.
> POINT 04

5 4형식 문장을 3형식 문장으로 바꿔 쓸 때는 [전치사 / 목적어]가 필요하다.
> POINT 04

UNIT 3 5형식 문장

POINT 05 5형식 문장

The news **made** them **happy**. 그 소식은 그들을 기쁘게 했다.

주어   동사   목적어   목적격보어

* 목적어(them)의 상태를 보충 설명하는 목적격보어(happy)가 없으면 문장이 완성되지 않아.

「주어+동사+목적어+목적격보어」로 이루어진 문장이며, 목적격보어 자리에는 동사에 따라 명사, 형용사, to부정사(구), 동사원형 등 다양한 형태가 쓰인다.

목적격보어로 명사를 쓰는 동사	call, name, make, elect 등	They **call** him **a hero**. We **elected** Kate **class president**.
목적격보어로 형용사를 쓰는 동사	make, keep, find, leave 등	I always **keep** my room **clean**. They **found** the room **comfortable**.
목적격보어로 to부정사(구)를 쓰는 동사	want, tell, ask, allow, encourage, advise, expect 등	Dad **wants** me **to wake** up early. Ms. Brown **told** us **to be** quiet. He **asked** me **to call** the police.

ⓘ 4형식 vs. 5형식 문장
   She **made** him **a doughnut**. (그에게 도넛을 만들어 줬다) [4형식]
   She **made** him **a millionaire**. (그를 백만장자로 만들었다) [5형식]

POINT 06 사역동사·지각동사가 쓰인 5형식 문장

She **made** me **smile**. 그녀는 나를 웃게 했다.

주어   사역동사   목적어   목적격보어(동사원형)
      (~하게 하다)

* 사역동사는 다른 사람에게 어떤 동작을 하게 하는 것을 나타내는 동사야.

5형식 문장에서 동사가 사역동사이거나 지각동사일 때는 목적격보어로 동사원형을 쓴다. 단, 지각동사일 때는 현재분사(-ing)를 쓸 수도 있다.

사역동사+목적어+동사원형 서술형 빈출	make, let, have 등 (~하게 하다)	Let me **introduce** myself to you. I **had** my dog **sit** down.
지각동사+목적어+동사원형(현재분사)	see, watch, hear, listen to, feel 등	I **saw** her **dance(dancing)**. Nobody **heard** me **sing(singing)**. He **felt** his heart **beat(beating)** fast.
		➕ 주로 동작을 강조할 때 목적격보어로 현재분사(-ing)를 쓴다.

ⓘ get: 5형식 문장에서 '~하게 하다'라는 의미로 쓰이면 목적격보어로 to부정사를 쓴다.
   She **got** me **to turn** off the TV. (= She **had** me **turn** off the TV.)

ⓘ help: '(~가) …하는 것을 돕다'라는 의미로 쓰이면 목적격보어로 동사원형이나 to부정사를 쓴다.
   My brother **helped** me **(to) write** my essay.

개념 QUICK CHECK

POINT 05

각 문장이 5형식 문장이 되도록 빈칸에 문맥상 알맞은 말을 골라 기호를 쓰시오.

a. safe	b. Smombies
c. to help me	d. white

1 I had a lot of work to do. I asked her _____.

2 We call such people _____.

3 This place will keep you _____.

4 Tom painted the fence _____.

POINT 06

어법상 올바른 문장은 √ 표시하고, 어법상 틀린 문장은 틀린 부분을 바르게 고쳐 쓰시오.

1 We heard the door to open.
                     (   )

2 Mr. Kim made his students follow the rules.   (   )

3 I saw a cat climb the tree. (   )

4 Please help me doing the dishes.
                     (   )

대표 기출 유형으로 **실전 연습**

1 [보기]에서 알맞은 말을 골라 문장을 완성하시오.

> [보기]   boring   to be   Queen Bee

(1) My friends called me _____.
(2) I found the documentary film _____.
(3) The librarian asked the students _____ quiet.

2 주어진 두 문장과 의미가 통하도록 빈칸에 알맞은 말을 쓰시오.

> I heard the students. They were talking loudly outside.

> I heard the students _____ outside.

3 빈칸에 들어갈 말로 알맞지 <u>않은</u> 것은?

> Mom _____ me make my bed every day.

① lets   ② has   ③ makes
④ tells   ⑤ helps

4 문장의 형식이 나머지와 <u>다른</u> 하나는?

① I saw Jiho crying.
② We named him Bob.
③ The students found her strict.
④ Someone called you last night.
⑤ The contest made me feel nervous.

5 빈칸에 들어갈 말이 순서대로 바르게 짝지어진 것은?

> • Mr. Smith had us _____ the classroom.
> • My sister wanted me _____ her with her homework.

① clean – to help   ② clean – help
③ to clean – help   ④ to clean – to help
⑤ to clean – helping

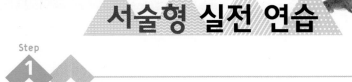

서술형 실전 연습

Step
1

1 우리말과 일치하도록 괄호 안의 말을 사용하여 문장을 완성하시오.

(1) 이 커피는 쓴 맛이 난다.

> This coffee _____. (bitter)

(2) 그 아기는 인형 같아 보인다.

> The baby _____. (a doll)

자주 **나와요!**

2 두 문장의 의미가 같도록 빈칸에 알맞은 말을 쓰시오.

(1) Can you buy me a new cell phone, Dad?

> Can you buy _____, Dad?

(2) Ms. Baker teaches English to middle school students.

> Ms. Baker teaches _____.

3 빈칸에 공통으로 알맞은 말을 쓰시오.

- Can you find a seat _____ me?
- Eric got a cold drink _____ everyone.
- Dad cooked delicious hamburgers _____ us.

틀리기 **쉬워요!**

4 다음 두 문장을 한 문장으로 나타낼 때 빈칸에 알맞은 말을 쓰시오.

We sat on the grass. They allowed it.

> They allowed _____ on the grass.

5 그림을 보고, [보기]에서 알맞은 동사를 골라 괄호 안의 말을 어법에 맞게 사용하여 문장을 완성하시오.

[보기]	had	heard

(1) Dad _____.
(Ray, wash the car)

(2) Lena _____.
(a bird, sing)

개념 완성 Quiz *Choose or complete.*

1 · 감각동사 + 형용사 / like + 형용사

· 감각동사 + 명사 / like + 명사

> POINT 02

2 · buy + 직접목적어 + to / for / of + 간접목적어: ～에게 …을 사 주다

· teach + 직접목적어 + to / for / of + 간접목적어: ～에게 …을 가르치다

> POINT 04

3 3형식 문장에서 간접목적어 앞에 전치사 _____를 사용하는 동사: find, get, cook, buy 등

> POINT 04

4 allow + 목적어 + 동사원형 / 동명사 / to부정사 : ～가 …하는 것을 허락하다

> POINT 05

5 5형식 문장에서 동사 have와 hear의 목적격보어: 동사원형 / to부정사

> POINT 06

개념 완성 **Quiz** *Choose or complete.*

6 다음 글에서 어법상 **틀린** 부분을 찾아 바르게 고쳐 쓰시오.

> I saw Kate to sit on a bench. She looked sad. I wanted her to feel better, so I introduced her to my friends.

_____ > _____

6 • 감각동사 뒤의 주격보어:
　　 형용사 / 부사

　　• 지각동사 뒤의 목적격보어:
　　 동사원형 / 현재분사 / to부정사

　　　　> POINT 02, 05, 06

7 주어진 두 문장을 (조건)에 맞게 한 문장으로 완성하시오.

> Anne started to take the Taekwondo class. She thought that it was exciting.

> (조건)　1. 문장의 동사를 found로 할 것
> 　　　　2. 5단어를 사용하여 5형식 문장으로 완성할 것

> Anne _____.

7 find+목적어+ 동명사 / 부사 / 형용사 :
　 ～가 …하다고 생각하다

　　　　> POINT 05

8 다음 표를 보고, 지난주에 엄마가 가족들에게 요청한 것을 나타내는 문장을 괄호 안의 동사를 사용하여 (예시)와 같이 완성하시오.

이름	할 일
Dad	plan a trip to Jeju-do
(1) Tom	feed the dogs
(2) Lisa	water the plants

> (예시)　Mom wanted Dad to plan a trip to Jeju-do. (want)

(1) Mom _____. (let)

(2) Mom _____. (ask)

8 • let+목적어+ 동사원형 / to부정사 /
　　 동명사 : ～가 …하게 하다

　　• ask+목적어+ 동사원형 / to부정사 /
　　 동명사 : ～에게 …할 것을 요청하다

　　　　> POINT 05, 06

실전 모의고사

시험일 :	월	일	문항 수 : 객관식 18 / 서술형 7	
목표 시간 :			총점	
걸린 시간 :				/ 100

01 빈칸에 들어갈 말로 알맞은 것은?   2점

> The food in the restaurant tasted _____.

① badly   ② salty   ③ sourly

④ sweetly   ⑤ terribly

[02-03] 빈칸에 들어갈 말이 순서대로 바르게 짝지어진 것을 고르시오.   각 3점

02
> • Plants grow _____ with long daylight.
> • Kelly got the concert ticket _____ me.

① well – to   ② well – for

③ good – to   ④ good – for

⑤ good – of

03
> • I heard them _____ my name.
> • Bob felt someone _____ his shoulder.

① call – touch   ② call – to touch

③ called – touch   ④ called – to touch

⑤ calling – to touch

04 빈칸에 들어갈 말로 알맞지 <u>않은</u> 것은?   3점

> The baby looked _____ in a pink dress.

① cute   ② cuter   ③ cutely

④ lovely   ⑤ like an angel

05 빈칸에 들어갈 말로 알맞지 <u>않은</u> 것을 <u>모두</u> 고르시오. 3점

> My coach _____ me not to waste time.

① had   ② told   ③ helped

④ advised   ⑤ let

06 빈칸에 들어갈 말이 나머지와 <u>다른</u> 하나는?   3점

① Please pass the book _____ me.

② Can you teach Chinese _____ me?

③ Mom bought a hat _____ my sister.

④ He sent a Christmas card _____ his family.

⑤ Cindy showed her wedding photos _____ her family.

07 빈칸에 공통으로 들어갈 말로 알맞은 것은?   3점

> • I helped Sue _____ her homework.
> • Ian saw his father _____ the dishes.

① do   ② did   ③ done

④ to do   ⑤ doing

08 문장의 형식이 나머지와 <u>다른</u> 하나는?   3점

① Tom ran away quickly.

② The cat was lying on the sofa.

③ There is an old house on the hill.

④ Kathy missed an important meeting.

⑤ They went to a famous Italian restaurant.

09 문장의 형식이 (보기)와 <u>다른</u> 것은? 4점

> (보기) I felt the table shaking.

① The news made me sad.
② I'll let you know the answer.
③ They elected Irene their group leader.
④ Uncle Charlie told the boys a funny story.
⑤ The officer asked me to fill out the form.

10 우리말을 영어로 바르게 옮긴 것을 <u>2개</u> 고르시오. 4점

> Jake는 남동생에게 로봇을 만들어 주었다.

① Jake made a robot his younger brother.
② Jake made his younger brother a robot.
③ Jake made a robot to his younger brother.
④ Jake made a robot for his younger brother.
⑤ Jake made his younger brother for a robot.

11 다음 중 어법상 올바른 문장은? 4점

① We discussed about the issue.
② Jimin resembles with his mother.
③ The judge explained the rules to us.
④ Damon asked Grace to marry with him.
⑤ The train reached at the station on time.

12 밑줄 친 <u>make</u>의 쓰임이 나머지와 <u>다른</u> 하나는? 4점

① I can <u>make</u> you a paper plane.
② Will you <u>make</u> us some cookies?
③ Dan will <u>make</u> her pizza for dinner.
④ My parents always <u>make</u> me get up early.
⑤ Grandpa is going to <u>make</u> a chair for me.

13 다음 중 바꿔 쓴 문장이 어법상 <u>틀린</u> 것은? 4점

① She asked me a favor.
  > She asked a favor of me.
② Ryan found me a good seat.
  > Ryan found a good seat for me.
③ His support gave me strength.
  > His support gave strength of me.
④ My friend cooked me spaghetti.
  > My friend cooked spaghetti for me.
⑤ Could you lend me some money?
  > Could you lend some money to me?

14 괄호 안에서 어법상 올바른 것끼리 순서대로 바르게 짝 지어진 것은? 4점

> • He asked a question (by / of) me.
> • It may sound (strange / strangely).
> • Dad got me (read / to read) the book.

① by – strange – to read
② by – strangely – read
③ of – strange – to read
④ of – strangely – read
⑤ of – strange – read

15 밑줄 친 <u>have</u>의 쓰임이 (보기)와 같은 것은? 4점

> (보기) I'll <u>have</u> Daisy fix my laptop.

① Did you <u>have</u> a lot of fun yesterday?
② They are going to <u>have</u> a baby soon.
③ Do we <u>have</u> to go to school tomorrow?
④ My parents <u>have</u> me walk our dogs every day.
⑤ The doctor told me to <u>have</u> breakfast every morning.

신유형

16 문장의 형식이 같은 것끼리 바르게 짝지어진 것은? **5점**

> ⓐ The leaves turned yellow.
> ⓑ The chicken salad tasted great.
> ⓒ I know that Susie is from Poland.
> ⓓ They found the movie very boring.
> ⓔ Mr. Wang started teaching Chinese two years ago.

① ⓐ, ⓑ   ② ⓐ, ⓔ   ③ ⓑ, ⓒ, ⓓ
④ ⓑ, ⓓ   ⑤ ⓒ, ⓓ, ⓔ

고난도

17 어법상 **틀린** 것끼리 바르게 짝지어진 것은?   **5점**

> ⓐ It sounds a good plan.
> ⓑ Your present made me happily.
> ⓒ Mason named Joy his daughter.
> ⓓ Grandma wrote a long letter to us.
> ⓔ Who encouraged you becoming a vet?

① ⓐ, ⓑ   ② ⓒ, ⓓ
③ ⓑ, ⓒ, ⓔ   ④ ⓐ, ⓑ, ⓓ, ⓔ
⑤ ⓐ, ⓑ, ⓒ, ⓔ

통합

18 다음 대화의 밑줄 친 ①~⑤ 중 어법상 **틀린** 것은?   **4점**

> **A:** You don't look ① good today. ② Is there anything wrong with you?
> **B:** I don't know. I feel so ③ cold today.
> **A:** Oh, I'll get some tea ④ to you. It'll make you ⑤ feel better.

서술형

19 밑줄 친 단어를 어법상 올바른 형태로 고쳐 쓰시오. 각 **2점**

(1) Jogging makes you <u>healthily</u>.

> _____

(2) This sandwich really tastes <u>well</u>.

> _____

20 다음 문장과 의미가 같도록 빈칸에 알맞은 말을 쓰시오. **4점**

> Fans around the world send the K-pop singers emails.

> Fans around the world send _____
> _____ _____ _____ _____.

21 우리말과 일치하도록 괄호 안의 말을 배열하여 문장을 완성하시오. (단, 필요시 형태를 변화시킬 것)   각 **3점**

(1) 경기장에는 많은 사람들이 있었다.

　　(the stadium, be, people, a lot of, in)

　　> There _____

(2) 나는 누군가가 코를 고는 것을 들을 수 있었다.

　　(somebody, could, snore, hear)

　　> I _____

22 주어진 두 문장을 (조건)에 맞게 한 문장으로 쓰시오. 4점

> I joined the soccer club. Dad allowed it.

(조건)　1. 주어가 Dad이고 목적어가 me인 문장으로
　　　　　쓸 것
　　　　2. 8단어의 5형식 문장으로 쓸 것

> _____

23 다음 그림을 보고, (조건)에 맞게 대화를 완성하시오. 5점

(조건)　1. 주어가 He인 5형식 문장으로 쓸 것
　　　　2. listen to, Grandma, sing을 어법에 맞
　　　　　게 사용할 것

A: What's John doing?
B: _____

24 어법상 <u>틀린</u> 문장 <u>2개</u>를 찾아 바르게 고쳐 쓰시오. 각 3점

ⓐ Jane's pet dog looks a wolf.
ⓑ Jim always keeps his room clean.
ⓒ Let me help you solve the problem.
ⓓ My sister doesn't let me using her cell
　phone.

(　　) > _____
(　　) > _____

25 다음 대화의 내용과 일치하도록 빈칸에 알맞은 말을 쓰
시오. 6점

Justin: Mom, could you give me a ride to
　　　　 the public library?
Mom: No problem. Let's go right now. Turn
　　　　 off the computer.

▼

Justin asks his mom _____ _____
_____ _____ _____ to the public
library. His mom tells him _____ _____
_____ the computer.

약점 공략		틀린 문항 번호가 있는 칸을 색칠하고, 어떤 문법 POINT의 집중 복습이 필요한지 파악해 보세요.
틀린 문제가 있다면?		

문항 번호	연관 문법 POINT	문항 번호	연관 문법 POINT	문항 번호	연관 문법 POINT
01	P2	10	P4	19	P2, P5
02	P1, P4	11	P3	20	P4
03	P6	12	P4, P6	21	P1, P6
04	P2	13	P4	22	P5
05	P5, P6	14	P2, P4, P6	23	P6
06	P4	15	P3, P6	24	P2, P5, P6
07	P6	16	P2, P3, P5	25	P4, P5
08	P1, P3	17	P2, P4, P5		
09	P4, P5, P6	18	P1~P6		

연관 문법 POINT 참고

P1 (p.8) **1형식 문장**
P2 (p.8) **2형식 문장**
P3 (p.10) **3형식 문장**

P4 (p.10) **4형식 문장**
P5 (p.12) **5형식 문장**
P6 (p.12) **사역동사·지각동사가 쓰인
　　　　　5형식 문장**

Level Up Test

01 어법상 잘못 쓰인 문장 요소가 있는 문장끼리 짝지어진 것은?

> ⓐ They sang beautiful.
> ⓑ She became a journalist.
> ⓒ The boys jumped over the wall.
> ⓓ He gave to his friend some advice.
> ⓔ Mindy likes eating ice cream for dessert.

① ⓐ, ⓑ   ② ⓐ, ⓓ   ③ ⓑ, ⓒ
④ ⓒ, ⓔ   ⑤ ⓓ, ⓔ

02 다음 글의 밑줄 친 ⓐ~ⓔ 중 문장의 형식이 같은 것끼리 짝지어진 것은?

> ⓐ People call me orang-utan. It means "Man of the Forest." ⓑ I live in the rain forest. I live in trees. ⓒ I swing from branch* to branch. These days, ⓓ many people cut down trees here. ⓔ It makes me so sad. I lost my home.   *branch 나뭇가지

① ⓐ, ⓓ   ② ⓐ, ⓔ   ③ ⓑ, ⓒ, ⓓ
④ ⓑ, ⓓ   ⑤ ⓒ, ⓓ, ⓔ

03 How many sentences are grammatically correct?

> ⓐ People in the room stayed calm.
> ⓑ Mr. Kim got his daughter wake up early.
> ⓒ We expect the national soccer team to win a gold medal.
> ⓓ Jaden sent his wife some flowers for her birthday.

① 0개   ② 1개   ③ 2개   ④ 3개   ⑤ 4개

04 빈칸에 알맞은 말을 (보기)에서 골라 대화를 완성하시오.

(보기)	better	sick	good
	smelled	looked like	went

> **A:** Are you all right, Aaron? You don't look _____ today.
> **B:** I got _____ last night, but I'm getting _____.
> **A:** What happened?
> **B:** I drank some milk yesterday. I didn't know that it _____ bad. It _____ fresh milk, but it _____ strange.
> **A:** Oh, that's too bad.

05 다음 그림을 보고, 세호가 캠핑 계획을 말하는 글을 완성하시오.

> Mina is good at making things, so I want her (1) _____. Jiho is a good cook. I'll tell (2) _____. I am going to do the dishes. Lastly, I'll have Mom and Dad (3) _____.

CHAPTER

02

시제

시제(時制)는 어떤 동작이나 상태가 언제(현재 / 과거 / 미래), 어떻게(진행형 / 완료형) 일어나는 지 동사의 형태를 변화시켜 표현하는 방식이다. 과거 한 시점의 일이 기준 시점까지 영향을 미칠 때는 완료형(have + 과거분사)을 사용한다.

Preview

현재완료:
「have + 과거분사」

형태

긍정문	I have lived in Seattle for two years.
부정문	He hasn't finished his homework yet.
의문문	Have you ever eaten Mexican food before?

의미

결과	She has spent all of her money.
경험	I have been to China three times.
계속	They have known each other since 2009.
완료	Tim has already left the party.

POINT **01** 현재완료의 쓰임과 형태

I***have studied** math for 10 years.	나는 수학을 10년간 공부해 왔다.
주어　동사(공부해 왔다)　목적어　부사구	***** '10년 전부터 현재까지' 쭉 공부해 왔다는 말이야.

현재완료는 「have(has)+과거분사」의 형태로, 과거에 일어난 일이 현재에도 영향을 미치거나 관련이 있을 때 사용한다.

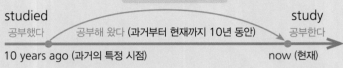

have studied

studied 공부했다 ← 공부해 왔다 (과거부터 현재까지 10년 동안) → study 공부한다

10 years ago (과거의 특정 시점)　　　　　　now (현재)

과거시제	현재완료
I **lost** my phone *yesterday*. → 과거에 잃어버린 사실만 알려 줌	I have lost my phone. → 잃어버린 후 현재까지 찾지 못했음을 알려 줌
She **lived** in Busan *2 years ago*. → 현재 어디에 사는지 모름	She has lived in Busan *since 2002*. → 현재 부산에 살고 있음을 알려 줌
• 과거의 특정 시점에 일어난 일로, 그 일이 현재에 어떤 영향을 주는지는 알 수 없음 • 주로 함께 쓰는 표현: yesterday, ~ ago, last night, then, at that time, 「in+과거 연도」, 의문사 when 등	• 과거에 시작된 일이 현재와 연관성을 가짐 • 주로 함께 쓰는 표현: just, already, ever, never, before, twice, since 등 ➕ 과거의 특정 시점을 나타내는 부사(구)와 함께 쓸 수 없다. 서술형 빈출 She **has lived** in Busan in 2002. (×)

POINT **02** 현재완료의 의문문과 부정문

*Have you been to the USA?	너는 미국에 가 본 적 있니?
Have(Has)　주어　과거분사	***** 의문문은 주어 앞에 Have(Has)를 써.
No. I***haven't been** there yet.	아니. 아직 그곳에 가 본 적 없어.
have(has)+not+과거분사	*****「have(has)+not」은 줄여 쓸 수 있어.

의문문	Have(Has)+주어+과거분사 ~? - 긍정 대답: Yes, 주어+have(has). - 부정 대답: No, 주어+haven't(hasn't).	Have you visited Spain before? - Yes, I have. - No, I haven't.
부정문	주어+have(has)+not(never)+과거분사 ~.	I have not seen him for a year. She has never been on TV before.

개념 QUICK CHECK

POINT **01**

괄호 안에서 알맞은 것을 고르시오.

1 I have (finish / finished) my homework.

2 We have (knew / known) him for five years.

3 Kate (have lived / has lived) here since she was four.

4 They (made / have made) the robot last year.

POINT **02**

주어진 문장이 올바르면 ○, 틀리면 ×를 쓰시오.

1 Have you ever seen elephants before? (　　)

2 She doesn't have arrived yet. (　　)

3 Does Ann have already finished her project? (　　)

4 I haven't met my new teacher yet. (　　)

대표 기출 유형으로 **실전 연습**

1 빈칸에 들어갈 말로 알맞은 것은?

> Tom _____ there since 2017.

① works　　　　② to work　　　　③ was working

④ have worked　　⑤ has worked

2 우리말과 일치하도록 괄호 안의 동사를 어법에 맞게 사용하여 문장을 완성하시오.

(1) 일주일 동안 계속 비가 오고 있다. (rain)

　　> It _____ _____ for a week.

(2) 나는 전에 한 번도 운전을 해 본 적이 없다. (drive)

　　> I _____ _____ _____ a car before.

쉬워요!
틀리기

3 빈칸에 들어갈 말로 알맞지 <u>않은</u> 것은?

> I have used this machine _____.

① before　　　　② already　　　　③ yesterday

④ for a month　　⑤ since last week

나와요!
자주

4 다음 대화의 빈칸에 들어갈 말이 순서대로 바르게 짝지어진 것은?

> **A:** _____ you ever been to Taiwan?
>
> **B:** No. I _____ been there yet.

① Did – didn't　　② Are – don't　　③ Have – have

④ Have – haven't　⑤ Has – hasn't

5 다음 중 어법상 <u>틀린</u> 문장은?

① She hasn't had food for two days.

② Somebody stole my bag yesterday.

③ We've visited some countries in Europe.

④ When have you finished your homework?

⑤ Minsu has studied English since he was ten.

개념 완성 Quiz　　*Choose or complete.*

1 since는 '~ 이래로'라는 의미의 전치사로, 주로 과거시제 / 현재완료 와 함께 쓰인다.

> POINT 01

2 3인칭 단수 주어일 때 현재완료의 형태는 「has / have +과거분사」이고, 현재완료 부정문은 과거분사 앞 / 뒤 에 부정어를 쓴다.

> POINT 01, 02

3 현재완료는 기간 / 과거 시점 을 나타내는 표현과 함께 쓰이지 않는다.

> POINT 01

4 현재완료 의문문의 어순은 「 Did / Have +주어+과거분사 ~?」이다.

> POINT 02

5 현재완료는 since / ago 와 같은 표현과 함께 잘 쓰인다.

> POINT 01, 02

UNIT **2** 현재완료의 의미

POINT **03** 현재완료의 의미

(1) 결과

I *have lost** my pen.
나는 펜을 잃어버렸다.
*과거에 잃어버린 결과 지금 갖고 있지 않음을 나타냄. (So I don't have it now.)

| 과거 행동의 결과가 현재에도 영향을 미칠 때 | ~해 버렸다 (그래서 지금은 …하다) | Jen **has** left the party. (She's not there now.)
Tom **has** gone to Paris. (He's not here now.) |
| | ➕ 주로 쓰이는 동사: lose(lost), go(gone), leave(left), spend(spent) 등 |

(2) 경험

I *have been** to India before.
나는 전에 인도에 가 본 적이 있다.
이전에 *가 본 경험이 있음을 나타냄.

| 과거부터 현재까지 겪은 경험을 나타낼 때 | ~해 본 적이 있다 | She **has** visited Thailand four times.
I **have** never seen him before. |
| | ➕ 주로 함께 쓰이는 말: ever, never, before, once, ~ times, so far 등 |

① have been to(경험) *vs.* have gone to(결과) [서술형 빈출]
He **has been** to LA. (가 본 적이 있다)　He **has gone** to LA. (가서 지금 여기 없다)

(3) 계속

He *has studied** Chinese for 5 years.
그는 5년 동안 중국어를 공부해 왔다.
*4년 전부터 지금까지 계속 공부해 오고 있음을 나타냄.

| 과거에 일어난 일이 현재에도 지속될 때 | (현재까지 줄곧) ~해 왔다 | We started playing tennis last October. +
We still play tennis.
→ We **have played** tennis since last October. |
| | ➕ 주로 함께 쓰이는 말: 「for+기간」, 「since+과거 시점」, lately 등 [서술형 빈출] |

(4) 완료

She *has already finished** her lunch.
그녀는 이미 점심 식사를 마쳤다.
이미 *현재는 점심 식사가 이미 끝났음을 나타냄.

| 과거에 일어난 일이 막 완료되었음을 말할 때 | (과거에 시작해서 지금 막/이미) ~했다 | He **has** just **arrived** at the airport.
I **haven't checked** my email yet. |
| | ➕ 주로 함께 쓰이는 말: just, already, yet 등 |

24　CHAPTER 02

대표 기출 유형으로 **실전 연습**

1 밑줄 친 부분이 나타내는 의미를 [보기]에서 골라 기호를 쓰시오.

[보기]	ⓐ 결과	ⓑ 계속	ⓒ 경험

(1) Tim <u>has lost</u> interest in music. ( )
(2) We <u>have never been</u> to Scotland. ( )
(3) Jane <u>hasn't felt</u> well since this morning. ( )

2 [보기]에서 알맞은 말을 골라 문장을 완성하시오.

[보기]	yet	twice	for	since

(1) I have been to Jeju-do _____.
(2) Jason has not finished his report _____.
(3) My parents have been married _____ 15 years.

^{쉬워요!} 틀리기
3 두 문장의 의미가 같도록 할 때 빈칸에 들어갈 말로 알맞은 것은?

My brother went to the USA, so he's not here now.
> My brother _____ to the USA.

① goes ② is going ③ will go
④ has gone ⑤ has been

4 다음 문장의 빈칸에 동사 live를 각각 알맞은 형태로 쓰시오.

Charlie _____ in Jeonju seven years ago, but he _____ in Seoul since last year.

^{나와요!} 자주
5 밑줄 친 부분의 쓰임이 [보기]와 같은 것은?

[보기]	The game <u>has</u> just <u>started</u>.

① I <u>have read</u> fifty books so far.
② I <u>have</u> never <u>seen</u> such a beautiful dress.
③ The man <u>has left</u> his bag on the subway.
④ Mina <u>has</u> already <u>planned</u> her trip to Paris.
⑤ My sister <u>has watched</u> the *Harry Potter* movies several times.

개념 완성 Quiz *Choose or complete.*

1 현재완료는 결과, 계속, 완료, 경험 / 목적
의 의미를 나타낼 수 있다.
> POINT 03-(1), (2), (3)

2 전치사 since 뒤에는 과거 시점 / 기간,
for 뒤에는 과거 시점 / 기간 이 온다.
> POINT 03-(2), (3), (4)

3 '~에 가서 지금 여기에 없다'라는 결과
의 의미는 _____ _____ to로
나타낸다.
> POINT 03-(1)

4 부사 ago는 과거시제 / 현재완료 와
쓰이고, 전치사 since는 과거시제 /
현재완료 와 주로 함께 쓰인다.
> POINT 03-(3)

5 부사 just는 결과 / 경험 / 계속 / 완료
의 의미를 나타내는 현재완료와 주로
함께 쓰인다.
> POINT 03

서술형 실전 연습

1 빈칸에 알맞은 말을 [보기]에서 골라 어법상 올바른 형태로 바꿔 쓰시오.

[보기]	visit	teach	be

(1) Ms. Baker _____ English since 2010. She is at Bora Middle School now.

(2) My family _____ Hawaii three months ago. We had a great time there.

1 · since: 과거시제 / 현재완료 와 쓰임

· ago: 과거시제 / 현재완료 와 쓰임

> POINT 01

2 빈칸에 알맞은 말을 [보기]에서 골라 쓰시오.

[보기]	last Sunday	five years	lately

(1) David has been busy _____.

(2) My cat has been sick since _____.

(3) They have known each other for _____.

2 · for / since +과거 시점: ~ 이래로

· for / since +기간: ~ 동안

> POINT 03-(3)

3 자주 나와요!

다음 대화의 빈칸에 공통으로 알맞은 말을 쓰시오.

A: Have you ever _____ to Busan?
B: Yes. I've _____ there many times.

3 · ~에 가고 없다: have _____ to

· ~에 가 본 적이 있다:
have _____ to

> POINT 03-(2)

4 틀리기 쉬워요!

주어진 두 문장과 의미가 통하도록 문장을 완성하시오.

Bill bought his smartphone two years ago. He still has it.

> _____ for two years.

4 과거의 행동이 현재에도 영향을 미칠 때:
「_____+_____」로 나타냄

> POINT 01, 03-(3)

5 우리말과 일치하도록 괄호 안의 말을 어법에 맞게 사용하여 문장을 쓰시오.

(1) 너는 별똥별을 본 적 있니? (a shooting star, see, ever)

> _____

(2) 그는 아직 아침 식사를 마치지 않았다. (yet, finish, his breakfast)

> _____

5 · 너는 ~을 본 적 있니?:
_____ you _____ ~?

· 아직 ~을 마치지 않았다:
주어+_____ _____
_____ ~ yet.

> POINT 02, 03-(2), (4)

6 다음 표의 내용과 일치하도록 [예시]와 같이 I로 시작하는 문장을 쓰시오.

경험한 것	나	민호
see *The Lion King*	○	×
(1) visit New Zealand	×	○
(2) fly a kite	○	×

[예시]   I have seen *The Lion King*, but Minho hasn't.

(1) _____

(2) _____

6 ~(경험)해 보지 못했다:
「_____ + _____ +과거분사」
> POINT 02, 03-(2)

7 Sam의 거실 모습을 보고, 괄호 안의 동사를 사용하여 달라진 점과 달라지지 <u>않은</u> 점을 나타내는 문장을 [예시]와 같이 완성하시오.

<Before>   <After>

[예시]   Sam has cleaned the floor. (clean)

(1) Sam _____ the TV. (turn off)

(2) Sam _____ the window. (close)

(3) Sam _____ a book on the table. (put)

7 과거에 시작해서 방금 끝낸 일:
계속 / 경험 / 완료 의 의미를 나타내는
현재완료를 사용함
> POINT 02, 03-(4)

고난도

8 다음 대화의 빈칸에 동사 play를 어법상 올바른 형태로 각각 쓰시오. (단, 필요 시 단어를 추가할 것)

A: Wow! You play the piano very well. How long (1) _____
_____ it?

B: I first (2) _____ it when I was five.

A: Then you (3) _____ it for ten years. That's amazing!

8 • 과거시제 / 현재완료 +일정 기간을
나타내는 말
• 과거시제 / 현재완료 +특정 시점을
나타내는 말
> POINT 01, 02, 03-(3)

실전 모의고사

시험일 :	월	일	문항 수 : 객관식 18 / 서술형 7
목표 시간 :			총점
걸린 시간 :			/ 100

01 빈칸에 들어갈 말로 알맞은 것은?　　　2점

> Ben _____ a pet dog for two years.

① raises　　② is raised　　③ has raised
④ have raised　⑤ was raising

02 다음 문장의 ①~⑤ 중 never가 들어갈 위치로 알맞은 것은?　　　2점

> Actually, (①) they (②) have (③) thought (④) about this issue (⑤).

[03-04] 빈칸에 들어갈 말이 순서대로 바르게 짝지어진 것을 고르시오.　　　각 3점

03
> • Tom _____ sick last week.
> • Lucy _____ sick since last week.

① was – was
② was – has been
③ was – have been
④ has been – was
⑤ has been – has been

04
> • I have loved Julie _____ I first met her.
> • Peter has taken violin lessons _____ one year.

① since – for
② since – since
③ when – for
④ when – since
⑤ for – since

[05-06] 빈칸에 들어갈 말로 알맞지 않은 것을 고르시오. 각 3점

05
> Jina has visited Canada _____.

① once　　② before　　③ recently
④ three times　⑤ two years ago

06
> Have you ever _____?

① been to Europe
② eaten Thai food
③ seen polar bears
④ gone to Australia
⑤ listened to the song

07 다음 대화의 빈칸에 들어갈 말이 순서대로 바르게 짝지어진 것은?　　　3점

> **A:** How long _____ you _____ him?
> **B:** About five years. We went to elementary school together.

① did – know
② did – known
③ have – know
④ have – knew
⑤ have – known

[08-09] 밑줄 친 부분의 쓰임이 나머지와 다른 하나를 고르시오.　　　각 4점

08 ① Amy has lost her umbrella.
② They have never shopped online.
③ Somebody has taken my cell phone.
④ I have left my English book at the library.
⑤ My cousin has gone to Italy to study opera.

09 ① Has Megan fixed my bike yet?
② He has taught math since 2000.
③ They have just arrived at the airport.
④ My brother hasn't brushed his teeth yet.
⑤ Judy has already finished her science project.

10 다음 두 문장을 한 문장으로 바르게 나타낸 것은? 4점

> Minsu moved to Pohang ten years ago. He still lives there.

① Minsu once lived in Pohang.
② Minsu has been to Pohang ten years ago.
③ Minsu has moved to Pohang for ten years.
④ Minsu has lived in Pohang ten years ago.
⑤ Minsu has lived in Pohang for ten years.

고난도
11 다음 문장에 이어질 말로 알맞지 <u>않은</u> 것은? 4점

> Andy is in China now. _____

① He is on vacation.
② He has moved there.
③ He has been there once.
④ He arrived there last night.
⑤ He lives there with his family.

12 다음 대화의 빈칸 ⓐ~ⓒ에 들어갈 말이 순서대로 바르게 짝지어진 것은? 4점

> A: Brian, I need your help. ____ⓐ____ you finished your homework?
> B: ____ⓑ____, Mom. I'm sorry. I think Alice ____ⓒ____ finished hers. How about asking her?

① Did – Not yet – has
② Did – Already – has
③ Have – Already – did
④ Have – Not yet – has
⑤ Have – Not now – did

13 주어진 내용을 한 문장으로 나타낸 것 중 <u>어색한</u> 것은? 4점

① I began studying French in 2018. I still study it.
> I have studied French since 2018.
② Dr. Kent left for New York, so he isn't here now.
> Dr. Kent has left for New York.
③ Jen lost her bike, so she doesn't have it now.
> Jen has lost her bike.
④ Maria first saw the movie at the theater last week. Today, she saw it again on TV.
> Maria has seen the movie twice.
⑤ I had a toothache yesterday. I still have it.
> I have had a toothache yesterday.

14 밑줄 친 부분의 쓰임이 같은 것끼리 바르게 짝지어진 것은? 4점

> ⓐ Lisa <u>hasn't eaten</u> for hours.
> ⓑ Dad <u>has used</u> this tool before.
> ⓒ She <u>has eaten</u> her lunch already.
> ⓓ It <u>has been</u> a long time since we met.

① ⓐ, ⓒ　　　　　② ⓐ, ⓓ
③ ⓐ, ⓒ, ⓓ　　　④ ⓑ, ⓒ, ⓓ
⑤ ⓐ, ⓑ, ⓒ, ⓓ

고난도
15 다음 중 내용의 흐름이 <u>어색한</u> 것은? 4점

① My best friend has been to Canada, so I miss him a lot.
② I met him at the party last night, but I have forgotten his name.
③ I know about the contest. I've already read about it on the Internet.
④ I've never heard about the Big Bang theory. I need to read a book about it.
⑤ Sophia is the owner of the bakery. She has run the bakery since 2015.

고난도 신유형

16 우리말과 일치하도록 할 때, 빈칸 ⓒ에 들어갈 말로 알맞은 것은? 5점

> Bill과 Joe는 어제 다툰 이후로 서로에게 말을 하지 않는다.
> > Bill and Joe ___ⓐ___ ___ⓑ___ ___ⓒ___ to each other ___ⓓ___ they ___ⓔ___ yesterday.

① not ② have ③ since
④ argued ⑤ spoken

통합

17 어법상 틀린 문장의 개수는? 4점

> ⓐ When have you lost your backpack?
> ⓑ Mr. Brown has not called me back yet.
> ⓒ Thousands of people have visited the museum since then.
> ⓓ The Wright brothers have flown their first airplane in 1903.

① 0개 ② 1개 ③ 2개 ④ 3개 ⑤ 4개

통합 고난도

18 다음 대화의 밑줄 친 ①~⑤ 중 어법상 틀린 것은? 5점

> A: Hey, Anne! ① How have you been?
> B: Hi, Jason! ② I've been great. Where are you going?
> A: I'm going to the flea market to sell these pants.
> B: ③ How long have you had them?
> A: ④ I've had them two years ago. ⑤ But I haven't worn them often.

서술형

19 다음 그림의 상황에서 여자가 할 말을 〈A〉와 〈B〉의 단어 중 하나씩만 선택하여 완성하시오. (단, 필요시 형태를 바꿀 것) 3점

〈A〉	〈B〉
start / finish	already / yet

> You're late. The movie _____ _____ _____.

20 다음 문장의 내용을 현재완료를 사용하여 한 문장으로 나타내시오. (8단어) 4점

> Jessica spent all her money on clothes, so she has no money now.

> \> _____

21 우리말과 일치하도록 할 때, 어법상 틀린 부분을 모두 찾아 문장 전체를 바르게 고쳐 쓰시오. 4점

> Josh는 '스카이 팰리스'를 처음 본 이후로 한국 드라마를 좋아해 왔다.
> > Josh likes Korean dramas when he first saw SKY Palace.

> \> _____

22 다음 그림의 내용에 맞게 괄호 안의 말을 사용하여 문장을 완성하시오.　4점

> Jim _____ _____ _____ _____ _____ five hours. (computer games)

23 이미 한 일에 √ 표시를 한 Eric의 메모를 보고, 대화를 완성하시오.　각 3점

> HOMEWORK
> ☑ solve the math problems
> ☐ finish my English essay

A: Eric, (1) _____ _____ ?
B: No, I haven't. But I (2) _____ _____ already.

24 다음 표의 내용과 일치하도록 빈칸에 알맞은 말을 쓰시오.　6점

경험한 것	Henry	Joy
visit France	○	○
see the Eiffel Tower	○	×

> Both Henry and Joy _____ last year. Henry _____ the Eiffel Tower twice, but Joy _____ it.

25 다음 글의 빈칸 (A)와 (B)에 알맞은 문장을 괄호 안의 말을 배열하여 완성하시오. (단, 필요시 형태를 바꿀 것)　각 4점

> _____(A)_____ ? (do, have, volunteer work, you, ever, any) Today was my first day at an animal shelter. I fed and washed five stray dogs. I was very tired but felt great. _____(B)_____ (volunteer work, have, do, I, several times), but this time was the best.

(A) _____

(B) _____

약점 공략
틀린 문제가 있다면?

틀린 문항 번호가 있는 칸을 색칠하고, 어떤 문법 POINT의 집중 복습이 필요한지 파악해 보세요.

문항 번호	연관 문법 POINT	문항 번호	연관 문법 POINT	문항 번호	연관 문법 POINT
01	P1	10	P1, P3	19	P1, P3
02	P2	11	P1, P3	20	P1, P3
03	P1	12	P2, P3	21	P1, P3
04	P1, P3	13	P1, P3	22	P3
05	P1	14	P3	23	P2, P3
06	P3	15	P3	24	P1~P3
07	P1, P2	16	P2, P3	25	P2, P3
08	P3	17	P1~P3		
09	P3	18	P1~P3		

연관 문법 POINT 참고

P1 (p.22) 현재완료의 쓰임과 형태
P2 (p.22) 현재완료의 의문문과 부정문
P3 (p.24) 현재완료의 의미

Level Up Test

◆◆◆◆◆◆◆◆◆◆◆ 신유형 ◆◆◆◆◆◆◆◆◆◆◆

01 다음 문장에서 어법상 **틀린** 부분을 바르게 고친 것은?

> Mike and Kate have learned Korean since they have moved to Seoul.

① have → has　　② learned → learn
③ since → for　　④ they → their
⑤ have moved → moved

02 대화의 밑줄 친 부분의 쓰임이 <u>어색한</u> 것은?

① **A:** What's Harry's sister like?
　B: I have no idea. I've <u>never met</u> her.
② **A:** Would you like something to eat?
　B: No, thank you. I've <u>just had</u> lunch.
③ **A:** Do you like the movie?
　B: Yes, I do. I <u>have watched</u> it four times.
④ **A:** Can I speak to Jane?
　B: Sorry, but she <u>has been to</u> the bank.
⑤ **A:** Where's Sam?
　B: I don't know. I <u>haven't seen</u> him since yesterday.

03 주어진 문장을 통해 알 수 있는 현재의 사실이 바르게 짝지어진 것은?

① It has stopped raining.
　> You need an umbrella.
② Mom has gone to the post office.
　> I'm at home with my mom now.
③ I have forgotten the boy's name.
　> Now I remember the boy's name.
④ I have visited Amy in the hospital three times.
　> Amy got well and left the hospital.
⑤ I have already downloaded the worksheets.
　> I have the worksheets now.

◆◆◆◆◆◆◆◆◆◆◆ 서술형 ◆◆◆◆◆◆◆◆◆◆◆

04 학생들이 과거에 경험해 본 것에 대해 설문 조사한 결과를 나타낸 다음 그래프를 보고, 경험 여부를 나타내는 문장을 완성하시오. (단, 필요시 부정문을 사용할 것)

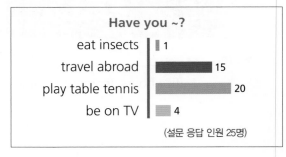

Have you ~?
eat insects ▌ 1
travel abroad ▬▬ 15
play table tennis ▬▬▬ 20
be on TV ▬ 4
(설문 응답 인원 25명)

(1) 1 student ＿＿＿＿＿＿＿＿＿＿＿＿.
(2) 15 students ＿＿＿＿＿＿＿＿＿＿.
(3) 5 students ＿＿＿＿＿＿＿＿＿＿＿.
(4) 4 students ＿＿＿＿＿＿＿＿＿＿＿.

05 어법상 **틀린** 문장을 <u>2개</u> 찾아 기호를 쓰고 바르게 고쳐 쓰시오.

> ⓐ Someone has eaten my apple.
> ⓑ How were you been lately?
> ⓒ I haven't seen Tom for a long time.
> ⓓ She didn't have finished her homework yet.
> ⓔ Have you ever spoken to a famous person?

틀린 문장의 기호	틀린 곳	고쳐 쓰기

CHAPTER

03

조동사

조동사(助動詞)는 '동사를 보조하는 말'이라는 의미로, 동사 앞에 쓰여 능력, 허가, 추측, 예정, 의무 등의 의미를 더해 준다. 주어의 인칭이나 수에 따라 형태가 변하지 않으며 뒤에는 항상 동사원형이 온다.

Preview

can	• ~할 수 있다 (능력)	Jiho can play the guitar.
	• ~해도 된다 (허가)	You can try on this hat.
may	• ~일지 모른다 (약한 추측)	There may be some water in the bottle.
	• ~해도 된다 (허가)	You may use my computer.
will	• ~할 것이다 (예정/의지)	I will call you back later.
must	• ~해야 한다 (의무)	We must be quiet in the library. = We have to be quiet in the library.
	• ~임에 틀림없다 (강한 추측)	The baby must be really hungry.
should	• ~해야 한다 (의무/충고)	You should take some medicine.
used to	• ~하곤 했다 (과거의 습관)	My brother and I used to fight a lot.
	• ~이었다 (과거의 상태)	The man used to be an actor.
had better	• ~하는 게 좋겠다 (충고/권고)	You had better wear a coat. It's cold outside.

조동사 + 동사원형

UNIT 1 can, may, will

POINT 01 can, may, will

(1) can

> ## You *can leave now.
> 조동사 + 동사원형
>
> 너는 이제 떠나도 돼.
>
> * can은 '~해도 된다'라는 허가의 의미로도 쓰여.

능력/가능	~할 수 있다 (= be able to)	Jimin **can** speak four languages. [현재] We **could** get there on time. [과거] I **will** be able to get up early tomorrow. [미래]
	➕ **be able to**: 시제와 주어의 인칭·수에 따라 be동사의 형태가 바뀐다. can은 다른 조동사에 이어서 쓸 수 없지만 be able to는 will, may 등과 함께 쓸 수 있다. [서술형 빈출]	
허가	~해도 된다 (= may)	You **can**(**may**) sit over there. [허가] You **cannot**(**may not**) park here. [불허] **Can**(**May**) I take pictures here? [허가 구하기]
요청	~해 줄래요? (= will)	**Can**(**Will**) you do me a favor? [요청] **Could**(**Would**) you give me a ride? [정중한 요청]

(2) may

> ## It *may get dark soon.
> 조동사 + 동사원형
>
> 곧 어두워질지도 몰라.
>
> * may는 확실하지 않은 일에 대한 추측을 나타낼 수 있어.

추측	~일지도 모른다	Eric **may** know the answer. [불확실한 추측] I **might** not be able to go there. [더 약한 추측]
	➕ **might**: may의 과거형이며, may보다 더 가능성이 없는 것을 추측할 때도 쓴다.	
허가	~해도 된다 (= can)	You **may**(**can**) come in. [허가] You **may not**(**cannot**) sit on the grass. [불허] **May**(**Can**) I use your cell phone? [허가 구하기]

(3) will

> ## I *will do my best.
> 조동사 + 동사원형
>
> 나는 최선을 다할 거예요.
>
> * will은 미래의 일에 대한 주어의 의지를 나타내.

예정	~할 것이다 (= be going to)	There **will** be a party tonight. [미래의 일] I said I **would** wake her up. [과거 시점에서의 미래]
의지	~하겠다	I **will** not(**won't**) eat too much fast food.
요청/부탁	~해 줄래요? (= can)	**Will**(**Can**) you give me a hand? [요청] **Would**(**Could**) you wait a moment? [정중한 요청]

개념 QUICK CHECK

POINT 01 - (1), (2)

밑줄 친 부분이 어떤 의미로 쓰였는지 √ 표시
하시오.

1 Dad can play the guitar well.
   □ 능력   □ 허가   □ 요청

2 May I ask you a question?
   □ 능력   □ 허가   □ 추측

3 She may be good at cooking.
   □ 능력   □ 허가   □ 추측

4 Could you close the window?
   □ 능력   □ 추측   □ 요청

POINT 01 - (2), (3)

우리말과 일치하도록 괄호 안에서 알맞은 것을
고르시오.

1 나는 조금 늦을지도 몰라.
   I (might / will) be a little late.

2 그는 내년에 스무 살이 될 것이다.
   He (can / will) be 20 years old
   next year.

3 신분증 없이는 입장하실 수 없습니다.
   You (may not / won't) enter
   without your ID card.

4 우리는 내일 쇼핑하러 갈 것이다.
   We (are able to / are going to)
   go shopping tomorrow.

대표 기출 유형으로 **실전 연습**

1 두 문장의 의미가 같도록 빈칸에 알맞은 말을 쓰시오.

I could show them the way to the park.

= I _____ _____ _____ show them the way to the park.

2 다음 표지판의 의미를 나타내는 문장의 빈칸에 들어갈 말로 알맞은 것은?

You _____ ride a bike here.

① can   ② cannot   ③ couldn't
④ may   ⑤ might

3 빈칸에 들어갈 말로 알맞지 <u>않은</u> 것은?

_____ you clean the living room?

① Can   ② May   ③ Will
④ Could   ⑤ Would

자주 나와요!
4 밑줄 친 **may**의 쓰임이 [보기]와 같은 것은?

[보기]   Mom, <u>may</u> I have the cookies on the table?

① It <u>may</u> rain soon.
② The news <u>may</u> not be true.
③ He <u>may</u> not know my email address.
④ You <u>may</u> not use your cell phone in class.
⑤ My parents <u>may</u> not buy me a new laptop.

틀리기 쉬워요!
5 빈칸에 공통으로 들어갈 말로 알맞은 것은?

• _____ you return the books to the library for me?
• I thought I _____ be able to go to the party, but I couldn't.

① Can(can)   ② Could(could)   ③ May(may)
④ Will(will)   ⑤ Would(would)

개념 완성 Quiz *Choose or complete.*

1 '~할 수 있다'라는 의미를 나타내는 조동사 can은 [be going to / be able to] 로 바꿔 쓸 수 있다.
> POINT 01-(1)

2 허가를 나타내는 조동사 _____ 이나 _____ 의 부정형으로 불허의 의미를 나타낼 수 있다.
> POINT 01-(1), (2)

3 '~해 줄래요?'라고 요청할 때는 조동사 _____ 이나 _____ 을 사용하며, 좀 더 정중하게 요청할 때는 _____ 나 _____ 를 사용할 수 있다.
> POINT 01-(1), (3)

4 May I ~?에서 May는 [추측 / 허가] 의 의미를 나타낸다.
> POINT 01-(2)

5 과거 시점에서 미래의 일을 나타낼 때는 조동사 _____ 을(를) 사용한다.
> POINT 01-(3)

UNIT **2** must, should

POINT 02 must, should의 의미

You <u>*must</u> wear a helmet.
너는 헬멧을 써야 한다.

= have to

* must가 '~해야 한다'라는 의무를 나타낼 때는 have to를 사용할 수도 있어.

must	의무: ~해야 한다 (= have to)	You **must** fasten your seat belt. = You **have to** fasten your seat belt.
	➊ have to의 have 동사는 주어의 인칭과 수, 문장의 시제에 맞추어 쓴다. 〔서술형 빈출〕 Jisu **has to** help her sister. [현재] We **had to** eat breakfast at 6. [과거] You **will have to** be on time. [미래]	
	강한 추측: ~임에 틀림없다	Tom **must** be very busy now. [강한 추측] That **cannot** be true! [강한 부정적 추측]
	➋ '~일 리가 없다'라는 강한 부정적 추측은 must not이 아니라 cannot을 사용해 나타낸다. 〔서술형 빈출〕	
should	약한 의무: ~해야 한다 조언: ~하는 것이 좋겠다	He **should** get some rest. You **should** go to the dentist.

POINT 03 must, should의 형태

We <u>*must not</u> run here.
우리는 여기서 뛰면 안 된다.

~해서는 안 된다

* must의 부정형과 have to의 부정형은 의미가 전혀 달라.

must	부정형: ~해서는 안 된다	You **must not** forget the password. Teenagers **mustn't** drive.
	의문문: ~해야 하나요?	**Must** I wear a school uniform? = **Do** I **have to** wear a school uniform?
should	부정형: ~하면 안 된다	You **shouldn't** stay up late at night.
	의문문: ~해야 하나요?	**Should** I take off my shoes here?

ⓘ **must not** vs. **don't have to**: must의 부정형 must not은 '~하면 안 된다'라는 의미로 금지를 나타낸다. 반면 have to의 부정형 don't have to는 '~할 필요가 없다'는 의미로 불필요함을 나타내며, don't need to나 need not으로 바꿔 쓸 수 있다. 〔서술형 빈출〕
You **must not** take pictures inside the museum. [금지]
You **don't have to** be quiet inside the museum. [불필요]

ⓘ **must not** vs. **cannot**: must not은 금지의 의미이고, '~일 리 없다'라는 강한 부정적 추측을 나타낼 때는 cannot을 쓴다. 〔서술형 빈출〕

개념 **QUICK CHECK**

POINT 02

밑줄 친 부분이 어떤 의미로 쓰였는지 √ 표시하시오.

1 We <u>must</u> be careful at the crosswalk.
☐ ~해야 한다   ☐ ~해도 된다

2 You <u>should</u> exercise more often.
☐ ~임에 틀림없다   ☐ ~하는 것이 좋겠다

3 I <u>had to</u> clean my room.
☐ ~임에 틀림없었다   ☐ ~해야 했다

4 Bill lost the game. He <u>must</u> be very disappointed.
☐ ~임에 틀림없다   ☐ ~해야 한다

POINT 03

괄호 안에서 알맞은 것을 고르시오.

1 You (mustn't / have to not) play the piano at night.

2 You (don't should / shouldn't) make fun of your friends.

3 We were not late, so we (must not / didn't have to) run.

4 I met Jane in Seoul an hour ago. She (must not / cannot) be in LA now.

대표 기출 유형으로 **실전 연습**

1 빈칸에 알맞은 말을 [보기]에서 골라 문장을 완성하시오.

[보기]	had	have	must

(1) I _____ to do the dishes now.

(2) You _____ follow the traffic rules.

(3) He _____ to start the project last week.

2 빈칸에 들어갈 말로 알맞은 것은? 쉬워요! 틀리기

> Harry looks happy. He _____ be having a good time.

① must ② had to ③ must not
④ cannot ⑤ doesn't have to

3 우리말을 영어로 바르게 옮긴 것은?

> 나는 그를 기다릴 필요가 없다.

① I should wait for him. ② I have to wait for him.
③ I must not wait for him. ④ I should not wait for him.
⑤ I don't have to wait for him.

4 다음 대화의 빈칸에 들어갈 말로 알맞은 것은?

> **A:** Can you come to my school's festival?
> **B:** Sorry, I can't. I _____ finish my science project.

① may ② have to ③ must not
④ should not ⑤ don't have to

5 밑줄 친 must의 쓰임이 나머지와 다른 하나는? 자주 나와요!

① He <u>must</u> be very old.
② We <u>must</u> get there on time.
③ I <u>must</u> clean my room every day.
④ You <u>must</u> recycle bottles and cans.
⑤ You <u>must</u> take off your hat inside the temple.

개념 완성 Quiz *Choose or complete.*

1 must가 강한 의무를 나타낼 때, 과거형은 _____ _____ 로 쓴다.
> **POINT 02**

2 must / can / have to 은(는) 의무를 나타낼 때도 쓰이고, 강한 추측을 나타낼 때도 쓰인다.
> **POINT 02**

3 '~할 필요가 없다'는 must not / may not / don't have to 을(를) 사용하여 나타낸다.
> **POINT 03**

4 금지 / 의무 / 추측 을(를) 나타낼 때 must나 have to, should를 사용할 수 있다.
> **POINT 02**

5 '~하면 안 된다'라는 강한 금지는 조동사 must의 부정형 _____ _____ 으로 나타내며, _____ 로 줄여 쓸 수 있다.
> **POINT 02, 03**

UNIT **3** used to, had better

POINT **04** used to

We[*]**used to** play hide-and-seek.   우리는 숨바꼭질을 하곤 했다.
조동사 + 동사원형   ***** '지금은 하지 않는다'라는 의미가 포함된
과거의 습관을 나타내는 조동사야.

	과거의 습관: ~하곤 했다	I **used to** jog every morning. Dad **used to** collect stamps.
used to	과거의 상태: (전에는) ~이었다	Ms. Brown **used to** be an engineer. There **used to** be a library here.

ⓘ **used to** *vs.* **would**
used to와 would는 둘 다 과거의 습관을 나타내지만 과거의 상태를 나타낼 때는 used to만 사용하며, would는 사용할 수 없다.
There **used to** be a bike shop here.
There <u>would</u> be a bike shop here. (×)

ⓘ **used to** *vs.* **be used to**: 「used to+동사원형」은 '~하곤 했다', 「be used to+(동)명사」는 '~에 익숙하다'라는 의미이다. 서술형 빈출
I **used to** *read* SF novels.   [읽곤 했다]
I'm **used to** *reading* SF novels. [읽는 것에 익숙하다]

POINT **05** had better

You[*]**had better** wear a coat.   너는 외투를 입는 게 좋겠어.
조동사 + 동사원형   ***** 충고/권고의 의미를 나타내는 had better는
과거 시제가 아니라 그 자체가 기본 표현이야.

	~하는 것이 좋겠다	I **had better** exercise regularly. You'd **better** go to bed now.
had better	➊ 「대명사 주어+had better」는 「대명사 주어'd+better」로 줄여서 쓸 수 있다.	
had better not	~하지 않는 것이 좋겠다	It's snowing. I'd **better not** go out. You'd **better not** worry too much.

개념 **QUICK CHECK**

POINT **04**

괄호 안에서 알맞은 것을 고르시오.

1 Grandma (uses to / used to)
run a restaurant.

2 We (used to / are used to) living
in a big city.

3 There (used to / would) be a
small pond at my school.

4 We (used to / were used to)
take pictures of each other.

POINT **05**

빈칸에 알맞은 말을 골라 기호를 쓰시오.

a. had better   b. had better not

1 You're late. You _____ go right
now.

2 The milk smells bad. You _____
drink it.

3 We have to get up early. We
_____ stay up late.

4 It's going to rain soon. You _____
take your umbrella.

대표 기출 유형으로 **실전 연습**

자주 나와요!

1 빈칸에 들어갈 말로 알맞은 것은?

> Harry _____ play the violin, but he doesn't anymore.

① should   ② was used to   ③ used to

④ had better   ⑤ had better not

2 우리말과 일치하도록 빈칸에 알맞은 말을 쓰시오.

> 우리는 조부모님을 더 자주 찾아뵙는 게 좋겠어.

> We _____ _____ visit our grandparents more often.

3 (보기)에서 알맞은 말을 골라 문장을 완성하시오.

> (보기)   used   would   had better   had better not

(1) I _____ to live in rural areas, but now I live in a big city.

(2) You _____ eat ice cream. You have a bad cold now.

(3) My grandfather _____ send me gifts when I was young.

(4) Jenny _____ leave now. It's already eight o'clock.

쉬워요! 틀리기

4 밑줄 친 부분을 어법에 맞게 고쳐 쓰시오.

(1) Susan used to <u>taking</u> a walk alone.   > _____

(2) There <u>would</u> be a small hill near my school. > _____

5 밑줄 친 부분이 어법상 올바른 것은?

① We <u>had better not to leave</u> now.

② They <u>used to living</u> in that house.

③ You <u>had not better go</u> out at night.

④ I'd <u>better wash</u> my hands before meals.

⑤ He <u>was used to be</u> a famous basketball player.

서술형 실전 연습

자주 나와요!
1 두 문장의 의미가 같도록 빈칸에 알맞은 말을 쓰시오.

(1) It is possible that they will lose the game.

= They _____ lose the game.

(2) The man wasn't able to attend the meeting.

= The man _____ attend the meeting.

1 • 확실하지 않은 일에 대한 추측을 나타
내는 조동사: will / may / must

• was able to = would / might /
could

> POINT 01

2 [보기]에서 알맞은 말을 한 번씩만 사용하여 문장을 완성하시오. (단, 필요시 형태를 바꿀 것)

[보기]	have to	must	may

(1) You _____ talk here, but please talk quietly.

(2) Peter worked all day long. He _____ be really tired.

(3) There were no buses, so I _____ walk home last night.

2 • ~임에 틀림없다: _____ +동사원형

• ~해야 했다: _____ _____ +동
사원형

> POINT 01, 02

틀리기 쉬워요!
3 다음 대화의 흐름에 맞게 괄호 안의 말을 사용하여 문장을 완성하시오.

A: Do I need an umbrella today?

B: No. You _____ _____ _____ _____ one. It's
not raining anymore. (have, take)

3 • 의무: _____ _____ +동사원형

• 불필요: _____ _____ _____
+동사원형

> POINT 03

4 다음 그림을 보고, 알맞은 조동사를 사용하여 문장을 완성하시오.

> There _____ _____ _____ a park near my house.

4 (전에는) ~이었다(과거의 상태):
would / used to / had better +
동사원형

> POINT 04

5 우리말과 일치하도록 괄호 안의 말을 배열하여 문장을 완성하시오.

나는 네가 종이컵을 사용하지 않는 것이 나을 것 같아.

> I think _____ paper cups.
(use, you, better, not, had)

5 ~하지 않는 것이 좋겠다(충고/권고):
_____ _____ _____ +동사원형

> POINT 05

개념 완성 **Quiz** *Choose or complete.*

6 다음 대화를 읽고, 어법상 틀린 부분을 찾아 바르게 고쳐 쓰시오.

> **A:** Do you go camping these days?
> **B:** I was used to go camping every weekend, but not anymore.
> **A:** Why not?
> **B:** I'm too busy these days.

_____ > _____

6 ~하곤 했다(과거의 습관):
_____ _____ +동사원형
> **POINT 04**

7 다음 대화의 밑줄 친 우리말과 일치하도록 [조건]에 맞게 쓰시오.

> **A:** Don't you have a test tomorrow? (1) 너는 지금 자는 것이 좋겠어.
> (sleep now)
> **B:** OK, Mom. (2) 제가 컴퓨터를 끌게요. (turn off the computer)

[조건] 1. 괄호 안의 말과 함께 조동사를 반드시 사용할 것
         2. 각각 5단어의 완전한 문장으로 쓸 것

(1) _____

(2) _____

7 • 강한 충고를 나타내는 조동사:
will / may / had better

• 주어의 의지를 나타내는 조동사:
will / may / had better
> **POINT 01, 05**

8 세미의 생활 습관을 평가한 다음 표를 보고, 좋지 않은 생활 습관에 대해 충고하는 문장을 [조건]에 맞게 쓰시오.

Daily Routines	Good	Not Good
I exercise every morning.	○	
I stay up late at night.		○
I don't have breakfast.		○

[조건] 1. 표의 순서대로 쓸 것
         2. had better와 should를 각각 한 번씩 사용할 것
         3. You가 주어인 완전한 문장으로 쓸 것

(1) _____

(2) _____

8 should / had better : should / had better 보다 좀 더 강한 충고의 뜻을 나타냄
> **POINT 02, 03, 05**

실전 모의고사

[01-02] 빈칸에 들어갈 말로 알맞은 것을 고르시오. 각 2점

01

It will be warm and clear this weekend. We will _____ go camping.

① may   ② can   ③ be able to
④ must   ⑤ be going to

02

It's Sunday today. Students _____ go to school.

① will   ② must
③ had better   ④ don't have to
⑤ are able to

03 다음 표지판의 의미를 나타내는 문장의 빈칸에 들어갈 말로 알맞은 것은? 3점

You _____ use your cell phone.

① should   ② have to   ③ must not
④ had better ⑤ don't have to

[04-05] 빈칸에 공통으로 들어갈 말로 알맞은 것을 고르시오. 각 3점

04

• _____ I talk to Mr. Kim?
• The team _____ win this game.

① May(may)   ② Do(do)
③ Will(will)   ④ Cannot(cannot)
⑤ Would(would)

05

• A penguin _____ fly in the air.
• The woman with brown hair _____ be Mike's mother.

① cannot   ② must not
③ should not   ④ had better not
⑤ doesn't have to

06 우리말을 영어로 바르게 옮긴 것은? 3점

Andrew는 내게 화난 것이 틀림없다.

① Andrew must angry at me.
② Andrew will be angry at me.
③ Andrew may be angry at me.
④ Andrew must be angry at me.
⑤ Andrew cannot be angry at me.

[07-08] 빈칸에 들어갈 말로 알맞지 않은 것을 고르시오. 각 4점

07

You _____ watch your step when you cross the street.

① must   ② would   ③ should
④ had better   ⑤ have to

08

Jim is busy these days. He _____ go to Jane's birthday party tonight.

① may not   ② cannot
③ might not   ④ must be able to
⑤ won't be able to

09 다음 중 어법상 올바른 문장은?   4점

① May you do me a favor?

② You had better not late again.

③ You should to change your mind.

④ You will have to finish your project in a month.

⑤ I had a bad cold, so I can't go to school last week.

10 빈칸에 들어갈 말이 순서대로 바르게 짝지어진 것은? 4점

• It was sunny yesterday, so I _____ bring my umbrella.

• Don't run on the stairs. You _____ be careful.

① had to – must not

② will have to – should

③ will have to – had better

④ didn't have to – should

⑤ didn't have to – don't have to

11 짝지어진 두 문장의 의미가 같지 않은 것을 2개 고르시오.   4점

① Mina can play the harp.

= Mina is able to play the harp.

② You don't have to bring your lunch.

= You need not bring your lunch.

③ We must get to the airport in time.

= We have to get to the airport in time.

④ There used to be a tall tree in the garden.

= There would be a tall tree in the garden.

⑤ He used to go fishing once a month.

= He was used to going fishing once a month.

12 빈칸에 Will(will)이 들어갈 수 없는 문장은?   4점

① There _____ be a test tomorrow.

② _____ you hold the door for me?

③ I promise I _____ never do that again.

④ _____ I borrow your English textbook?

⑤ Brad _____ finish his homework tonight.

신유형

13 밑줄 친 Can의 의미가 (보기)와 같은 문장의 개수는? 4점

(보기)   My sister can drive a car.

ⓐ Can I ask your name?

ⓑ Can you speak Spanish?

ⓒ Can you explain it again, please?

ⓓ Can you turn off the heater for me?

ⓔ Can I play computer games after dinner?

① 1개   ② 2개   ③ 3개   ④ 4개   ⑤ 5개

통합 고난도

14 밑줄 친 부분을 어법에 맞게 고친 것 중 틀린 것은?   4점

① Jane has better tell him the truth.
→ had better

② My little brother may can walk soon.
→ may be able to

③ Andy has not to clean the classroom.
→ doesn't have to

④ Jennifer uses to going skiing in winter.
→ used to going

⑤ The question not may be difficult for the child.   → may not be

15 어법상 **틀린** 것끼리 바르게 짝지어진 것은?　4점

> ⓐ The rumor might not be true.
> ⓑ You may must call the police.
> ⓒ Lina was used to have long hair.
> ⓓ Mom said she would give me a ride.

① ⓐ, ⓑ　　② ⓐ, ⓓ　　③ ⓑ, ⓒ
④ ⓑ, ⓓ　　⑤ ⓒ, ⓓ

통합 고난도

16 다음 중 대화가 **어색한** 것은?　5점

① **A:** I have a terrible toothache.
　B: You'd better go to the dentist.
② **A:** Can you use chopsticks, Irene?
　B: No, I can't. I'll use a fork.
③ **A:** Do I have to wear a suit for the party?
　B: No, you don't have to. It's a casual party.
④ **A:** May I use your tablet PC?
　B: I'm afraid you can. The battery is running out.
⑤ **A:** Wow, this town has changed a lot.
　B: Yeah, a stream used to flow here. We can only see a large apartment complex now.

고난도

17 다음 대화의 빈칸 ⓐ와 ⓑ에 들어갈 말이 순서대로 바르게 짝지어진 것은?　5점

> **A:** I want to be a singer in the future, but my parents don't like the idea.
> **B:** They ___ⓐ___ not understand you now, but I think you should follow your heart.
> **A:** I think so, too. I ___ⓑ___ take part in a singing contest.
> **B:** Good luck!

① can – used to
② may – used to
③ may – am going to
④ had better – am going to
⑤ had better – don't have to

18 다음 글에 이어질 말로 알맞지 **않은** 것은?　4점

> Jisu is going to visit Paris next year. He wants to improve his French before he goes there.

① He will study French harder.
② He may study French harder.
③ He must study French harder.
④ He should study French every day.
⑤ He used to study French every day.

⬥⬥⬥⬥⬥⬥⬥⬥⬥ 서술형 ⬥⬥⬥⬥⬥⬥⬥⬥⬥

19 두 문장의 의미가 같도록 빈칸에 알맞은 조동사를 쓰시오.　각 3점

(1) It's certain that Mark is rich.
　= Mark _____ be rich.

(2) Dad washed his car on Sundays, but he doesn't do that anymore.
　= Dad _____ wash his car on Sundays.

신유형

20 우리말과 일치하도록 문장을 완성할 때, ★에 공통으로 들어갈 말을 쓰시오.　3점

> • 우리는 시간을 낭비해서는 안 돼.
> ＞ We ___★___ _____ _____ time.
> • Tom은 지금 피곤한 것이 분명해.
> ＞ Tom ___★___ _____ tired now.

21 다음 대화의 밑줄 친 우리말과 일치하도록 조동사 may와 괄호 안의 말을 사용하여 문장을 완성하시오.　4점

> **A:** Daniel has injured his ankle.
> **B:** That's too bad. <u>그는 다음 주에 마라톤을 뛸 수 없을지도 모르겠구나.</u>

> ＞ He _____ the marathon next week. (run)

22 다음 박물관 이용 안내 표지판을 보고, 대화의 빈칸에 공통으로 알맞은 조동사를 쓰시오.　3점

> A: _____ I eat or drink in this museum?
> B: No, you _____ not, but you _____ take pictures here.

23 다음 글의 밑줄 친 우리말과 일치하도록 (조건)에 맞게 쓰시오.　4점

> Cultures are very different from country to country. For example, you have to use *honorifics to older people in Korea. In the USA, however, 너는 그것을 사용할 필요가 없다.
>
> *honorifics 존댓말

(조건)　1. have, use, them을 반드시 쓸 것
　　　　 2. 6단어의 완전한 문장으로 쓸 것

> _____

24 다음 그림을 보고, (조건)에 맞게 문장을 완성하시오. 각 3점

(조건)　1. (1), (2) 모두 '능력·가능'을 나타내는 말과 동사 ride를 반드시 사용할 것
　　　　 2. (1)은 4단어, (2)는 2단어로 쓸 것

> Giho (1) _____ a bike last year, but now he (2) _____ one well.

25 다음 문장을 지시대로 바꿔 문장을 완성하시오.　각 2점

> He must finish his report in time.

(1) will을 사용한 미래시제 문장

> He _____ his report in time.

(2) 불필요를 나타내는 부정문

> He _____ his report in time.

(3) had better가 포함된 문장

> He _____ his report in time.

(4) used to를 사용한 문장

> He _____ his report in time.

약점 공략
틀린 문제가 있다면?

틀린 문항 번호가 있는 칸을 색칠하고, 어떤 문법 POINT의 집중 복습이 필요한지 파악해 보세요.

문항 번호	연관 문법 POINT	문항 번호	연관 문법 POINT	문항 번호	연관 문법 POINT
01	P1	10	P2, P3	19	P2, P4
02	P3	11	P1~P4	20	P2, P3
03	P3	12	P1	21	P1
04	P1	13	P1	22	P1
05	P1, P2, P3	14	P1~P5	23	P3
06	P2	15	P1, P2, P4	24	P1
07	P2, P5	16	P1~P5	25	P1~P5
08	P1, P2	17	P1		
09	P1, P2, P5	18	P1, P2, P4		

연관 문법 POINT 참고

P1 (p.34) can, may, will　　　P4 (p.38) used to
P2 (p.36) must, should의 의미　P5 (p.38) had better
P3 (p.36) must, should의 형태

Level Up Test

신유형

01 (A)~(C)의 밑줄 친 부분과 바꿔 쓸 수 있는 것이 순서대로 바르게 짝지어진 것은?

> (A) <u>May</u> I ask you a question?
> (B) He <u>has to</u> get a passport to travel abroad.
> (C) You <u>mustn't</u> use your cell phone here.

① Will – can – cannot
② Can – must – shouldn't
③ Could – may – may not
④ Must – should – shouldn't
⑤ Should – had better – had better not

02 어법상 올바른 문장의 개수는?

> ⓐ Could you bring me some water?
> ⓑ Visitors must not make loud noises.
> ⓒ Nate said he will be able to come today.
> ⓓ I was using my pen a minute ago, so it must be here somewhere.

① 0개   ② 1개   ③ 2개   ④ 3개   ⑤ 4개

03 다음 중 문장을 잘못 해석한 사람은?

① She cannot be at home.
　　원준 그녀는 집에 있을 리가 없어.
② You shouldn't drink too much soda.
　　지영 탄산 음료를 너무 많이 마시지 마.
③ You'd better not change your hair color.
　　소라 너는 네 머리카락 색깔을 바꾸지 않는 게 좋겠어.
④ We used to decorate the Christmas tree together.
　　민아 우리는 함께 크리스마스트리를 장식한 적이 있어.
⑤ You don't have to bring your own book.
　　영재 너는 네 책을 가져오지 않아도 돼.

서술형

04 우리말을 영작한 문장에서 어법상 틀린 부분을 찾아 바르게 고쳐 쓰고, 틀린 이유를 쓰시오.

(1)
> 내 남동생은 어제 침대에 누워 있어야 했다.
> **>** My brother must stay in bed yesterday.

_____ **>** _____

이유: _____

(2)
> 너는 진찰을 받아 보는 게 좋겠어.
> **>** You'd better to go see a doctor.

_____ **>** _____

이유: _____

05 다음 표를 보고, Tom이 자신의 강아지를 돌보기 위해 반드시 해야 하는 일과 그렇지 <u>않은</u> 일을 〔조건〕에 맞게 쓰시오.

	일	월	화	수	목	금	토
(1) take her out for a walk	√	√	√	√	√	√	√
(2) brush her hair	√		√			√	

> 〔조건〕 1. 주어를 Tom으로 하고 Tom의 강아지는 인칭대명사 her로 나타낼 것
> 　　　　2. 반드시 have to와 every day를 사용할 것
> 　　　　3. 필요하면 단어의 형태를 바꿀 것

(1) _____

(2) _____

CHAPTER 04

to부정사

부정사(不定詞)는 '품사가 정해지지 않은 말'이라는 뜻이며, 문장 안에서 쓰이는 역할에 따라 그 품사가 정해진다. to부정사는 to와 동사원형이 합쳐진 형태이며, 인칭이나 수, 시제에 제한을 받지 않아 형태가 변하지 않는다.

Preview

to부정사의 쓰임	명사 역할	주어	To make **plans** is important.
		목적어	I want to have **a puppy**.
		보어	His dream is to become **a vet**.
		의문사+to부정사	I don't know what to do.
	형용사 역할	명사 수식	I have no time to sleep.
		be동사+to부정사	Tom is to make **a speech** tomorrow.
	부사 역할	목적	He came to see **you**.
		결과	He grew up to be **a great pianist**.
		감정의 원인	I'm happy to meet **you**.
		판단의 근거	She must be kind to help **me**.
		형용사 수식	The book is easy to read.
기타 to부정사 구문	too ~ to	너무 ~해서 …할 수 없다	I was too **nervous** to **speak**.
	enough to	~할 만큼 충분히 …하다	It's **hot** enough to **boil** water.

UNIT 1 명사 역할을 하는 to부정사

POINT 01 명사 역할을 하는 to부정사

> *To swim here is dangerous.   여기서 수영하는 것은 위험하다.
> 주어   동사   보어
> * to부정사구인 To swim here가 명사처럼 쓰여.

to부정사가 문장에서 명사처럼 쓰여 주어·목적어·보어의 역할을 한다.

주어	~하는 것은, ~하기는	To read comic books is interesting. = It is interesting to read comic books.
	➕ 주어 자리에 쓰인 to부정사구가 길어질 경우, to부정사구를 뒤로 보내고 그 자리에 가주어 It을 쓸 수 있다. 서술형 빈출	
목적어	~하는 것을, ~하기를	She wanted to return to Canada.
	➕ to부정사를 목적어로 취하는 동사: want, need, hope, plan, decide, learn, promise, expect, refuse 등	
보어	~하는 것(이다)	My plan is to join the school band.

① to부정사의 부정형은 「not(never)+to부정사」의 형태로 나타낸다.
  She decided not to study abroad.

POINT 02 의문사+to부정사

> We don't know *what to do.   우리는 무엇을 해야 할지 모른다.
> 주어   동사   목적어
> * what to do가 목적어 자리에서 명사처럼 쓰여.

「의문사+to부정사」는 문장에서 주어·목적어·보어의 역할을 하며, 주로 목적어로 쓰인다.

what+to부정사	무엇을 ~할지	I haven't decided what to wear.
when+to부정사	언제 ~할지	Tell me when to turn left.
how+to부정사	어떻게 ~할지	I know how to solve the problem.
who(m)+to부정사	누구를[누구에게] ~할지	He didn't know whom to help.
where+to부정사	어디서[어디로] ~할지	She asked me where to go.
which+to부정사	어느 것을 ~할지	He couldn't choose which to buy.

① 「의문사+to부정사」는 「의문사+주어+should+동사원형」으로 바꿔 쓸 수 있다. 서술형 빈출
  We don't know what to do. = We don't know what we should do.

① 의문사가 의문형용사일 때도 있다. Tell me which bus to take.

개념 QUICK CHECK

POINT 01

밑줄 친 부분의 역할에 √ 표시하시오.

1 I like to take photos.
   ☐ 주어   ☐ 목적어   ☐ 보어

2 My dream is to become a pilot.
   ☐ 주어   ☐ 목적어   ☐ 보어

3 To live without air is impossible.
   ☐ 주어   ☐ 목적어   ☐ 보어

4 It is important to make plans.
   ☐ 주어   ☐ 목적어   ☐ 보어

POINT 02

우리말과 같도록 빈칸에 알맞은 의문사를 골라 기호를 쓰시오.

a. what	b. who	c. when
d. where	e. how	f. which

1 나는 무엇을 만들어야 할지 모르겠어.
   I don't know _____ to make.

2 나는 그에게 언제 내려야 하는지 물었다.
   I asked him _____ to get off.

3 그곳에 어떻게 가야 하는지 내게 말해 줘.
   Tell me _____ to get there.

4 너는 어디서 머물지 결정했니?
   Have you decided _____ to stay?

대표 기출 유형으로 **실전 연습**

1 빈칸에 공통으로 알맞은 동사 make의 형태를 쓰시오.

> • I want _____ a robot when I grow up.
> • We are planning _____ a birthday cake for Dad.

2 주어진 문장과 의미가 같도록 빈칸에 알맞은 말을 쓰시오.

> To dance on the stage was very exciting.

> _____ was very exciting _____ on the stage.

3 빈칸에 들어갈 말로 알맞은 것은?

> She didn't know when _____.

① left   ② leave   ③ leaves
④ to leave   ⑤ leaving

^{자주} **나와요!**
4 두 문장의 의미가 같도록 빈칸에 알맞은 말을 쓰시오.

Let's ask Mom what we should do next.
= Let's ask Mom _____ _____ _____ next.

^{틀리기} **쉬워요!**
5 빈칸에 들어갈 말이 순서대로 바르게 짝지어진 것은?

> • His job is _____ teach English to children.
> • _____ is not safe to go there alone.
> • Can you show me _____ to use this machine?

① to – It – how
② to – That – when
③ for – It – how
④ for – That – what
⑤ to be – It – what

개념 완성 Quiz *Choose or complete.*

1 동사 want와 plan 뒤에는 목적어로
│동사원형 / to부정사 / 시제에 따라 변
하는│형태를 쓴다.
> POINT 01

2 주어 자리에 쓰인 to부정사구가 길어지
면, 형식상의 주어인 │That / It│을 대
신 쓸 수 있다.
> POINT 01

3 '언제 ~할지'는 「when+│동사원형 /
to부정사 / 동명사│」(으)로 나타낸다.
> POINT 02

4 「의문사+주어+should+동사원형」은
문장에서 명사 역할을 하는 「_____
+_____」로 바꿔 쓸 수 있다.
> POINT 02

5 명사 역할을 하는 to부정사는 문장 내
에서 주어, 목적어, │부사 / 보어│의 역
할을 한다.
> POINT 01, 02

POINT **03** 형용사 역할을 하는 to부정사

I need a book* to read.

| 주어 | 동사 | 목적어 | 명사 수식 |

나는 읽을 책이 필요해.

* to부정사가 명사(구)를 뒤에서 꾸며 줘.

to부정사가 명사나 대명사 뒤에 쓰여 명사나 대명사를 형용사처럼 수식한다.

명사 수식	~하는, ~할	I have no time **to finish** the work.
	➕ to부정사의 수식을 받는 명사가 전치사의 목적어인 경우, to부정사 뒤에 전치사를 반드시 써야 한다. 서술형 빈출 They found chairs **to sit** on. They found chairs **to sit**. (×)	
	➕ -thing, -body, -one으로 끝나는 대명사를 형용사와 to부정사가 동시에 수식할 때는 「대명사+형용사+to부정사」의 어순으로 쓴다. 서술형 빈출 He had nothing special **to say**.	
be동사+to부정사	~할 예정이다, ~할 운명이다 등	Tom **is to make** a speech today. He **was** never **to see** his family again.
	to부정사가 보어 역할을 하며, 예정, 운명, 의무, 의도, 가능의 의미를 나타낸다.	

POINT **04** 부사 역할을 하는 to부정사

He ran* to catch the train.

| 주어 | 동사 | 부사구 |

그는 기차를 타기 위해 달렸다.

* to부정사구가 부사처럼 동사를 꾸며 줘.

to부정사가 동사, 형용사, 부사 또는 문장 전체를 수식하는 부사 역할을 한다. 목적, 결과, 감정의 원인, 판단의 근거 등의 의미로 쓰이고 형용사의 의미를 한정하기도 한다.

목적	~하기 위해, ~하도록	I went to the store **to buy** a hat.
	➕ 목적의 의미로 쓰일 때는 to 대신 in order to를 쓸 수 있다. I went to the store in order to **buy** a hat.	
결과	…해서 (결국) ~하다	The girl grew up **to be** a singer.
감정의 원인	~해서, ~하기 때문에	He was so *happy* **to hear** the news.
	감정을 나타내는 형용사 뒤에서 원인을 나타낸다.	
판단의 근거	~하다니, ~하는 것을 보니	Grace must be smart **to understand** the problem.
형용사 수식	~하기에 (…한)	This water is *safe* **to drink**.
	형용사 뒤에 쓰여서 형용사의 의미를 구체적으로 한정한다.	

POINT **03**

빈칸에 알맞은 것을 고르시오.

1 He had enough money _____ it.
   ☐ bought   ☐ to buy

2 I have a story _____ you.
   ☐ to tell   ☐ telling

3 I lent him a pen _____.
   ☐ to write   ☐ to write with

4 I need something _____.
   ☐ cold to drink   ☐ to drink cold

POINT **04**

밑줄 친 부분이 나타내는 의미나 역할을 골라 기호를 쓰시오.

a. 목적	b. 감정의 원인
c. 결과	d. 판단의 근거
e. 형용사 의미 한정	

1 I ran fast <u>to win</u> the race.
   _____

2 This book is easy <u>to read</u>.
   _____

3 She was honest <u>to tell</u> the truth.
   _____

4 The writer lived <u>to be</u> 90 years old.
   _____

대표 기출 유형으로 **실전 연습**

1 빈칸에 들어갈 말을 (보기)에서 골라 쓰시오. (단, 필요하지 않으면 × 표시할 것)

(보기)	in	on	with	from

(1) He has a lot of friends to talk _____.

(2) They will build a new house to live _____.

2 밑줄 친 부분이 문장에서 어떤 역할을 하는지 (보기)에서 골라 기호를 쓰시오.

(보기)	ⓐ 명사 역할	ⓑ 형용사 역할	ⓒ 부사 역할

(1) I need more time to think about it.　　　　(　)

(2) They were sad to hear about his death.　　(　)

자주 나와요!
3 밑줄 친 부분의 쓰임이 (보기)와 같은 것은?

(보기)	I was very surprised to hear the result.

① I bought a book to read.

② She needs a stool to sit on.

③ I have something to tell you.

④ Do you have a lot of work to do?

⑤ Minsu was happy to go to the party.

4 우리말을 영어로 옮길 때 빈칸에 들어갈 말로 알맞은 것은?

맛있는 먹을거리를 만들자. ▶ Let's make _____.

① something to eat delicious　② something delicious to eat

③ delicious to eat something　④ delicious something to eat

⑤ to eat something delicious

틀리기 쉬워요!
5 다음 중 어법상 틀린 문장은?

① He was never to come back home.

② Ted has many friends to play baseball.

③ They didn't have any songs to listen to.

④ I bought some flowers to give my mom.

⑤ The math problem was difficult to solve.

개념 완성 Quiz　*Choose or complete.*

1 to부정사의 수식을 받는 명사나 대명사가 _____의 목적어인 경우, to부정사 뒤에 _____를 반드시 써야 한다.
> POINT 03

2 형용사 / 부사 역할을 하는 to부정사는 명사나 대명사를 앞 / 뒤 에서 수식한다.
> POINT 03, 04

3 감정을 나타내는 형용사 뒤에 쓰인 to부정사는 '～하는 / ～하기 위해 / ～해서' (으)로 해석할 수 있다.
> POINT 03, 04

4 -thing으로 끝나는 대명사를 형용사와 to부정사가 동시에 수식할 때는 「_____+_____+_____」의 어순으로 쓴다.
> POINT 03

5 to부정사는 문장에서 명사, _____, _____의 역할을 할 수 있다.
> POINT 03, 04

UNIT 3 to부정사의 의미상 주어, too ~ to, enough to

POINT 05 to부정사의 의미상 주어

The book was easy *for me to read.   그 책은 내가 읽기에 쉬웠다.

문장의 주어   to부정사의   (읽기에)
행위자(내가)

* to read의 주체가 "나"라는 것이 명확해져.

to부정사의 행위의 주체를 의미상 주어라고 하며, to부정사 앞에 「for/of+목적격」의 형태로 쓴다.

for+목적격	대부분의 경우	It's important **for you** *to exercise* regularly.
of+목적격	성향이나 성격을 나타내는 형용사 뒤에 쓰인 경우	It's very kind **of you** *to help* the old lady.
	➕ 성향이나 성격을 나타내는 형용사: kind, rude, polite, foolish, wise, honest, nice, good, careful, stupid, generous, brave, clever 등	
	➕ 이때의 to부정사는 주로 '~하다니'의 의미로 이유나 판단의 근거를 나타낸다.	

POINT 06 too ~ to, enough to

The bookcase is *too heavy to lift.   그 책장은 너무 무거워서 들 수 없다.

too+형용사/부사+to부정사   * too ~ to ...에는 부정의 의미가 있어.

too ~ to와 enough to 구문에서 to부정사는 형용사나 부사의 정도를 한정하는 의미를 가진다.

too ~ to	너무 ~해서 …할 수 없다	I'm **too** sleepy **to** finish the work. = I'm **so** sleepy that I **can't** finish the work.
	➕ 「too+형용사/부사+to부정사」는 「so+형용사/부사+that+주어+can't(couldn't)+동사원형」으로 바꿔 쓸 수 있다.	
enough to	~할 만큼 충분히 …하다	He's fast **enough to** win the race. = He's **so** fast that he **can** win the race.
	➕ 「형용사/부사+enough+to부정사」는 「so+형용사/부사+that+주어+can(could)+동사원형」으로 바꿔 쓸 수 있다.	

① too ~ to와 enough to 구문에 사용된 to부정사는 부사 역할을 한다.

① too ~ to와 enough to 구문을 that절로 바꿔 쓸 때는 that절에 적절한 주어와 시제를 사용해야 한다.

개념 QUICK CHECK

POINT 05

빈칸에 알맞은 것을 고르시오.

1 It's hard _____ me to get up early.
☐ for   ☐ of

2 It's very nice _____ you to say so.
☐ for   ☐ of

3 This song will be fun _____ you to sing.
☐ for   ☐ of

4 It was foolish _____ Jen to lend him all her money.
☐ for   ☐ of

POINT 06

괄호 안에서 알맞은 것을 고르시오.

1 This soup is (too / enough) hot for me to eat.

2 The room is big (too / enough) to have 90 people in it.

3 He worked hard (too / enough) to become a CEO.

4 The kid is (too / enough) short to reach the shelf.

대표 기출 유형으로 **실전 연습**

1 빈칸에 들어갈 말을 (보기)에서 골라 쓰시오. (단, 필요하지 않으면 × 표시할 것)

(보기)	of	for	with

(1) The test was difficult _____ me to pass.

(2) It's so careless _____ you to lose your wallet again.

2 우리말과 일치하도록 괄호 안의 말을 배열하여 문장을 완성하시오.

그 스파게티는 너무 매워서 먹을 수가 없다.

> The spaghetti is _____.
(eat, too, to, spicy)

자주 나와요!
3 다음 중 (보기)의 문장과 의미가 같은 것은?

(보기) It was warm enough for us to swim in the sea.

① It was too warm to swim in the sea.

② It was warm in order to swim in the sea.

③ It was so warm that we can't swim in the sea.

④ It was so warm that we could swim in the sea.

⑤ It was so warm that we shouldn't swim in the sea.

틀리기 쉬워요!
4 밑줄 친 부분의 쓰임이 나머지와 다른 하나는?

① Jane is old enough to drive a car.

② Tell me when to press the button.

③ The pot was too hot for me to hold.

④ This lake is not safe for children to swim in.

⑤ I am too shy to sing in front of many people.

5 다음 중 어법상 틀린 문장은?

① It's not easy for me to get up at 6.

② It's honest for him to tell the truth.

③ The water was too cold for us to drink.

④ The dog was fast enough to catch the ball.

⑤ The sofa wasn't comfortable enough for me to sit on.

개념 완성 Quiz *Choose or complete.*

1 to부정사의 행위의 주체를 나타낼 때 to부정사 앞에 가주어 / 의미상 주어 를 쓴다.
> POINT 05

2 '너무 ~해서 …할 수 없다'는 enough to / too ~ to 구문으로 나타낸다.
> POINT 06

3 enough to 구문은 so ~ that … can / can't 구문으로 바꿔 쓸 수 있다.
> POINT 05, 06

4 too ~ to와 enough to 구문에서 to부정사는 명사 / 형용사 / 부사 역할을 한다.
> POINT 05, 06

5 성향이나 성격을 나타내는 형용사가 쓰이면 to부정사의 의미상 주어는 「for / of +목적격」으로 쓴다.
> POINT 05, 06

서술형 실전 연습

자주 나와요!

1 가주어를 사용하여 주어진 문장을 다시 쓰시오.

(1) To live without water is impossible.

> _____

(2) To exercise regularly is not easy.

> _____

1 주어로 쓰인 to부정사구가 길어지는 경우:

It / This / That ~ to부정사구

> POINT 01

2 다음 문장에서 어법상 **틀린** 부분을 찾아 바르게 고쳐 쓰시오.

We don't know which way go.

_____ > _____

2 어느 쪽으로 가야 할지:

_____ _____ _____

_____

> POINT 02

틀리기 쉬워요!

3 [보기]의 단어를 한 번씩만 사용하여 문장을 완성하시오.

[보기]	about	on	with	live	sit	talk

(1) I have something important to _____ _____.

(2) We don't have enough chairs for the guests to _____
_____.

3 형용사 / 부사 역할을 하는 to부정사
• 쓰임: 명사 수식
• 의미: ~하는, ~할

> POINT 03

4 우리말과 일치하도록 괄호 안의 말을 사용하여 문장을 완성하시오. (6단어)

그 남자는 내게 인천공항에 어떻게 가야 하는지 물었다.

> The man asked me _____.
(go to Incheon Airport)

4 어떻게 가야 하는지:

_____ _____ _____

> POINT 02

5 다음 문장을 to부정사를 사용한 문장으로 나타낼 때 빈칸에 알맞은 말을 쓰시오.

She wants to become a dentist, so she studies very hard.

> She studies very hard _____ _____ _____ _____.

5 부사 / 형용사 역할을 하는 to부정사:
목적, 결과, 감정의 원인, 판단의 근거
등 다양한 의미를 나타냄

> POINT 04

Step 2

6 다음 표의 내용과 일치하도록 (예시)와 같이 문장을 완성하시오.

Sumi	gave directions to the tourists	nice
Jisu	didn't say hello to her friends	unfriendly
Mike	finish his work on time	impossible

(예시) It was nice of Sumi to give directions to the tourists.

(1) It was unfriendly _____.

(2) It is impossible _____.

7 괄호 안의 말을 사용하여 대화를 완성하시오.

A: I saw you at the library yesterday.
B: I went there (1) _____ _____ some children's books.
　　　　　　　　　　　　　　　　(borrow)
A: Why did you borrow them?
B: I wanted (2) _____ _____ them to my little cousins.
　　　　　　　　　　　(read)
A: It's so kind (3) _____ _____ to do so.
　　　　　　　　　　　　　　(you)

고난도

8 다음 대화의 밑줄 친 부분과 바꿔 쓸 수 있는 문장을 (조건)에 맞게 쓰시오.

A: Mom, you're carrying too many boxes. Can I help you?
B: No, thanks. These boxes are so heavy. You cannot carry them.

(조건)　1. These boxes를 주어로 할 것
　　　　2. too와 to부정사를 반드시 포함할 것
　　　　3. 9단어의 완전한 문장으로 쓸 것

> _____

6 to부정사의 의미상 주어
  • 대부분의 경우: 「 for / of +목적격+to부정사」
  • 성향이나 성격을 나타내는 형용사 뒤에 쓰인 경우: 「 for / of +목적격+to부정사」
  > POINT 01, 05

7 • 명사 / 부사 역할을 하는 to부정사: ~하기 위해서, ~하다니 등
  • 명사 / 부사 역할을 하는 to부정사: ~하는 것
  > POINT 01, 04, 05

8 「so+형용사+that+주어+can't+동사원형」
  = 「_____+형용사(+의미상 주어)+_____+동사원형」
  > POINT 05, 06

실전 모의고사

시험일 :	월	일	문항 수 : 객관식 18 / 서술형 7
목표 시간 :			총점
걸린 시간 :			/ 100

[01-02] 빈칸에 들어갈 말로 알맞은 것을 고르시오. 각 2점

01

> It was very pleasant _____ us to go on a picnic in the park.

① to   ② on   ③ of
④ for   ⑤ with

02

> I was _____ shy to ask her a question.

① so   ② too   ③ very
④ much   ⑤ enough

03 빈칸에 들어갈 말이 순서대로 바르게 짝지어진 것은? 3점

> • To follow rules _____ important.
> • This jacket is too tight _____ him to wear.

① is – of   ② is – for
③ are – to   ④ are – for
⑤ are – of

04 밑줄 친 It의 쓰임이 나머지와 다른 하나는? 3점

① It is not easy to sleep well here.
② It is boring to stay home all day.
③ It is important to make good friends.
④ It was so windy that we couldn't go out.
⑤ It is necessary that we respect other people's opinions.

05 우리말을 영어로 바르게 옮긴 것은? 3점

> 우리는 기차를 놓치지 않기 위해 서둘러야 한다.

① We need to hurry to miss the train.
② We need to hurry miss not the train.
③ We need to hurry not miss the train.
④ We need to hurry not to miss the train.
⑤ We need to hurry not missing the train.

06 빈칸에 들어갈 말로 알맞지 않은 것은? 3점

> It was _____ of you to say so.

① kind   ② wise   ③ careless
④ dangerous   ⑤ generous

07 빈칸에 공통으로 알맞은 것은? 3점

> • My goal is _____ all over Europe next year.
> • He is planning _____ from Seoul to Busan.

① travel   ② traveled   ③ traveling
④ to travel   ⑤ to traveling

08 다음 중 어법상 틀린 문장은? 3점

① He didn't know what to say next.
② I can't choose which shirt to wear.
③ My father taught me how to skate.
④ I can't decide why to bring to the party.
⑤ The doctor didn't tell me when to take the medicine.

09 밑줄 친 부분이 어법상 올바른 것은?   3점

① We need a bag to put books.

② Jimin has many friends to play.

③ Give me a piece of paper to write.

④ I want some new songs to listen to.

⑤ She gave me a magazine to read for.

[10-11] 밑줄 친 부분의 쓰임이 나머지와 다른 것을 고르시오.
각 4점

10 ① I didn't expect to win the contest.

② Her dream is to become a dancer.

③ He refused to discuss the question.

④ It was interesting to read this book.

⑤ Jonathan was never to return home.

11 ① I turned off the TV to take a nap.

② The novel was too boring to read.

③ Kate woke up to find herself famous.

④ It's not good for your health to eat at night.

⑤ Pete was excited to meet his favorite author in person.

12 [보기]에 주어진 단어 중 빈칸에 들어갈 수 있는 것의 개수는?   4점

> It was _____ for him to make the right decision.

> [보기] smart   impossible   clever
> necessary   difficult

① 1개   ② 2개   ③ 3개

④ 4개   ⑤ 5개

13 밑줄 친 부분을 어법상 바르게 고친 것은?   4점

① We need chopsticks to eat. → eating

② They tried hard not make noise.
→ to make not

③ It was brave him to catch the thief.
→ for him

④ Mom told us when to buy for dinner.
→ why

⑤ The weather was enough good to play outside.   → good enough

14 밑줄 친 부분의 쓰임이 [보기]의 to be와 같은 것은? 4점

> [보기] His grandmother lived to be 98 years old.

① This tool is not safe to use.

② I was surprised to meet her there.

③ What can we do to save the Earth?

④ She grew up to be a robot scientist.

⑤ John must be crazy to talk like that to her.

15 밑줄 친 부분의 쓰임이 [보기]의 to move와 같은 문장의 개수는?   4점

> [보기] Jim decided to move to New York.

> ⓐ It was time to take a rest.
> ⓑ He promised to support my plan.
> ⓒ Chris is learning to play the violin.
> ⓓ Tim was happy to get a new laptop.

① 0개   ② 1개   ③ 2개   ④ 3개   ⑤ 4개

16 짝지어진 두 문장의 의미가 같지 <u>않은</u> 것은?   4점

① I was too tired to take a shower.

= I was so tired that I took a shower.

② To live without cell phones wouldn't be easy.

= It wouldn't be easy to live without cell phones.

③ He was smart enough to pass the test.

= He was so smart that he could pass the test.

④ Can you tell me how to get to the airport?

= Can you tell me how I should get to the airport?

⑤ She stopped by my office to ask me some questions.

= She stopped by my office in order to ask me some questions.

고난도

17 어법상 <u>틀린</u> 것끼리 짝지어진 것은?   4점

ⓐ He promised not to lie to me.
ⓑ Amy was excited to go to the concert.
ⓒ It was easy of her to fix her computer.
ⓓ Sam needs nice someone to take care of his dog.

① ⓐ, ⓑ   ② ⓐ, ⓑ, ⓒ   ③ ⓐ, ⓓ
④ ⓑ, ⓒ, ⓓ   ⑤ ⓒ, ⓓ

18 다음 글의 빈칸에 들어갈 말로 알맞은 것은?   4점

My birthday is this coming Sunday. I'm going to throw a birthday party at my house, but I haven't decided _____ to invite to the party yet.

① why   ② whom   ③ which
④ what   ⑤ where

서술형

19 우리말과 일치하도록 괄호 안의 말을 바르게 배열하여 문장을 완성하시오. (단, 필요시 형태를 바꿀 것)   각 3점

(1) 다른 사람들에게 열린 마음을 갖는 것은 중요하다.

(keep an open mind, to others, important)

> It is _____.

(2) 엄마가 Sam에게 쿠키를 모두 다 준 것은 불공평하다.

(give all the cookies, unfair, of Mom, to Sam)

> It is _____.

20 (예시)와 같이 두 문장을 to부정사를 사용하여 한 문장으로 바꿔 쓰시오.   각 3점

(예시)   Jane needs some paper.
+ She will write on it.
> Jane needs some paper to write on.

(1) Ms. Green has many children.
+ She has to take care of them.

> _____

(2) The animal is looking for a cave.
+ It will sleep in it.

> _____

21 (보기)에 주어진 말을 바르게 배열하여 대화를 완성하시오.   3점

(보기) to read   something   interesting

A: John looks a little bored.
B: I'll get him _____.

22 우리말과 일치하도록 to부정사와 괄호 안의 말을 사용하여 빈칸에 알맞은 말을 쓰시오.　　　　각 3점

(1) 그 차는 너무 뜨거워서 마실 수가 없다.

> The tea is _____ _____ _____
_____. (hot)

(2) 그 케이크는 우리가 먹기에 충분히 크다.

> The cake is _____ _____
_____ to eat. (big)

23 ⟨A⟩와 ⟨B⟩에 제시된 표현을 한 번씩만 사용하여 (예시)와 같이 문장을 완성하시오.　　　　각 3점

⟨A⟩ Ben이 겪은 일	⟨B⟩ Ben이 느낀 감정
heard the news saw his favorite singer lost the game	surprised excited disappointed

(예시)　Ben was surprised to hear the news.

(1) Ben _____.

(2) Ben _____.

24 다음 대화를 읽고, 물음에 답하시오.　　　　각 3점

A: I have to solve these math problems, but I don't know (A) how I should solve them.

B: Don't worry. I can help you.

A: Thanks. Can you help me right now?

B: Sure. But (B) 나는 앉을 의자가 필요해.

A: Oh, just a moment. I'll get one for you.

(1) 밑줄 친 (A)를 to부정사를 사용하여 바꿔 쓰시오.

> _____

(2) 밑줄 친 우리말 (B)를 to부정사를 사용하여 영어로 쓰시오.

> _____

25 다음 글의 밑줄 친 우리말 (1)과 (2)를 각각 (조건)에 맞게 영어로 쓰시오.　　　　각 3점

> Mr. Frank recently couldn't sleep well. He woke up late today and took a taxi (1) <u>직장에 지각하지 않기 위해.</u> He decided (2) <u>우유 한 잔을 마시기로</u> to fall asleep easily from now on.

(조건)　1. (1)에는 late for work, (2)에는 a cup of milk를 사용할 것
　　　　2. 각각 6단어로 쓸 것

(1) _____

(2) _____

약점 공략
틀린 문제가 있다면?

틀린 문항 번호가 있는 칸을 색칠하고, 어떤 문법 POINT의 집중 복습이 필요한지 파악해 보세요.

문항 번호	연관 문법 POINT	문항 번호	연관 문법 POINT	문항 번호	연관 문법 POINT
01	P5	10	P1, P3	19	P1, P5
02	P6	11	P1, P4	20	P3
03	P1, P5	12	P5	21	P3
04	P1	13	P1~P6	22	P5, P6
05	P4	14	P4	23	P4
06	P5	15	P1, P3, P4	24	P2, P3
07	P1	16	P1, P2, P4, P6	25	P1, P4
08	P2	17	P1, P3, P4, P5		
09	P3	18	P2		

연관 문법 POINT 참고

P1 (p.48) 명사 역할을 하는 to부정사　　P4 (p.50) 부사 역할을 하는 to부정사
P2 (p.48) 의문사+to부정사　　　　　　P5 (p.52) to부정사의 의미상 주어
P3 (p.50) 형용사 역할을 하는 to부정사　P6 (p.52) too~to, enough to

Level Up Test

━━━━━━━━━ 신유형 ━━━━━━━━━

01 다음 문법 설명에 해당하는 to부정사 표현이 포함된 영어 문장으로 가장 적절한 것은?

> 문장의 주어로 쓰인 to부정사구는 단수 취급한다.

① This is the right thing to do.
② To fix a car requires skills and tools.
③ He is planning to visit Moscow this year.
④ It is pleasant to listen to the rain on the roof.
⑤ I would like to thank you for coming tonight.

02 빈칸 (A)와 (B)에 알맞은 말이 바르게 짝지어진 것은?

> • It is ___(A)___ for him to do such a thing.
> • It is ___(B)___ of you to say that.

	(A)		(B)
①	careless, hard	⋯	kind, difficult
②	kind, polite	⋯	easy, important
③	easy, impossible	⋯	foolish, kind
④	easy, difficult	⋯	wise, possible
⑤	wise, hard	⋯	careless, easy

03 빈칸에 들어갈 말로 알맞은 것은?

> It's very difficult _____.

① play the piano very well
② for me to say "I'm sorry."
③ to practice it for me every day
④ all of us to share the information
⑤ of them to understand his lecture

━━━━━━━━━ 서술형 ━━━━━━━━━

04 우리말과 일치하도록 어법상 틀린 부분을 찾아 바르게 고친 후, 틀린 이유를 쓰시오.

> It's wise for you to listen to her advice.
> (그녀의 조언을 듣다니 너는 현명하구나.)

_____ > _____

틀린 이유: _____

_____

05 다음 그림의 내용에 맞게 [보기]에서 알맞은 말을 사용하여 지호의 일기를 완성하시오.

[보기]	be	find	catch

> Today, I got up late. I ran (1) _____ the school bus, only to miss it. I took a taxi (2) _____ late. The taxi arrived at school on time, but I couldn't find my wallet. I was embarrassed (3) _____ out that I had no money.

CHAPTER 05

동명사

동명사(動名詞)는 「동사원형+-ing」의 형태로, 동사의 성격을 가지면서 명사의 역할을 하며 '~하기, ~하는 것'으로 해석한다.

Preview

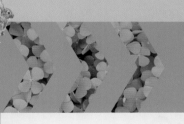

명사 역할	주어	Waiting for a bus is boring.
	동사의 목적어	My sister enjoys playing online games.
	전치사의 목적어	Dad is good at cooking.
	주격보어	My hobby is playing the guitar.

동명사와 to부정사	동명사를 목적어로 취하는 동사		Mom finished writing her new book.
	to부정사를 목적어로 취하는 동사		They decided to go on a trip to Jeju-do.
	동명사와 to부정사를 모두 목적어로 취하는 동사	의미 차이가 없는 경우	I like taking a walk in the park. = I like to take a walk in the park.
		의미 차이가 있는 경우	We tried speaking in French. (시험 삼아 말해 보다) We tried to speak in French. (말하려고 노력하다)

POINT **01** 동명사의 쓰임과 역할

*Reading books is my hobby.　　책 읽는 것은 내 취미이다.

주어(동명사구)　　동사　　주격보어

*동명사는 「동사원형+-ing」의 형태로
명사처럼 주어·목적어·보어 역할을 해.

주어	~하는 것은	Making friends is not easy. = To make friends is not easy. = It is not easy to make friends.
		⊕ 주어로 쓰인 동명사(구)는 단수 취급하며, to부정사로 바꿔 쓸 수 있다.
목적어	~하는 것을	Jane enjoys playing with her cat. My brother is good at playing basketball.
		⊕ to부정사와 달리, 전치사 뒤에서 전치사의 목적어로 쓰일 수도 있다. 서술형 빈출
보어	~하는 것(이다)	Dad's job is designing new cars. = Dad's job is to design new cars.
		⊕ 보어로 쓰인 동명사는 to부정사로 바꿔 쓸 수 있다.

① 동명사의 부정형은 동명사 앞에 not이나 never를 써서 나타낸다.

POINT **02** 자주 쓰이는 동명사 표현

Let's *go shopping this weekend.　　이번 주말에 쇼핑하러 가자.

go + 동명사(~하러 가다)

*동명사 표현은 하나의 단어처럼 기억해야 해.

go -ing	~하러 가다	Mom goes swimming every day.
be busy -ing	~하느라 바쁘다	Mina is busy doing her homework.
be worth -ing	~할 가치가 있다	This book is worth reading.
feel like -ing	~하고 싶다	We didn't feel like eating out.
spend+시간(돈)+ -ing	~하느라 시간(돈)을 쓰다	I spent all my money buying hats.
look forward to -ing	~하기를 고대하다	I'm looking forward to seeing you.
cannot help -ing	~하지 않을 수 없다	They couldn't help laughing.
have difficulty -ing	~하는 데 어려움을 겪다	He had difficulty solving the problem.
It is no use -ing	~해 봐야 소용없다	It's no use crying over spilt milk.
How(What) about -ing ~?	~하는 게 어때?	How about asking Mr. Brown?

POINT **01**

빈칸에 알맞은 것을 고르시오.

1 I finished _____ my room.
□ cleaned　　□ cleaning

2 My hobby is _____ pictures.
□ took　　□ taking

3 Playing computer games _____
fun.
□ is　　　　□ are

4 She is excited about _____ on
a trip.
□ going　　□ to go

POINT **02**

우리말과 일치하도록 [보기]에서 알맞은 말을
골라 어법에 맞게 쓰시오.

[보기] go　listen　cook　watch

1 아빠는 지금 요리하느라 바쁘시다.
Dad is busy _____ now.

2 그 노래는 들을 가치가 없다.
The song is not worth _____
to.

3 나는 그 콘서트에 가는 것을 고대하고 있다.
I'm looking forward to _____
to the concert.

4 나는 지금 영화를 보고 싶지 않다.
I don't feel like _____ a movie
now.

대표 기출 유형으로 **실전 연습**

1 밑줄 친 동명사의 역할이 나머지와 <u>다른</u> 하나는?

① You should avoid <u>drinking</u> coffee.

② Mr. Brown is very good at <u>singing</u>.

③ My sister's habit is <u>biting</u> her nails.

④ Ken is afraid of <u>swimming</u> in the sea.

⑤ I will finish <u>painting</u> the picture today.

2 주어진 두 문장과 의미가 같도록 빈칸에 알맞은 말을 쓰시오.

> Don't skip breakfast. It's not good for your health.

> _____ breakfast _____ not good for your health.

틀리기 쉬워요!

3 빈칸에 들어갈 말로 알맞지 <u>않은</u> 것은?

> Minsu is interested in _____.

① math   ② to swim   ③ SF movies

④ learning English   ⑤ playing the violin

4 우리말과 일치하도록 괄호 안의 단어를 어법에 맞게 사용하여 문장을 완성하시오.

> 나는 그 소식을 들었을 때 울지 않을 수 없었다. (cry)

> I couldn't _____ _____ when I heard the news.

자주 나와요!

5 다음 중 어법상 <u>틀린</u> 문장은?

① This magazine is worth reading.

② Making spaghetti was very easy.

③ Did you enjoy fishing last Sunday?

④ We looked forward to go on a trip to Paris.

⑤ They were having difficulty coming out of the cave.

개념 완성 Quiz *Choose or complete.*

1 동사나 전치사 뒤에 쓰이는 동명사(구)는 보어 / 목적어 이다.

> POINT 01

2 주어로 쓰인 동명사(구)는 단수 / 복수 취급한다.

> POINT 01

3 명사 / to부정사 / 동명사 는 전치사의 목적어로 쓰일 수 없다.

> POINT 01

4 '~하지 않을 수 없다'는 cannot _____ _____ 로 표현한다.

> POINT 02

5 be worth, look forward to, have difficulty 다음에는 동사원형 / to부정사 / 동명사 형태가 쓰인다.

> POINT 01, 02

UNIT 2 동명사와 to부정사

POINT 03 동명사/to부정사를 목적어로 취하는 동사

I *enjoy watching horror movies. 나는 공포 영화 보는 것을 즐긴다.
동사   목적어(반드시 동명사)

* enjoy to watch (X)

동명사를 목적어로 취하는 동사	enjoy, finish, mind, keep, avoid, quit, put off, practice, give up, consider 등	He finished **reading** the book in a day. We kept **talking** about the matter. I considered **joining** the club last year.
to부정사를 목적어로 취하는 동사	want, hope, plan, decide, agree, wish, learn, expect, refuse, promise, need 등	We hope **to see** you again soon. He is planning **to study** abroad. They decided **to cancel** the party.

POINT 04 동명사와 to부정사를 모두 목적어로 취하는 동사

I like *learning / to learn new things. 나는 새로운 것 배우기를 좋아한다.
동사   목적어(동명사/to부정사)

* 동명사일 때와 to부정사일 때 의미 차이가 없어.

(1) 의미 차이가 없는 동사

like, love, hate, begin, start, continue 등	The baby **began crying**. = The baby **began to cry**.

(2) 의미 차이가 있는 동사

	try+동명사: (시험 삼아) ~해 보다	I **tried writing** a poem. (시험 삼아 써 보았다)
try	try+to부정사: ~하려고 노력하다	I **tried to write** a poem. (쓰려고 노력했다)
	forget+동명사: (과거에) ~한 것을 잊다	He **forgot turning** off the lights. (과거에 이미 끈 것을 잊었다)
forget	forget+to부정사: (앞으로) ~할 것을 잊다	He **forgot to turn** off the lights. (앞으로 꺼야 할 것을 잊었다)
	remember+동명사: (과거에) ~한 것을 기억하다	I **remember handing** in the report. (과거에 제출한 것을 기억한다)
remember	remember+to부정사: (앞으로) ~할 것을 기억하다	I **remember to hand** in the report. (앞으로 제출해야 할 것을 기억한다)

① 「stop+동명사」: ~하는 것을 멈추다
　「stop+to부정사」: ~하기 위해 멈추다 (to부정사의 부사적 쓰임) 서술형 빈출
　They **stopped eating**. (먹는 것을 멈췄다)　They **stopped to eat**. (먹기 위해 멈췄다)

개념 QUICK CHECK

POINT 03

괄호 안에서 알맞은 것을 고르시오.

1 He promised (being / to be) on time.

2 Don't give up (trying / to try) your best.

3 I didn't expect (seeing / to see) you here.

4 Would you mind (closing / to close) the door?

POINT 04

우리말과 일치하도록 주어진 단어를 알맞은 형태로 쓰시오.

1 그녀는 내게 말하는 것을 멈췄다.
　She stopped _____ to me.
　　　　　　　(talk)

2 나는 시험 삼아 영어로 말해 보았다.
　I tried _____ in English.
　　　　　　(speak)

3 모자를 가져가는 것을 잊지 마.
　Don't forget _____ a hat.
　　　　　　　(take)

4 그는 2년 전에 중국어를 배우기 시작했다.
　He started _____ Chinese 2 years ago.　(learn)

대표 기출 유형으로 **실전 연습**

1 빈칸에 알맞은 동사를 [보기]에서 골라 쓰시오.

> [보기]   avoid   hope

(1) I _____ to be a good friend of yours.
(2) You'd better _____ arguing with your friends.

자주 **나와요!**
2 빈칸에 들어갈 말로 알맞지 <u>않은</u> 것은?

> My brother _____ reading the book.

① liked   ② kept   ③ started
④ decided   ⑤ enjoyed

3 우리말과 일치하도록 할 때 빈칸에 들어갈 말로 알맞은 것은?

> Jason은 문을 잠근 것을 기억한다.
> **>** Jason remembers _____ the door.

① lock   ② locked   ③ locking
④ to lock   ⑤ to locking

틀리기 **쉬워요!**
4 괄호 안에 주어진 동사의 올바른 형태가 순서대로 바르게 짝지어진 것은?

> He didn't stop (run). Two hours later, he stopped (take) a rest.

① run – take   ② to run – to take
③ to run – taking   ④ running – taking
⑤ running – to take

5 밑줄 친 부분이 어법상 틀린 것은?

① Brian wishes <u>to have</u> a sister.
② Don't put off <u>replying</u> to his email.
③ They're planning <u>traveling</u> around the world.
④ My cousin didn't forget <u>to send</u> me a postcard.
⑤ It was raining, but they continued <u>playing</u> baseball.

개념 완성 **Quiz**   *Choose or complete.*

1 avoid는 │to부정사 / 동명사│를 목적어로 취하고, hope는 │to부정사 / 동명사│를 목적어로 취한다.
> POINT 03

2 like의 목적어 형태는 │to부정사 / 동사원형 / 동명사│이다.
> POINT 03, 04

3 remember의 목적어로 │동명사 / to부정사│가 쓰이면 '(과거에 한 일을) 기억하다'라는 의미이다.
> POINT 04

4 「stop+│to부정사 / 동명사│」는 '~하는 것을 멈추다', 「stop+│to부정사 / 동명사│」는 '~하기 위해 멈추다'를 의미한다.
> POINT 04

5 │forget / plan / continue│은(는) 의미의 차이 없이 to부정사와 동명사를 모두 목적어로 취하는 동사이다.
> POINT 03, 04

UNIT 3 동명사의 특징

POINT 05 전치사의 목적어로 쓰이는 동명사

He is good at *taking pictures.
전치사로 끝나는 동사구 ⎯ 목적어(동명사구)

그는 사진 찍는 것을 잘한다.

* 전치사의 목적어로 동사가 올 때는 반드시 동명사 형태로 써야 해.

be good at -ing	~을 잘하다	by -ing	~함으로써
be poor at -ing	~을 못하다	on -ing	~하자마자
be interested in -ing	~에 관심 있다	without -ing	~ 없이, ~하지 않고
be tired of -ing	~을 하는 것이 지겹다	thank ~ for -ing	~에게 …에 대해 고마워하다
be afraid of -ing	~을 두려워하다	agree with -ing	~에 동의하다
be used to -ing	~에 익숙하다	be proud of -ing	~을 자랑스러워하다

POINT 06 동명사와 현재분사

I like *singing songs.
명사 역할(목적어)

나는 노래 부르는 것을 좋아한다. [동명사]

I saw a *singing man.
형용사 역할 → 명사 수식

나는 노래 부르는 남자를 보았다. [현재분사]

* 둘 다 「동사원형+ing」의 형태지만 쓰임이 달라.

동명사	명사 역할: ~하는 것, ~하기	My hobby is **dancing** to hip hop music.
현재분사	형용사 역할: ~하는, ~하고 있는	I'm **dancing** to hip hop music. [진행형] Look at the **dancing** students. [명사 수식]
	➕ 현재분사가 다른 어구와 함께 쓰여 길어지는 경우에는 명사를 뒤에서 수식한다. Do you know the girl **wearing** a red hat?	

① 「동명사+명사」 vs. 「현재분사+명사」
- **동명사**: 명사의 용도·목적을 나타냄 (~에 사용되는, ~을 하기 위한)
  I bought a **sleeping** bag. [동명사 – 잠자는 용도의]
- **현재분사**: 명사의 동작을 나타냄 (~하고 있는)
  I saw a **sleeping** baby. [현재분사 – 자고 있는]

개념 QUICK CHECK

POINT 05

빈칸에 알맞은 것을 고르시오.

1 Thank you for _____ me.
   ☐ invite ☐ inviting ☐ to invite

2 I am used to _____ up early.
   ☐ get ☐ getting ☐ gotten

3 He earned a lot of money _____ making songs.
   ☐ by ☐ on ☐ to

4 I left home _____ eating lunch. I'm very hungry now.
   ☐ by ☐ on ☐ without

POINT 06

밑줄 친 부분이 동명사이면 '동', 현재분사이면 '현'을 쓰시오.

1 Mom enjoys <u>watching</u> soccer games. _____

2 A dog was <u>barking</u> loudly. _____

3 Is there a <u>smoking</u> room in the building? _____

4 Do you know the <u>shouting</u> boy over there? _____

대표 기출 유형으로 **실전 연습**

1 괄호 안의 말을 각각 어법에 맞게 바꿔 대화를 완성하시오.

> **A:** I think you're really good at _____ clothes. (make)
> **B:** Thank you for _____ so. (say)

2 우리말과 일치하도록 괄호 안의 말을 어법에 맞게 사용하여 문장을 완성하시오.

> 나는 똑같은 일을 하는 것이 지겹다. (tired, do)

> I _____ _____ _____ _____ the same thing.

3 밑줄 친 부분의 쓰임이 [보기]와 같은 것은?

> [보기] Who is that singing boy over there?

① I saw a talking parrot at the zoo.
② He's good at taking care of animals.
③ She was using the washing machine.
④ I'm not used to doing a lot of homework.
⑤ They continued searching on the Internet.

4 밑줄 친 부분의 쓰임이 나머지와 다른 하나는?

① Can you turn off that moving toy?
② I saw a lot of flying geese in the sky.
③ The girls talking loudly are my classmates.
④ I need to buy running shoes for a marathon.
⑤ The police officers were trying to catch the thief.

5 빈칸에 들어갈 말이 순서대로 바르게 짝지어진 것은?

> • Where can we get some _____ water?
> • _____ a lot of water is good for your health.

① drink – Drink
② drink – Drinking
③ drinking – Drink
④ drinking – Drinking
⑤ to drink – To drink

개념 완성 Quiz *Choose or complete.*

1 전치사의 목적어는 동사원형 / 동명사 / to부정사 형태로 쓴다.
> POINT 05

2 '~하는 것이 지겹다'는 「_____ tired _____ + _____」로 표현한다.
> POINT 05

3 동명사 / 현재분사 는 명사 앞에서 '용도'를 나타낸다.
> POINT 06

4 동명사 / 현재분사 는 명사 앞에서 '동작'을 나타낸다.
> POINT 06

5 명사 앞에서 용도 / 동작 / 진행 을(를) 나타내거나 문장에서 주어 역할을 하는 것은 동명사 / 현재분사 이다.
> POINT 06

서술형 실전 연습

1 다음 문장에서 어법상 **틀린** 부분을 찾아 바르게 고쳐 쓰시오.

> Eating lots of vegetables make you live longer.

_____ > _____

1 • 동명사의 쓰임: 명사 / 형용사 처럼 쓰여
문장에서 주어·목적어·보어 역할을 함
> POINT 01

2 우리말과 일치하도록 괄호 안의 말을 어법에 맞게 사용하여 문장을 완성하시오.

(1) 그는 축구를 하고 싶지 않았다. (feel, play soccer)

> He _____.

(2) 나는 학교에 걸어가는 것에 익숙하다. (used, walk to school)

> I _____.

2 • ~하고 싶다: feel _____ _____

• ~하는 것에 익숙하다: _____ used

_____ _____
> POINT 02, 05

3 [보기]에서 알맞은 동사를 골라 어법에 맞게 사용하여 문장을 완성하시오.

[보기]	get	turn off	clean

(1) Don't put off _____ your room.

(2) I wish _____ a laptop for a Christmas gift.

(3) Please remember _____ the air conditioner when
you go out.

3 • ~하기를 미루다:
put off + to부정사 / 동명사

• ~하기를 소원하다:
wish + to부정사 / 동명사

• ~할 것을 기억하다:
remember + to부정사 / 동명사
> POINT 03, 04

4 두 문장의 의미가 같도록 동명사를 사용하여 문장을 완성하시오.

(1) As soon as they saw her, they ran to hug her.

= _____ _____ _____, they ran to hug her.

(2) Dad is busy because he has to prepare for the party.

= Dad is _____ _____ _____ _____ _____.

4 • ~하자마자: _____ _____

• ~하느라 바쁘다:
be _____ _____
> POINT 02, 05

5 밑줄 친 동사를 어법상 올바른 형태로 고쳐 쓰시오.

(1) Would you mind <u>wait</u> outside for a moment?

> _____

(2) Ms. White bought a brand-new <u>wash</u> machine.

> _____

5 • 용도를 나타내는 동사원형-ing:
동명사 / 현재분사

• 동작을 나타내는 동사원형-ing:
동명사 / 현재분사
> POINT 03, 06

6 다음 대화에서 어법상 틀린 부분을 찾아 바르게 고쳐 쓰시오.

> **A:** It's dark and cloudy outside.
> **B:** It may start raining soon. Don't forget bringing your umbrella with you.
> **A:** OK, thanks.

_____ > _____

7 그림을 보고, 괄호 안의 말을 어법에 맞게 사용하여 문장을 완성하시오.

(1)
Mr. Lee always tries _____ (live)
happily with his family.

(2)
Ms. Park decided _____ (stop)
_____ meat for her health.
(eat)

고난도

8 다음 대화의 밑줄 친 우리말과 일치하도록 (조건)에 맞게 문장을 완성하시오.

> **A:** I heard you're good at English.
> **B:** Just a little bit. 저는 영어로 말하는 것은 잘하지만, 영어로 쓰는 것은 못해요.

[조건] 1. (1)과 (2)에 good이나 poor를 반드시 하나씩 사용할 것
       2. 각각 4단어로 쓸 것

> I (1) _____ English, but
  I (2) _____ in English.

개념 완성 **Quiz** *Choose or complete.*

6 • ~하기 시작하다:
  start+| to부정사 / 동명사 / 둘 다 |

• (앞으로) ~할 것을 잊다:
  forget+| to부정사 / 동명사 / 둘 다 |
  > POINT 04

7 • ~하려고 노력하다:
  try+| 동명사 / to부정사 / 둘 다 |

• ~하는 것을 멈추다:
  stop+| 동명사 / to부정사 / 둘 다 |
  > POINT 03, 04

8 • ~을 잘하다: be _____ _____

• ~을 못하다: be _____ _____
  > POINT 05

동명사 **69**

실전 모의고사

[01-02] 빈칸에 들어갈 말로 알맞은 것을 고르시오. 각 2점

01

He apologized for _____ late.

① be　　② was　　③ been
④ being　　⑤ to be

02

I didn't feel like _____ to anyone.

① talk　　② talked　　③ talking
④ to talk　　⑤ to talking

03 빈칸에 공통으로 들어갈 말로 알맞은 것은?　2점

• Amy's hobby is _____ the guitar.
• The movie is _____ at Best Theater.

① play　　② played　　③ playing
④ plays　　⑤ being played

[04-05] 빈칸에 들어갈 말로 알맞지 않은 것을 고르시오. 각 3점

04

Ian _____ to travel to France.

① loved　　② planned　　③ enjoyed
④ hoped　　⑤ promised

05

Emily _____ working out at the gym.

① started　　② kept　　③ avoided
④ refused　　⑤ continued

06 빈칸에 들어갈 말이 순서대로 바르게 짝지어진 것은? 3점

• John decided _____ the soccer team.
• Anna looks forward _____ her cousin.

① joining – to meet
② joining – to meeting
③ to join – meeting
④ to join – to meet
⑤ to join – to meeting

07 우리말을 영어로 바르게 옮긴 것은?　3점

Jim은 컴퓨터 게임을 하는 것을 그만두었다.

① Jim stopped play computer games.
② Jim stopped plays computer games.
③ Jim stopped to play computer games.
④ Jim stopped playing computer games.
⑤ Jim stopped to playing computer games.

[08-09] 밑줄 친 부분의 쓰임이 나머지와 다른 하나를 고르시오.　각 3점

08 ① I don't like crying babies.
② People avoid barking dogs.
③ Look at the laughing children.
④ I have to buy a sleeping bag for camping.
⑤ They were watching the soccer game on TV.

09 ① On seeing me, he cried.
② Uncle Joe is washing his car.
③ She finished practicing ballet.
④ The fitting room is over there.
⑤ The interviewees are in the waiting room.

10 빈칸에 들어갈 do의 형태가 나머지와 <u>다른</u> 하나는? **4점**

① We hoped _____ better than that.

② Justin didn't want _____ the dishes.

③ Don't put off _____ your homework.

④ She needs _____ exercises every day.

⑤ I agreed _____ the science project with Tom.

11 밑줄 친 부분을 to부정사 형태로 바꿀 수 <u>없는</u> 것은? **4점**

① He started <u>reading</u> a magazine.

② <u>Listening</u> to the radio is a lot of fun.

③ Thanks for <u>helping</u> me and my brother.

④ My hobby is <u>collecting</u> magnets from other countries.

⑤ <u>Eating</u> breakfast is good for your school performance.

🏔 통합 고난도

12 밑줄 친 부분을 어법상 바르게 고친 것은? **4점**

① He is afraid of <u>be</u> alone.
　　　　　　　→ to be

② She promised <u>study</u> hard.
　　　　　　　→ studying

③ The movie is worth <u>watch</u> twice.
　　　　　　　　→ to watching

④ Do you know <u>the looking at us girl</u>?
　　　　　　　　→ looking at us the girl

⑤ I remember not <u>to lock</u> the door when I left home.　　→ locking

13 빈칸 ⓐ~ⓒ에 들어갈 말이 순서대로 바르게 짝지어진 것은? **4점**

> • I had difficulty _____ⓐ_____ the report.
> • Don't forget _____ⓑ_____ the book on your way home.
> • We didn't mind _____ⓒ_____ every day.

① to finish – to buy – practicing

② to finish – buying – to practice

③ finishing – to buy – practicing

④ finishing – buying – practicing

⑤ finishing – buying – to practice

14 다음 중 어법상 올바른 문장은? **4점**

① It is no use to asking me about it.

② I'm used to living in New York now.

③ Helping others always make me happy.

④ Tim planned cleaning his room every day.

⑤ I remember to go to Jeju-do when I was 10.

15 다음 대화의 빈칸 ⓐ~ⓔ에 들어갈 말이 바르게 연결되지 <u>않은</u> 것은? **4점**

> **A:** What are you planning _____ⓐ_____ this weekend?
> **B:** I'm going to go _____ⓑ_____. How about _____ⓒ_____ with me?
> **A:** Sorry, I can't. I learn _____ⓓ_____ every weekend. I want to enjoy _____ⓔ_____ this summer vacation.

① ⓐ – to do　　　　② ⓑ – fishing

③ ⓒ – to go　　　　④ ⓓ – to swim

⑤ ⓔ – swimming

16 밑줄 친 부분의 우리말 의미가 알맞지 <u>않은</u> 것은? **4점**

① I want to buy a <u>reading lamp</u>. (독서용 등)

② We watched TV in the <u>living room</u>. (거실)

③ Listen to the sound of the <u>falling rain</u>.
(떨어지는 비)

④ They can smoke in the <u>smoking room</u>.
(연기 나는 방)

⑤ The singer waved at the <u>cheering crowd</u>.
(환호하는 군중)

17 어법상 <u>틀린</u> 문장끼리 짝지어진 것은? **4점**

ⓐ We can fly by wear this suit.
ⓑ They had difficulty catching a taxi last night.
ⓒ I always try being on time for meetings.
ⓓ I couldn't help think about the accident.

① ⓐ, ⓒ, ⓓ ② ⓐ, ⓓ ③ ⓑ, ⓒ
④ ⓑ, ⓒ, ⓓ ⑤ ⓒ, ⓓ

신유형
18 밑줄 친 부분의 쓰임이 [보기]와 같은 문장의 개수는? **5점**

[보기] Yuna loves <u>skating</u>.

ⓐ He practices <u>running</u> every day.
ⓑ A <u>rolling</u> stone gathers no moss.
ⓒ Did you finish <u>writing</u> the report?
ⓓ My uncle quit <u>smoking</u> after the surgery.

① 0개 ② 1개 ③ 2개 ④ 3개 ⑤ 4개

서술형

19 다음 그림을 보고, 괄호 안의 말을 각각 어법에 맞게 사용하여 남자의 말을 완성하시오. **4점**

Man: The baby is _____ (sleep) now.
Please stop _____ (talk) loudly
on the phone.

고난도
20 우리말과 일치하도록 괄호 안의 말에 한 단어를 추가하고 올바른 순서로 배열하여 문장을 완성하시오. **각 4점**

(1) 너에게 전화하지 않아서 미안해.
(for, you, sorry, calling, I'm)

> _____

(2) 그녀의 일은 자고 있는 아이들을 돌보는 것이었다.
(the, children, taking care of, her, sleeping, job)

> _____

21 어법상 틀린 문장을 찾아 바르게 고쳐 쓰시오. **4점**

ⓐ They were proud of winning first place.
ⓑ I'm looking forward to go to Canada.
ⓒ We spent the whole day looking for our missing dog.

(___) > _____

22 다음 대화의 내용을 요약한 문장을 완성하시오.　　4점

> **A:** Dave, did you return the books?
> **B:** Oh, sorry. I completely forgot about it.

> Dave didn't remember _____
> the books.

고난도

23 다음 글의 빈칸에 알맞은 말을 (보기)에서 골라 어법에 맞게 쓰시오.　　각 2점

> (보기)　say　　cry　　arrive　　cheer

> Ted had a bad day. On (1) _____ home, he started (2) _____. His mom tried (3) _____ him up, but he went into his room without (4) _____ anything.

24 우리말과 일치하도록 (조건)에 맞게 문장을 쓰시오.　　5점

> 사람들은 새 휴대 전화를 사는 데 많은 돈을 쓴다.

> (조건)　1. 동명사를 반드시 사용할 것
> 　　　　2. people, lots of money, new cell phones를 반드시 쓸 것
> 　　　　3. 9단어의 완전한 문장으로 쓸 것

> \> _____

25 자신이 즐겨 하는 것과 싫어하는 것을 (조건)에 맞게 쓰시오.　　각 3점

〈A〉	〈B〉
enjoy hate	draw cartoons jog in the park take selfies read books solve math problems sing in front of people

> (조건)　1. 〈A〉와 〈B〉에서 각각 표현을 하나씩 선택해서 쓸 것
> 　　　　2. 같은 표현을 반복하여 쓰지 말 것

(1) _____

(2) _____

약점 공략
틀린 문제가 있다면?

틀린 문항 번호가 있는 칸을 색칠하고, 어떤 문법 POINT의 집중 복습이 필요한지 파악해 보세요.

문항 번호	연관 문법 POINT	문항 번호	연관 문법 POINT	문항 번호	연관 문법 POINT
01	P1, P5	10	P3	19	P4, P6
02	P2	11	P1, P4, P5	20	P1, P5, P6
03	P1, P6	12	P1~P6	21	P2, P5
04	P3, P4	13	P2, P3, P4	22	P4
05	P3, P4	14	P1~P5	23	P4, P5
06	P2, P3	15	P2, P3	24	P2
07	P4	16	P6	25	P3, P4
08	P6	17	P2, P4, P5		
09	P3, P5, P6	18	P3, P4, P6		

연관 문법 POINT 참고

P1 (p.62) 동명사의 쓰임과 역할
P2 (p.62) 자주 쓰이는 동명사 표현
P3 (p.64) 동명사/to부정사를 목적어로 취하는 동사

P4 (p.64) 동명사와 to부정사를 모두 목적어로 취하는 동사
P5 (p.66) 전치사의 목적어로 쓰이는 동명사
P6 (p.66) 동명사와 현재분사

내신만점 Level Up Test

········· 신유형 ·········

01 다음 문장의 빈칸에 들어갈 수 있는 말을 <u>모두</u> 바르게 말한 사람은?

> She _____ telling him about her plans.

① 민아 planned, gave up, enjoyed
② 가영 stopped, expected, wanted
③ 태민 avoided, didn't mind, put off
④ 지수 started, decided, promised
⑤ 예빈 didn't mind, needed, continued

02 [보기]의 ⓐ~ⓕ 중 다음 문장의 빈칸에 들어갈 수 있는 말이 바르게 짝지어진 것은?

> We _____ to go to the movies.

[보기]	ⓐ hope	ⓑ plan	ⓒ enjoy
	ⓓ keep	ⓔ expect	ⓕ consider

① ⓐ, ⓑ, ⓔ
② ⓐ, ⓓ, ⓔ
③ ⓑ, ⓓ, ⓕ
④ ⓑ, ⓔ, ⓕ
⑤ ⓒ, ⓓ, ⓕ

03 다음 글의 밑줄 친 ①~⑤를 어법에 맞게 고칠 때, 형태가 나머지와 <u>다른</u> 하나는?

> Yesterday, Jane went ① <u>shop</u> with her brother to buy his ② <u>box</u> gloves. She tried ③ <u>find</u> good ones for him, but he kept ④ <u>complain</u> about the gloves. She was tired of ⑤ <u>listen</u> to his complaints and gave up shopping with him.

········· 서술형 ·········

04 [보기]의 말을 어법에 맞게 사용하여 주어진 우리말을 영작하시오.

> [보기]   exercise in the morning

(1) 나는 아침에 운동할 계획이다.

> \> _____

(2) 그는 아침에 운동하는 것에 대해 생각 중이다.

> \> _____

(3) 너는 아침에 운동하는 게 꺼려지니?

> \> _____

(4) Cathy는 아침에 운동하는 것에 익숙하다.

> \> _____

05 우리말과 일치하도록 [조건]에 맞게 문장을 완성하시오.

> John은 요리사가 되기를 포기하고 기술자가 되기로 결심했다.

> [조건]   1. 우리말의 순서와 일치하게 쓸 것
>
>   2. give up과 decide를 알맞은 형태로 사용할 것

> \> John (1) _____ and
>
>   (2) _____ an engineer.

CHAPTER

06

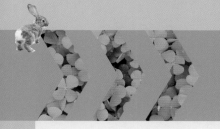

분사

분사(分詞)는 동사를 형용사로 사용하기 위해 동사원형에 -ing를 붙인 형태(현재분사) 또는 -ed를 붙인 형태(과거분사)를 말한다. 문장에서 명사를 수식하는 형용사 역할을 하거나, 주어 또는 목적어를 보충 설명하는 보어 역할을 한다.

Preview

분사의 종류	현재분사	능동 · 진행	Did you hear the shocking news?
	과거분사	수동 · 완료	Look at the shocked people.

분사구문	시간	Seeing me, he laughed out loud. = **When** he saw me, he laughed out loud.
	이유 · 원인	Being late for school, we took a taxi. = **Because** we were late for school, we took a taxi.
	조건	Taking this medicine, you will get better soon. = **If** you take this medicine, you will get better soon.
	양보	Being rich, he is not happy at all. = **Although** he is rich, he is not happy at all.
	동시동작	Waving her hand, she got on the train. = **As** she waved her hand, she got on the train.

POINT 01 현재분사와 과거분사

Look at the *shining stars.
현재분사 ⤻ 명사 수식
(능동·진행의 의미)

빛나고 있는 별들을 보렴.

* 분사는 동사의 성질을 갖지만 형용사처럼 명사를 꾸며 주거나 보어로 쓰여.

현재분사는 능동·진행의 의미, 과거분사는 수동·완료의 의미를 가진다.

현재분사	동사원형-ing (~하는, ~하고 있는)	Look at the **falling** leaves. [명사 수식 – 떨어지는] That sounds **interesting**! [주격보어] I found the movie **exciting**. [목적격보어] ➕ be동사와 결합하여 진행의 의미를 나타낼 수 있다. 　Lily **is making** it. [현재 진행]　Lily **was making** it. [과거 진행]
과거분사	동사의 과거분사형 (~되는, ~된)	Look at the **fallen** leaves. [명사 수식 – 떨어진] I am **interested** in the trip. [주격보어] The news made us **excited**. [목적격보어] ➕ be동사, have와 결합하여 수동과 완료의 의미를 나타낼 수 있다. 　It **was made** by Lily. [수동태]　Lily **has made** it. [현재완료]

① 분사 뒤에 목적어나 수식어구가 있는 경우에는 명사를 뒤에서 수식한다. [서술형 빈출]
a baby **crying** out loud　　　a car **used** for 10 years

POINT 02 감정을 나타내는 분사

Bill felt bored because the class was boring.
지루한 감정을 느낌 – 과거분사　　　　지루한 감정을 일으킴 – 현재분사
　　　　　　　　　　　　　　수업이 지루해서 Bill은 지겹다고 느꼈다.

감정을 일으키는 능동의 의미일 때는 현재분사, 감정을 느끼게 되는 수동의 의미일 때는 과거분사를 쓴다.

현재분사	과거분사	현재분사	과거분사
interesting(흥미로운)	interested(흥미 있는)	boring(지루하게 하는)	bored(지루한)
exciting(신나는)	excited(신이 난)	worrying(걱정시키는)	worried(걱정스러운)
amazing(놀라운)	amazed(놀란)	shocking(충격적인)	shocked(충격을 받은)
surprising(놀라운)	surprised(놀란)	tiring(피곤하게 만드는)	tired(피곤한)
satisfying(만족스러운)	satisfied(만족한)	disappointing (실망시키는)	disappointed(실망한)
pleasing(기쁘게 하는)	pleased(기쁜)	exhausting (지치게 하는)	exhausted(지친)

개념 QUICK CHECK

POINT 01

괄호 안에서 알맞은 것을 고르시오.

1 This is my (hiding / hidden) card.

2 I heard the (shocking / shocked) news about my school.

3 We saw a boy (playing / played) with sand.

4 There was a (breaking / broken) vase on the floor.

POINT 02

괄호 안의 동사를 알맞은 형태로 바꿔 문장을 완성하시오.

1 I'm _____ in studying abroad. (interest)

2 Last summer vacation was very _____. (excite)

3 Kelly was _____ when she heard the news. (surprise)

4 Mr. Kim's class is not _____. (bore)

대표 기출 유형으로 **실전 연습**

1 우리말과 일치하도록 할 때 빈칸에 들어갈 말로 알맞은 것은?

> 끓고 있는 물을 조심하시오.
> > Be careful of _____.

① water boiled   ② boiled water   ③ boiling water

④ water is boiling   ⑤ water was boiling

2 우리말과 일치하도록 괄호 안의 말을 배열하여 문장을 완성하시오. (단, 필요시 단어의 형태를 바꿀 것)

> 아름답게 춤을 추고 있는 그 소녀는 나의 언니이다.
>
> > The _____ is my older sister.
> >   (dance, beautifully, girl)

3 다음 글의 빈칸에 touch의 알맞은 형태를 각각 쓰시오.

> The movie, *Love Actually*, was very _____. A lot of people were _____ by it.

자주 나와요!
4 다음 대화의 빈칸에 들어갈 말이 순서대로 바르게 짝지어진 것은?

> **A:** Mike must be _____.
> **B:** Yes. Look at his _____ legs.

① shocked – shaken   ② shocked – shaking

③ shocking – shaken   ④ shocking – shaking

⑤ shock – shaking

틀리기 쉬워요!
5 다음 중 어법상 올바른 문장은?

① I felt surprising by his visit.

② The movie was so satisfied.

③ It was an excited adventure story.

④ You look worrying about something.

⑤ He was disappointed to see the results.

개념 완성 Quiz   *Choose or complete.*

1 진행을 나타내는 분사 형태는 현재분사 / 과거분사 , 완료를 나타내는 분사 형태는 현재분사 / 과거분사 이다.
> POINT 01

2 분사 뒤에 수식어구가 있는 경우, 명사를 앞 / 뒤 에서 수식한다.
> POINT 01

3 사람이 감동을 받는 것은 touching / touched , 무언가가 감동을 주는 것은 touching / touched (으)로 표현한다.
> POINT 02

4 능동을 나타내는 분사 형태는 현재분사 / 과거분사 , 수동을 나타내는 분사 형태는 현재분사 / 과거분사 이다.
> POINT 01, 02

5 주어가 감정을 느끼게 되는 대상이면 -ing / -ed , 주어가 감정을 일으키는 주체이면 -ing / -ed 형태로 쓴다.
> POINT 02

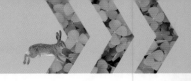

UNIT 2 분사구문

POINT 03 분사구문의 형태

*<u>Washing the dishes</u>, <u>I sing songs</u>.   나는 설거지를 할 때 노래를 부른다.
= When I wash the dishes   주절

 *분사를 사용하여 부사절을 부사구로 나타낸 구문이야.

분사구문은 「접속사+주어+동사」 형태의 부사절을 분사를 사용하여 부사구로 나타낸 것이다.

분사구문 만드는 법	
① 부사절의 접속사 생략 ② 부사절의 주어 생략 　(주절의 주어와 같을 때) ③ 부사절의 동사 　→ 「동사원형+-ing」 　(주절과 부사절의 시제가 같을 때)	When he saw me, he ran away. 　①　②　③ → Seeing me, he ran away. Because I didn't feel well, I stayed home. 　①　②　③ → Not feeling well, I stayed home. ➕ 분사구문의 부정은 분사구문 앞에 not(never)을 쓴다.

① 분사구문에서 Being은 생략할 수 있다. 서술형 빈출
　(Being) Too scared, I couldn't even move.

POINT 04 분사구문의 여러 가지 의미

*<u>Feeling tired</u>, I took a long nap.   나는 피곤해서 낮잠을 오래 잤다.
= Because I felt tired

 *분사구문의 해석은 문맥에 따라 결정돼.

시간	~할 때 (when, as) ~하는 동안 (while) ~한 후에 (after)	Taking a walk, I met Ms. Brown. = When I took a walk, I met Ms. Brown.
이유·원인	~때문에, ~해서 (as, because, since)	(Being) Excited, Tom started dancing. = Since he was excited, Tom started dancing.
조건	~라면, ~하면 (if)	Leaving now, you can catch the bus. = If you leave now, you can catch the bus.
양보	비록 ~이지만 (although, though)	Living near the sea, he can't swim. = Although he lives near the sea, he can't swim.
동시동작	~하면서 (as, while)	Taking off his hat, he said hello to us. = As he took off his hat, he said hello to us.

① 분사구문의 의미를 명확하게 하기 위해 접속사를 생략하지 않는 경우도 있다.
　<u>Although</u> having a driver's license, Grandma never drives.

개념 QUICK CHECK

POINT 03

괄호 안에서 알맞은 것을 고르시오.

1 (Had / Having) a sore throat,
I had to go see a doctor.

2 (Waiting / Wait) for Mom,
I played computer games.

3 (Don't knowing / Not knowing)
he was lying, I followed him.

4 (Buying / Bought) this shirt today,
you will get another one free.

POINT 04

밑줄 친 분사구문을 부사절로 바꿀 때 알맞은 접속사에 √ 표시하시오.

1 <u>Having a headache</u>, I took some medicine.
　☐ As　　　　☐ Although

2 <u>Turning left</u>, you can see the museum on your right.
　☐ Because　　☐ If

3 <u>Finishing my homework</u>, I'll go to bed.
　☐ After　　　☐ While

4 <u>Listening to the radio</u>, he made a cake.
　☐ While　　　☐ Although

대표 기출 유형으로 **실전 연습**

---

1 밑줄 친 부분을 분사구문으로 바꿔 쓰시오.

As he was too sleepy, he couldn't concentrate well in class.

> _____, he couldn't concentrate well in class.

2 두 문장의 의미가 같도록 〔보기〕에서 알맞은 말을 골라 문장을 완성하시오.

| 〔보기〕 | although | while | because |

(1) Jogging in the park, I saw a man with 5 dogs.

= _____ I was jogging in the park, I saw a man with 5 dogs.

(2) Too busy, Dad can't go on a trip with us.

= _____ Dad is too busy, he can't go on a trip with us.

자주 **나와요!**

3 밑줄 친 부분과 바꿔 쓸 수 있는 것은?

Having little time, we gave up visiting the museum.

① Had little time
② As we had little time
③ If we had little time
④ Because they had little time
⑤ Although we had little time

4 빈칸에 들어갈 말로 알맞은 것은?

_____ to hurt her feelings, I didn't tell her the news.

① Didn't want
② Wanted not
③ Not wanting
④ Not wanted
⑤ When she didn't want

틀리기 **쉬워요!**

5 다음 중 어법상 틀린 문장은?

① Very tired, I went to bed right away.
② While walking to school, I met John.
③ Taking this medicine, you'll feel better soon.
④ Running to the bus stop, she lost her cell phone.
⑤ When I arriving at the station, I called my parents.

개념 완성 Quiz   *Choose or complete.*

1 부사절을 분사구문으로 나타낼 때, 부사절의 _____와 _____를 생략하고 동사원형에 _____를 붙인다.

> **POINT 03**

2 분사구문에서 _____은(는) 생략할 수 있다.

> **POINT 03, 04**

3 분사구문은 문맥에 맞는 접속사를 사용하여 주절과 〔주어 / 목적어〕및 시제가 같은 부사절로 바꿔 쓸 수 있다.

> **POINT 03, 04**

4 분사구문의 부정은 〔don't / not〕을(를) 분사구문 〔앞 / 뒤〕에 써서 나타낸다.

> **POINT 03**

5 분사구문의 의미를 명확하게 하기 위해 〔접속사 / 주어〕를 생략하지 않는 경우도 있다.

> **POINT 03, 04**

분사   **79**

서술형 실전 연습

1 분사를 사용하여 주어진 두 문장을 한 문장으로 바꿔 쓰시오.

(1) A girl is sitting on the bench. I know her.

> I know the girl _____.

(2) The spaghetti was made by my dad. It's very tasty.

> The spaghetti _____ is very tasty.

1 명사를 수식하는 분사
- 능동의 의미: 현재분사 / 과거분사
- 수동의 의미: 현재분사 / 과거분사
> POINT 01

2 우리말과 일치하도록 괄호 안의 말을 어법에 맞게 사용하여 문장을 완성하시오.

나는 최선을 다했지만, 결과는 실망스러웠다. (result, disappoint)

> I did my best, but the _____ _____ _____.

2 • 주어가 감정을 일으키는 주체일 때:
현재분사 / 과거분사 사용
- 주어가 감정을 느끼는 사람일 때:
현재분사 / 과거분사 사용
> POINT 02

3 분사구문을 사용하여 주어진 두 문장을 한 문장으로 바꿔 쓰시오. (단, 접속사는 반드시 생략할 것)

(1) Ken was waiting outside. He overheard their conversation.

> _____, Ken overheard their conversation.

(2) The book was written in French. It was difficult to read.

> _____, the book was difficult to read.

3 분사구문 만드는 법:
- 주절과 일치하는 _____ 생략
- 동사가 주절의 시제와 일치하면
_____ 형태로 바꿈
> POINT 03

4 두 문장의 의미가 같도록 [보기]에서 알맞은 접속사를 골라 문장을 완성하시오.

[보기]   if   although   because

(1) Shocked by the news, she couldn't say anything.

= _____, she couldn't say anything.

(2) Living next door to her, I don't know her name.

= _____, I don't know her name.

4 분사구문을 부사절로 바꿀 때:
- 주절과 주어 / 목적어 가 같아야 함
- 주절과 시제 / 조동사 가 일치해야 함
> POINT 03, 04

5 다음 문장에서 어법상 틀린 부분을 찾아 바르게 고쳐 쓰시오.

> She was satisfying with the pictures taken by the professional photographer.

_____ **>** _____

5 • _____ : 만족감을 주는
　• _____ : 만족스러워 하는
　　　　　> POINT 01, 02

6 다음 대화의 괄호 안에 주어진 단어를 적절한 형태로 바꿔 문장을 완성하시오.

> **A:** Are you feeling under the weather today?
> **B:** Yes. I'm a little _____. I didn't do well on my final exam.
> 　　　　　　　(depress)
> **A:** Why don't you forget about it for a moment and try doing some _____ things?
> 　　　　(excite)
> **B:** Sounds good. Thanks.

6 • 감정을 느끼게 되는 / 느끼게 하는 경우:
　현재분사 사용
　• 감정을 느끼게 되는 / 느끼게 하는 경우:
　과거분사 사용
　　　　　> POINT 02

고난도
7 그림을 보고, 괄호 안의 말과 분사를 사용하여 문장을 완성하시오.

(1) There are two boys _____. (badminton)

(2) The girl is reading a book _____. (in English)

7 「분사+목적어/수식어구」의 위치:
　수식하는 명사의 앞 / 뒤
　　　　　> POINT 01

8 다음 대화의 내용과 일치하도록 분사구문을 사용하여 문장을 완성하시오.

> **A:** Minho, why did you take a taxi today?
> **B:** I was late for the concert.

> _____ _____ _____ _____, Minho took a taxi.

8 분사구문이 _____으로 시작할 때:
　_____은(는) 생략 가능
　　　　　> POINT 03, 04

실전 모의고사

시험일 :	월	일	문항 수 : 객관식 18 / 서술형 7
목표 시간 :		총점	
걸린 시간 :			/ 100

[01-03] 빈칸에 들어갈 말로 알맞은 것을 고르시오. 각 2점

01

Do you know that _____ girl?

① cry   ② cried   ③ crying
④ to cry   ⑤ is crying

02

That is the window _____ by James yesterday.

① break   ② broke   ③ breaking
④ broken   ⑤ to break

03

_____ my room, I found some coins.

① Clean   ② Cleaned   ③ Cleaning
④ To clean   ⑤ To cleaning

04 다음 대화의 빈칸에 들어갈 말이 순서대로 바르게 짝지어진 것은? 3점

A: Is there anything _____ to do here?
B: Not really. I'm getting _____.

① interest – bored   ② interested – bored
③ interested – boring   ④ interesting – bored
⑤ interesting – boring

05 빈칸에 들어갈 amaze의 형태가 나머지와 <u>다른</u> 것은? 3점

① That's an _____ idea!
② Her speech was _____.
③ I think he is an _____ actor.
④ We were _____ to see the view.
⑤ The director made lots of _____ movies.

06 괄호 안의 말을 바르게 배열하여 문장을 완성할 때, 빈칸에 알맞은 것은? 3점

Look at _____.
(sleeping, the chair, on, the cat)

① sleeping on the chair the cat
② sleeping the cat on the chair
③ the cat sleeping on the chair
④ the chair sleeping on the cat
⑤ on the chair the cat sleeping

[07-08] 밑줄 친 부분과 의미가 같은 것을 고르시오. 각 3점

07

<u>Listening to music</u>, he took a shower.

① As he listens to music
② If he listened to music
③ Though he is listening to music
④ While he was listening to music
⑤ Because he was listening to music

08

<u>Not knowing about the issue</u>, I couldn't say anything.

① As I knew about the issue
② If I didn't know about the issue
③ As I don't know about the issue
④ Though I didn't know about the issue
⑤ Because I didn't know about the issue

[09-10] 밑줄 친 부분의 쓰임이 나머지와 다른 하나를 고르시오. 각 4점

09 ① Anna is picking some apples.
② His life story was very moving.
③ Look at the dog swimming in the pool.
④ Smiling brightly, she walked toward me.
⑤ Grandpa sometimes needs a walking stick.

10 ① Please keep the door closed.
② The movie bored me to death.
③ The black car parked outside is Eric's.
④ I'm planning to buy some used books.
⑤ There lived a princess named Snow White.

11 다음 문장의 ①~⑤ 중 waiting이 들어갈 위치로 알맞은 것은? 4점

I am (①) sorry (②) to keep (③) you (④) so long (⑤).

12 우리말을 영어로 바르게 옮긴 것은? 4점

Kate는 큰 상자를 들고 집으로 걸어가고 있었다.

① Kate was walking home carried a big box.
② Kate was walking home to carry a big box.
③ Kate carried a big box was walking home.
④ Kate was walking home, carrying a big box.
⑤ Kate was walking home, being carried a big box.

13 밑줄 친 부분을 어법에 맞게 고친 것 중 틀린 것은? 4점

① Look at the injure bird over there.
→ injured
② I have surprise news for you.
→ surprising
③ I was afraid of the bark dogs.
→ barked
④ Not be able to drive, he took a bus.
→ being
⑤ Can you read a book write in Spanish?
→ written

14 다음 중 어법상 틀린 문장은? 4점

① Don't wake the sleeping baby.
② There was a lady held a long umbrella.
③ The crowd in the stadium looked excited.
④ Going straight, you will see an old train station.
⑤ The women were talking about their tiring work.

15 빈칸 ⓐ~ⓒ에 들어갈 말이 순서대로 바르게 짝지어진 것은? 4점

• The meal at the restaurant was ___ⓐ___.
• They rebuilt the houses ___ⓑ___ by the earthquake.
• The man ___ⓒ___ my bike over there is Sue's uncle.

① satisfied – damaging – fixed
② satisfied – damaged – fixing
③ satisfying – damaged – fixed
④ satisfying – damaged – fixing
⑤ satisfying – damaging – fixing

16 어법상 <u>틀린</u> 문장의 개수는?   **4점**

> ⓐ The child was shouted out loud.
> ⓑ The room painting in blue was empty.
> ⓒ Many fans were surrounding the singer.
> ⓓ Jiho is the most interested person I've ever met.

① 0개   ② 1개   ③ 2개   ④ 3개   ⑤ 4개

고난도

17 밑줄 친 분사구문을 부사절로 바르게 옮긴 것은?   **5점**

① <u>Following my advice</u>, you will succeed.
  → If you will follow my advice
② <u>Not being hungry</u>, he didn't eat the pizza.
  → Because he is not hungry
③ <u>Reading a novel on the sofa</u>, I fell asleep.
  → Though I was reading a novel on the sofa
④ <u>Graduating from college</u>, she became a lawyer.
  → After I graduated from college
⑤ <u>Sitting on the grass</u>, the girl fed birds in the park.
  → As she was sitting on the grass

통합 고난도

18 다음 중 어법상 올바른 문장은?   **5점**

① The girl picked up the fallen leaves.
② The manager looked very confusing.
③ No having money, I couldn't buy the ring.
④ The woman wearing glasses are my mom.
⑤ Writing in simple English, the book is easy to read.

19 밑줄 친 단어를 알맞은 형태의 분사로 고쳐 쓰시오. 각 **2점**

(1) Tom found his <u>steal</u> car.   ＞ _____

(2) There are many people <u>run</u> in a marathon.
    ＞ _____

20 괄호 안의 단어를 어법에 맞게 사용하여 그림의 상황에 맞는 두 문장을 완성하시오.   각 **3점**

(1)

(embarrass)
Kate made an _____ mistake.
She was so _____.

(2)
(disappoint)
Dr. Yoon's speech was _____.
The students were very _____.

21 밑줄 친 부분을 분사구문으로 바꿔 쓰시오.   각 **3점**

(1) <u>As she talked on the phone</u>, she brushed her hair.
  ＞ _____

(2) <u>Because he didn't wear a hat</u>, he got a sunburn.
  ＞ _____

22 [보기]에서 단어 2개를 골라 다음 그림의 상황에 맞는 대화를 완성하시오. (단, 필요시 단어의 형태를 바꿀 것) 4점

[보기]	go	turn	right	left

A: Excuse me. How can I get to Joe's Kitchen?

B: _____ _____, you'll find it on your left.

23 두 문장의 의미가 같도록 [보기]에서 알맞은 접속사를 골라 [조건]에 맞게 문장을 완성하시오. 각 3점

[보기]	when	because	if	although

[조건] 1. 부사절의 주어를 모두 she로 할 것
　　　 2. 5단어로 쓸 것

(1) Parking her car, she found a kitten.

= _____,
she found a kitten.

(2) Being very careful, she dropped the ball.

= _____,
she dropped the ball.

<table>
<tr><td>고난도</td><td>신유형</td></tr>
</table>

24 다음 글의 ⓐ~ⓔ를 어법상 올바른 형태로 고쳐 쓸 때, 그 형태가 나머지와 <u>다른</u> 하나를 찾아 문장 전체를 바르게 고쳐 쓰시오. 5점

　　 Mina was ⓐ(read) a book on a bench in the park. Then she heard her name ⓑ(call). ⓒ(Look) around, she found her friend, Yunho. He was ⓓ(run) toward her, ⓔ(wave) his hand.

(　　) ▶ _____

25 어법상 틀린 문장 2개를 골라 우리말과 일치하도록 바르게 고쳐 쓰시오. 6점

ⓐ Tears were rolling down her cheeks.
(눈물이 그녀의 뺨에 흘러내리고 있었다.)
ⓑ Suho washed the dishes, watched TV.
(수호는 TV를 보면서 설거지를 했다.)
ⓒ The new rules are very confused to us.
(새로운 규칙들은 우리에게 매우 혼란스럽다.)
ⓓ Not being very close, they have met several times. (많이 친하지는 않지만, 그들은 몇 번 만난 적이 있다.)

(　　) ▶ _____

(　　) ▶ _____

약점 공략
틀린 문제가 있다면?

틀린 문항 번호가 있는 칸을 색칠하고, 어떤 문법 POINT의 집중 복습이 필요한지 파악해 보세요.

문항 번호	연관 문법 POINT	문항 번호	연관 문법 POINT	문항 번호	연관 문법 POINT
01	P1	10	P1	19	P1
02	P1	11	P1	20	P2
03	P3	12	P3	21	P3
04	P1, P2	13	P1~P4	22	P3, P4
05	P2	14	P1~P4	23	P3, P4
06	P1	15	P1, P2	24	P1, P3, P4
07	P3, P4	16	P1, P2	25	P1~P4
08	P3, P4	17	P3, P4		
09	P1, P2, P3	18	P1~P4		

연관 문법 POINT 참고

P1 (p.76) 현재분사와 과거분사
P2 (p.76) 감정을 나타내는 분사

P3 (p.78) 분사구문의 형태
P4 (p.78) 분사구문의 여러 가지 의미

Level Up Test

 신유형

01 주어진 단어로 우리말을 영어로 옮길 때, 네 번째로 오는 단어는?

> 테니스를 치고 있는 사람들은 신이 나 보인다.

① look   ② tennis   ③ people
④ playing   ⑤ excited

02 밑줄 친 부분의 쓰임이 서로 같은 것끼리 짝지어진 것은?

> ⓐ Being ill, I won't go to school.
> ⓑ Being late is not a good habit.
> ⓒ Being a champion is not my goal.
> ⓓ Being an only child, he feels lonely.
> ⓔ Being rich is good, but it's not everything.
> ⓕ Not being welcomed, they were upset.

① ⓐ, ⓑ, ⓓ / ⓒ, ⓔ, ⓕ
② ⓐ, ⓒ, ⓓ / ⓑ, ⓔ, ⓕ
③ ⓐ, ⓓ, ⓔ / ⓑ, ⓒ, ⓕ
④ ⓐ, ⓓ, ⓕ / ⓑ, ⓒ, ⓔ
⑤ ⓐ, ⓔ, ⓕ / ⓑ, ⓒ, ⓓ

03 문장 (A)와 (B)에 대해 바르게 말한 사람은?

> (A) My cousins were pleased to see me.
> (B) He has a lot of comic books written in English.

① 효민 (A)의 pleased는 동사의 과거형이야.
② 영철 (A)의 pleased는 pleasing으로 바꿔야 해.
③ 예지 (B)는 현재완료 문장이야.
④ 도희 (B)의 written in English는 comic books를 수식해.
⑤ 진원 (B)의 written in English는 이유를 나타내는 분사구문이야.

서술형

04 다음 우리말 ⓐ~ⓓ를 보고, 물음에 답하시오.

> ⓐ 깨진 유리에 내 발을 베었다.
> ⓑ 소방관들은 불타는 건물에 물을 뿌렸다.
> ⓒ 내 여동생은 이 춤추는 인형을 정말 좋아해.
> ⓓ 오염된 물을 마시는 것은 위험해.

(1) ⓐ~ⓓ의 밑줄 친 부분 중 현재분사로 쓸 수 있는 것과 과거분사로 쓸 수 있는 것의 기호를 쓰시오.
　• 현재분사: _____　　• 과거분사: _____

(2) ⓐ~ⓓ와 의미가 같도록 [보기]에서 동사를 골라 어법에 맞게 문장을 완성하시오.

> [보기] pollute　break　dance　burn

ⓐ The _____ glass cut my foot.
ⓑ Firefighters sprayed water on the _____ house.
ⓒ My little sister really likes this _____ doll.
ⓓ It is dangerous to drink _____ water.

05 다음 글을 읽고, 물음에 답하시오.

> I go to a baseball game every weekend with my dad. ⓐ Being a big fan of the sport, my dad loves to go to the ballpark. ⓑ Though I don't know the rules of the game, I really enjoy being there. I especially like cheering and eating hamburgers there.

(1) 밑줄 친 ⓐ를 접속사를 사용하여 부사절로 바꿔 쓰시오.
　＞ _____

(2) 밑줄 친 ⓑ를 분사구문으로 바꿔 쓰시오.
　＞ _____

CHAPTER

07

수동태

문장의 동사가 나타내는 행위의 주체가 주어인 경우를 '능동태'라고 하고, 행위의 대상이 주어인 경우를 '수동태'라고 한다. 행위의 대상을 강조하거나 행위자를 모르는 경우에 주로 수동태를 쓴다.

Preview

| 의미와 형태 | 의미 | 문장의 주어가 행위를 당하거나 받는 것을 표현 |
| | 형태 | 「주어 + be동사 + 과거분사(+ by + 행위자)」 |

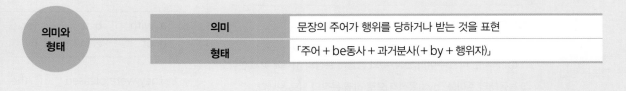

수동태 문장	긍정문	Salmon are eaten by bears.
	부정문	Salmon are not eaten by tigers.
	의문문	Are salmon eaten by bears?
	조동사를 포함한 수동태	Salmon can be eaten by bears.

UNIT 1 수동태의 의미와 형태

POINT 01 수동태의 의미와 형태

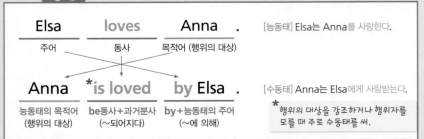

[능동태] Elsa는 Anna를 사랑한다.

[수동태] Anna는 Elsa에게 사랑받는다.

* 행위의 대상을 강조하거나 행위자를 모를 때 주로 수동태를 써.

(1) 능동태와 수동태

능동태	~가 …을 하다	Dad **waters** the plants.
	능동태는 주어가 행위를 하는 주체일 때 사용한다.	
수동태	~에 의해 …되다	The plants **are watered** by Dad.
	수동태는 주어가 행위의 대상으로서 행위의 영향을 받거나 당할 때 사용한다.	

⑴ 수동태로 쓸 수 없는 동사
- 목적어를 갖지 않는 자동사: remain(유지하다), arrive(도착하다), rise(오르다), happen(발생하다), appear(나타나다), look(~해 보이다) 등
- 상태나 소유를 나타내는 타동사: have(가지다), fit(꼭 맞다), resemble(닮다), belong to(~에 속하다) 등

(2) 수동태의 형태

능동태 → 수동태	주어 + 동사 + 목적어 주어 + be동사+과거분사 + by+행위자
능동태 문장을 수동태 문장으로 만드는 방법	① 능동태의 목적어를 수동태의 주어 자리에 둔다. ② 능동태의 동사를 「be동사+과거분사」 형태로 바꾼다. (be동사는 바뀐 주어의 인칭·수와 능동태 문장의 시제에 맞게 쓴다.) ③ 능동태의 주어를 「by+목적격」으로 바꿔 문장의 뒤로 보낸다.

⑴ 행위자가 일반인이거나, 행위자를 알 수 없거나 밝힐 필요가 없을 때는 「by+행위자」를 생략한다.
English **is spoken** in the USA (by people).
The window **was broken** (by someone).
I **was born** in 2004 (by my mom).

⑵ 수동태에서 행위자를 나타낼 때 by 이외의 전치사를 쓰기도 한다. 서술형 빈출
- be interested in ~에 관심이 있다
- be known to ~에게 알려져 있다
- be satisfied with ~에게 만족하다
- be covered with ~로 덮여 있다
- be disappointed with(at) ~에 실망하다
- be pleased with ~에 기뻐하다
- be known for ~로 알려져 있다(유명하다)
- be surprised at ~에 놀라다
- be made of(from) ~로 만들어지다
- be filled with ~로 가득 차 있다

개념 QUICK CHECK

POINT 01 - (1)

빈칸에 알맞은 것을 고르시오.

1 The piano _____ by my mother.
☐ played   ☐ is played

2 Many students _____ the book.
☐ read   ☐ are read

3 The *Mona Lisa* _____ by people all over the world.
☐ loved   ☐ is loved

4 The car _____ Mr. Cho.
☐ is had by   ☐ belongs to

POINT 01 - (2)

빈칸에 알맞은 전치사를 골라 기호를 쓰시오.

a. with	b. to	c. for
d. of	e. in	f. by

1 They were pleased _____ the news.

2 The door was fixed _____ Dad.

3 The restaurant is known _____ its delicious food.

4 This chair is made _____ wood.

대표 기출 유형으로 **실전 연습**

1 두 문장의 의미가 같도록 빈칸에 알맞은 말을 쓰시오.

Many Koreans love the movie, *Aladdin*.

= The movie, *Aladdin*, _____ _____ by many Koreans.

^{자주 나와요!}
2 빈칸에 들어갈 말로 알맞은 것은?

> The book _____ by young children.

① reads   ② read   ③ reading

④ is read   ⑤ will read

3 다음 대화의 빈칸에 들어갈 말로 알맞은 것은?

> **A:** Who is your math teacher?
>
> **B:** Math _____ Ms. Yoon this year.

① taught by   ② teach of   ③ is taught by

④ is taught of   ⑤ is teach by

4 빈칸에 들어갈 말이 나머지와 <u>다른</u> 하나는?

① Eric's room is filled _____ books.

② The fact is known _____ everyone.

③ The mountain is covered _____ snow.

④ Mom is satisfied _____ her new recipe.

⑤ Mr. Lee was very pleased _____ our work.

^{쉬워요! 틀리기}
5 다음 중 어법상 올바른 문장은?

① The car stopped by the police.

② The girl is resembled by her father.

③ Spanish is spoken in South America.

④ Something was happened yesterday.

⑤ My uncle is interested by extreme sports.

개념 완성 Quiz *Choose or complete.*

1 '(주어가) ~되다/당하다'라는 의미로 「be동사+동사원형 / be동사+과거분사」의 형태로 쓰는 것을 수동태라고 한다.
> POINT 01-(1)

2 「by+행위자」는 '~를 / ~에 의해'의 의미를 나타낸다.
> POINT 01-(1)

3 행위의 대상을 강조할 때는 주로 능동태 / 수동태 문장을 사용한다.
> POINT 01-(1)

4 수동태 문장에서는 행위자 앞에 주로 전치사 by / to 를 사용하지만, 동사에 따라 다른 전치사가 쓰이기도 한다.
> POINT 01-(2)

5 상태를 나타내는 동사는 수동태로 쓸 수 있다 / 없다.
> POINT 01-(1), (2)

POINT **02** 수동태의 부정문과 의문문

*Is Anna <u>loved</u> by Elsa?   Anna는 Elsa에게 사랑받니?

be동사를 주어 앞으로   *be동사 의문문과 부정문의 형태를 떠올려 봐.

긍정문	주어+be동사+과거분사 ~.	The thief **was caught** by the police.
부정문	주어+be동사+not+과거분사 ~.	The thief **was not caught** by the police.
의문문	(의문사+)Be동사+주어+과거분사 ~?	**Was** the thief **caught** by the police? **How was** the thief **caught** by the police?

➕ 의문사가 주어일 때는 「의문사+be동사+과거분사 ~?」의 형태로 쓴다.
Who was caught by the police?

POINT **03** 수동태의 다양한 쓰임

Anna *was loved by Elsa.   Anna는 Elsa에게 사랑받았다.

행위의 대상   과거시제   행위자
(~되어졌다)   (~에 의해)
*수동태의 시제는 be동사의 시제로 나타내.

(1) 수동태의 시제

현재	am/are/is+과거분사	K-pop **is loved** around the world.
과거	was/were+과거분사	The bridge **was built** in 1890.
미래	will be+과거분사	The work **will be finished** soon.
진행형	be동사+being+과거분사	The music **is being played** by DJ Kim.

(2) 조동사를 포함하는 수동태
조동사가 있는 문장의 수동태는 「조동사+be+과거분사」의 형태로 쓴다.
The movie **can be watched** by children.

(3) 동사구의 수동태
동사가 부사 또는 전치사와 결합하여 하나의 동사 역할을 하는 동사구는 하나의 단어처럼 취급하여 수동태로 쓴다. 〔서술형 빈출〕
The light **was turned on** by him. (← He turned on the light.)

① 주요 동사구
- turn on/off ~을 켜다/끄다
- put off ~을 연기하다
- pay for ~을 지불하다
- take care of ~을 돌보다
- laugh at ~을 비웃다
- make use of ~을 이용하다

개념 QUICK CHECK

POINT **02**

괄호 안에서 알맞은 것을 고르시오.

1 The vase (not was / was not) broken by Mary.

2 How (was / did) the diamond stolen?

3 The plants were (not watered / watered not) yet.

4 (Who / By whom) was elected president of the class?

POINT **03**

주어진 문장을 수동태로 바꿀 때 빈칸에 알맞은 것을 고르시오.

1 Mr. Kim wrote the letter.
  > The letter _____ by Mr. Kim.
    ☐ is wrote   ☐ was written

2 Tom will paint this fence.
  > This fence _____ by Tom.
    ☐ is painted   ☐ will be painted

3 Mr. White put off the trip.
  > The trip _____ by Mr. White.
    ☐ was put   ☐ was put off

4 We must wear masks here.
  > Masks _____ here.
    ☐ are must worn
    ☐ must be worn

대표 기출 유형으로 **실전 연습**

1 두 문장의 의미가 같도록 빈칸에 알맞은 말을 쓰시오.

My classmates don't like the song.

= The song _____ _____ _____ by my classmates.

2 다음 대화의 빈칸에 들어갈 말로 알맞은 것은?

> **A:** Who designed Casa Milá?
> **B:** It _____ by Antoni Gaudí.

① designed ② is designed ③ was designed

④ was designing ⑤ has designed

3 우리말과 일치하도록 괄호 안의 말을 어법에 맞게 사용하여 문장을 완성하시오.

(1) 새로운 것들은 어떻게 발명되나요? (invent)

> How _____ new things _____?

(2) 눈 때문에 현장학습은 연기될 것이다. (put off)

> The field trip _____ because of the snow.

^{자주} 나와요!
4 빈칸에 들어갈 말로 알맞은 것은?

> Cans _____ for the environment.

① be recycled ② should be recycled

③ should are recycled ④ are should recycled

⑤ are should be recycled

^{틀리기} 쉬워요!
5 다음 중 어법상 <u>틀린</u> 문장은?

① When was America discovered?

② The lights were turned off by Mom.

③ Where did the boy found by the police?

④ Was the classroom cleaned by your teacher?

⑤ This magazine won't be read by many people.

개념 완성 Quiz *Choose or complete.*

1 수동태 부정문은 「주어+ be동사+not / not+be동사 +과거분사」로 나타낸다.
> POINT 02

2 수동태의 시제는 be동사 / 조동사 의 시제를 바꿔서 나타낸다.
> POINT 03

3 수동태 의문문은 「(의문사+) Do / Are +주어+과거분사 ~?」로 나타낸다.
> POINT 02, 03

4 조동사를 포함하는 수동태는 「_____ +_____+과거분사」로 나타낸다.
> POINT 03

5 동사구는 하나의 단어로 취급하여 / 동사와 부사·전치사를 분리하여 수동태로 쓴다.
> POINT 02, 03

서술형 실전 연습

개념 완성 **Quiz** *Choose or complete.*

1 두 문장의 의미가 같도록 빈칸에 알맞은 말을 쓰시오.

(1) The teacher respects everyone's choice.

= Everyone's choice _____.

(2) He will send your package tomorrow.

= Your package _____ tomorrow.

1 수동태(~에 의해 …되다/당하다):
be동사+_____+_____+
행위자
> POINT 01, 03

2 우리말과 일치하도록 괄호 안의 말을 어법에 맞게 사용하여 문장을 완성하시오.

사과들은 신문으로 덮여 있었다. (cover)

> The apples _____ a newspaper.

2 ~로 덮여 있다:
be _____ _____
> POINT 01, 03

3 밑줄 친 부분을 어법상 바르게 고쳐 문장을 다시 쓰시오.

(1) His name did not written on the list.

> _____

(2) Did the walls be painted by Susan?

> _____

3 • 과거시제 수동태 부정문:
주어+_____+_____+과거분
사 ~.
• 과거시제 수동태 의문문:
_____+_____+과거분사 ~?
> POINT 02, 03

4 빈칸에 알맞은 말을 [보기]에서 골라 적절한 형태로 바꿔 쓰시오. (단, 과거시제 긍정문으로 쓸 것)

[보기]	turn on	laugh at	put off

(1) We _____ by the audience.

(2) The radio _____ by Grandpa.

(3) Today's meeting _____ by the manager.

4 동사구(동사+부사·전치사)의 수동태:
be동사 뒤에 [하나의 단어처럼 / 동사
와 부사·전치사를 분리시켜] 씀
> POINT 03

5 괄호 안의 말을 사용하여 대화를 완성하시오.

A: Why _____ _____ _____ _____? (the picnic)

B: The school canceled it because of the rain.

5 의문사가 있는 수동태 의문문:
의문사+_____+_____+
_____ ~?
> POINT 02

6 괄호 안의 지시에 맞게 주어진 질문에 대한 답을 완성하시오.

> Q. Who painted *The Starry Night*?
>
> \> Vincent van Gogh (1) _____.
>
> (대명사 사용)
>
> \> It (2) _____.
>
> (위 문장의 내용과 일치하게)

6 과거시제 수동태:
_____+과거분사
> POINT 01, 03

고난도

7 다음 메모를 읽고, 어법상 틀린 부분 두 군데를 찾아 바르게 고쳐 쓰시오.

> For a Better Classroom Environment
> • Two desks must fixed.
> • Trash should be picked up.
> • Books should place in the right bookshelves.

(1) _____ \> _____
(2) _____ \> _____

7 조동사를 포함하는 수동태 문장:
주어+_____+_____+
_____ ~.
> POINT 03

8 주어진 문장을 (조건)에 맞게 바꿔 쓰시오.

(1)
> People did not follow the safety rules.

> [조건] 1. 주어진 문장과 의미가 같은 수동태 문장으로 쓸 것
>   2. 생략할 수 있는 단어는 생략할 것
>   3. 6단어로 쓸 것

\> _____

(2)
> You should take good care of your pets.

> [조건] 1. 주어진 문장과 의미가 같은 수동태 문장으로 쓸 것
>   2. 10단어로 쓸 것

\> _____

8 수동태 문장에서 _____를 생략할
수 있는 경우:
• 행위의 주체가 막연한 일반인일 때
• 행위자가 누군지 잘 모를 때
• 행위자를 말하지 않아도 알 수 있을 때
> POINT 01~03

실전 모의고사

[01-03] 빈칸에 들어갈 말로 알맞은 것을 고르시오.   각 2점

01

The bike _____ by my father yesterday.

① repairs   ② repaired
③ is repaired   ④ was repaired
⑤ has repaired

02

Animals should not _____ like that.

① treat   ② treated   ③ is treated
④ are treated   ⑤ be treated

03

The room is filled _____ new toys.

① by   ② with   ③ from
④ of   ⑤ for

04 빈칸에 들어갈 말로 알맞지 않은 것은?   3점

Everyone will _____ to the party.

① go   ② come
③ invite   ④ be welcomed
⑤ bring some food

05 다음 중 수동태로 바꿀 수 없는 문장은?   3점
① I didn't lock the door.
② The players respect their coach.
③ Why did they put off the festival?
④ Aunt Margaret drives that old red car.
⑤ They will stay at their house next week.

[06-07] 빈칸에 들어갈 말이 순서대로 바르게 짝지어진 것을 고르시오.   각 3점

06

• This cake was made _____ flour, milk, and eggs.
• My parents were not satisfied _____ the tour.

① by – of   ② by – with
③ from – of   ④ from – with
⑤ for – with

07

• The cookies _____ last night.
• The baby lions will _____ by the zookeeper.

① are bake – are taken care of
② were baked – be taken care of
③ are baked – taken care of
④ were baking – be taken care of
⑤ were baked – are taken care of

[08-09] 주어진 문장을 수동태로 바르게 나타낸 것을 고르시오.   각 3점

08

My team can do this project in a week.

① This project is done in a week by my team.
② This project can do in a week by my team.
③ This project can is done in a week by my team.
④ This project can be done in a week of my team.
⑤ This project can be done in a week by my team.

09

> When did Alexander Graham Bell invent the telephone?

① When is the telephone invented by Alexander Graham Bell?

② When was Alexander Graham Bell invented the telephone?

③ When the telephone was invented by Alexander Graham Bell?

④ When was the telephone invented by Alexander Graham Bell?

⑤ When did the telephone be invented by Alexander Graham Bell?

10 밑줄 친 부분을 생략하기 어색한 것은?　　3점

① His house was burned down by a fire.

② *Guernica* was painted by Pablo Picasso.

③ English is spoken in Australia by people.

④ Clara was born last winter by her mother.

⑤ My wallet was stolen by someone yesterday.

11 우리말을 영어로 바르게 옮긴 것은?　　3점

> 그 규칙들은 모두에 의해 지켜져야 한다.

① Everyone followed the rules.

② Everyone is followed by the rules.

③ The rules are followed by everyone.

④ The rules must be followed by everyone.

⑤ The rules are must be followed by everyone.

12 다음 문장을 영어로 옮길 때 네 번째로 오는 단어는? 4점

> 이 물고기는 어디에서 잡혔나요?

① fish　　② was　　③ where

④ this　　⑤ caught

13 다음 중 어법상 **틀린** 문장은?　　　　4점

① The castle is belonged to nobody.

② Too much water is wasted by tourists.

③ The boy was born on Christmas Eve in 2006.

④ This science paper will be translated by a professor.

⑤ Was the report written by the researchers on his team?

14 다음 중 주어진 문장을 수동태로 바르게 나타낸 것은? 4점

① SF movies interest me.

> I'm interested by SF movies.

② David didn't draw this cartoon.

> This cartoon didn't be drawn by David.

③ The millionaire has many expensive cars.

> Many expensive cars are had by the millionaire.

④ Ernest Hemingway wrote *The Old Man and the Sea* in 1952.

> *The Old Man and the Sea* is written by Ernest Hemingway in 1952.

⑤ Will they hold the Olympics in our country next year?

> Will the Olympics be held in our country next year?

수동태　**95**

15 어법상 <u>틀린</u> 것끼리 짝지어진 것은? 4점

> ⓐ The accident was seen many people.
> ⓑ Two wild bears were killed by the hunters.
> ⓒ The flowers in the vase was brought by Harry.
> ⓓ Empty bottles are being collected by the students.

① ⓐ, ⓑ   ② ⓐ, ⓑ, ⓓ   ③ ⓐ, ⓒ
④ ⓐ, ⓒ, ⓓ   ⑤ ⓒ, ⓓ

16 빈칸 ⓐ~ⓒ에 들어갈 말이 순서대로 바르게 짝지어진 것은? 4점

> • The store ___ⓐ___ vegetables and fruit.
> • Crops were seriously ___ⓑ___ by the typhoon.
> • The woman was taken ___ⓒ___ the hospital.

① sells – damaging – by
② sells – damaged – to
③ is sold – damaged – by
④ is sold – damaging – by
⑤ is sold – damaged – to

17 다음 중 짝지어진 대화가 <u>어색한</u> 것은? 4점

① **A**: I can't find my sandwich.
   B: It was eaten by Ted.
② **A**: Why was the game canceled?
   B: Because of the storm.
③ **A**: Will this work be done by Ann?
   B: Yes, it will.
④ **A**: Was the picture taken by Mina?
   B: No. Jinsu is taken the picture.
⑤ **A**: When do we have to finish the project?
   B: It must be finished by next Monday.

18 다음 글의 밑줄 친 ①~⑤ 중 어법상 <u>틀린</u> 것은? 5점

> We ① <u>are preparing</u> for an English play. The play scripts ② <u>are being written</u> by Jim. The background music ③ <u>is being chosen</u> by David. The posters ④ <u>are making</u> over there, and they ⑤ <u>will be hung</u> around the school tomorrow.

• • • • • • • • • 서술형 • • • • • • • • •

19 우리말과 일치하도록 빈칸에 알맞은 말을 쓰시오. 각 2점

(1) Emma는 그 결과에 만족한다.
   ➤ Emma _____ _____ _____ the result.
(2) 누군가에 의해 전원이 켜졌다.
   ➤ The power _____ _____ _____ by someone.

20 그림의 내용과 일치하도록 [보기]에서 알맞은 말을 골라 어법에 맞게 문장을 완성하시오. 각 3점

[보기]	use	build	cover

(1) The pyramids _____ _____ _____ ancient Egyptians.

(2) Mt. Everest _____ _____ _____ snow all year round.

(3) Smartphones _____ _____ _____ almost everyone today.

21 다음 문장을 this snowman을 주어로 하는 수동태 문장으로 바꿔 쓰시오. **4점**

> Did Anna build this snowman?

> _____

22 우리말과 일치하도록 〈A〉와 〈B〉에서 단어를 하나씩 골라 어법에 맞게 각 문장을 완성하시오. **각 3점**

〈A〉	〈B〉
can	keep
should	order

(1) 백신은 상온에 보관되어서는 안 된다.

> Vaccines _____ at room temperature.

(2) 요즘은 거의 모든 것이 온라인에서 주문될 수 있다.

> Almost everything _____ online these days.

23 우리말과 일치하도록 [조건]에 맞게 괄호 안의 말을 배열하여 문장을 완성하시오. **4점**

> 고장 난 노트북은 곧 수리될 것이다.
> (be, repair, broken, will, the, laptop)

[조건] 1. 주어진 단어만 사용할 것
     2. 한 단어는 반드시 형태를 바꿀 것

> _____ soon.

24 어법상 <u>틀린</u> 문장을 찾아 바르게 고쳐 쓰시오. **5점**

> ⓐ Nothing happened last night.
> ⓑ The news was announced this morning.
> ⓒ The boxes in the garden was carried by him.

(   ) > _____

25 다음 글을 [조건]에 맞게 완성하시오. **각 3점**

> I read a short story, *The Last Leaf*, today. It (1) _____ O. Henry in
> (write)
> 1905. His stories (2) _____
> (know)
> for their surprise endings, but this story is about hope. It (3) _____ a
> (publish)
> long time ago, but it is still loved by many people.

[조건] 1. 괄호 안에 주어진 동사의 형태를 바꿔 수동태로 쓸 것
     2. 필요시 적절한 전치사를 포함할 것

약점 공략
틀린 문제가 있다면?

틀린 문항 번호가 있는 칸을 색칠하고, 어떤 문법 POINT의 집중 복습이 필요한지 파악해 보세요.

문항 번호	연관 문법 POINT	문항 번호	연관 문법 POINT	문항 번호	연관 문법 POINT
01	P1, P3	10	P1	19	P1, P3
02	P3	11	P3	20	P1, P3
03	P1	12	P2, P3	21	P2, P3
04	P1, P3	13	P1~P3	22	P2, P3
05	P1	14	P1~P3	23	P3
06	P1	15	P1, P3	24	P1, P3
07	P3	16	P1, P3	25	P1, P3
08	P1, P3	17	P1~P3		
09	P2, P3	18	P1, P3		

연관 문법 POINT 참고

P1 (p.88) 수동태의 의미와 형태
P2 (p.90) 수동태의 부정문과 의문문
P3 (p.90) 수동태의 다양한 쓰임

 **Level Up Test**

 신유형

01 빈칸에 들어갈 동사 see의 형태가 같은 것끼리 짝지어진 것은?

> ⓐ Many stars can _____ at night.
> ⓑ The movie _____ by 10 million people last year.
> ⓒ Yesterday he _____ a famous singer at the mall.
> ⓓ The accident _____ by some people at the bus stop last night.

① ⓐ, ⓑ   ② ⓐ, ⓒ   ③ ⓐ, ⓓ
④ ⓑ, ⓓ   ⑤ ⓒ, ⓓ

02 다음 중 어법상 올바른 문장의 개수는?

> ⓐ No one was injured by the storm.
> ⓑ He didn't invited to the ceremony.
> ⓒ French is spoken by some countries.
> ⓓ The mail is usually delivered before noon.
> ⓔ These documentaries should be watched by all the students.

① 1개   ② 2개   ③ 3개   ④ 4개   ⑤ 5개

03 다음 두 문장에 대한 설명으로 올바른 것은?

> (A) The box was filled with books.
> (B) The elevators are being repaired now.

① 문장 (B)만 수동태이다.
② 문장 (A)의 with는 by로 고쳐야 한다.
③ 문장 (B)는 「by+행위자」가 생략되었다.
④ 문장 (B)의 being repaired는 be repaired로 고쳐야 한다.
⑤ 문장 (A)에 조동사 should를 넣을 경우 was를 should로 바꾸면 된다.

서술형

04 다음 대화의 밑줄 친 우리말을 〈조건〉에 맞게 영어로 쓰시오.

> **A:** I heard that (1) <u>Jane의 고양이가 자전거에 치였다.</u> (run over, a bike)
> **B:** Poor cat. Is it alright?
> **A:** I hope so. (2) <u>그것은 동물 센터에서 보살핌을 받을 것이다.</u> (take care of, at the animal center)
> **B:** Good for her.

> [조건] 1. (1), (2) 모두 수동태를 사용할 것
> 2. 괄호 안의 말을 적절한 형태로 바꿔 완전한 문장으로 쓸 것

(1) _____
(2) _____

05 각 문장에서 어법상 틀린 부분을 찾아 바르게 고쳐 쓰고, 틀린 이유를 쓰시오.

> (1) Busan is known to its seafood.
> (2) A car was appeared before me.
> (3) I was laughed by my mean classmates.

(1) _____ > _____
    틀린 이유: _____
(2) _____ > _____
    틀린 이유: _____
(3) _____ > _____
    틀린 이유: _____

CHAPTER

대명사

부정대명사는 정해지지 않은 대상을 가리키는 대명사로, 특정한 사물이나 사람이 아니라 막연한 대상을 가리킬 때 쓴다. 재귀대명사는 '자신, 자체'라는 의미를 나타내는 대명사이다.

Preview

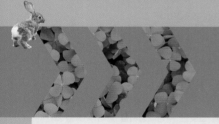

부정대명사	one, the other	I have two dogs. One is big, and the other is small.
	one, another, the other	There are three bags on the sofa. One is mine, another is Mom's, and the other is Dad's.
	one, the others	He has four cats. One is white, and the others are brown.
	some, others	Some like soccer, and others like baseball.
	some, the others	Some are here, and the others are in the playground.
	some	I have some tickets for the musical.
	any	They didn't buy any clothes at the shop.
	each	Each person is special.
	every	Every child likes chocolate cake.
	all	All the students are wearing school uniforms.
	both	Both of them have brown hair and blue eyes.
재귀대명사	재귀 용법	I like to look at myself in the mirror.
	강조 용법	My dad fixed the computer himself.

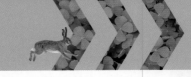

UNIT 1 부정대명사 (1)

POINT 01 one, another, other

Can you show me *another? 제게 다른 것으로 보여 줄 수 있나요?
(같은 종류의 정해지지 않은) 또 다른 하나

one	하나, ~것	I like this shirt. Do you have a blue **one**, too?
	종류는 같지만 정해지지 않은 사물이나 사람 지칭 (복수형: ones) 서술형 빈출	
another	또 다른 하나	I don't like this shirt. Can you show me **another**?
	같은 종류의 정해지지 않은 또 다른 하나 (형용사: 「another+단수명사」)	
other	(그 밖의) 다른 것	Where are the **others**?
	같은 종류지만 다른 것 (복수형: others, 형용사: 「other+복수명사」)	

ⓘ **one** *vs.* **it**
I need a hat. I think I have to buy **one**. (불특정한 모자 하나)
I like this hat. I'll buy **it**. (앞에 언급된 바로 그 모자)

POINT 02 부정대명사의 쓰임

*Some like summer, and others like winter.
몇몇 사람들   다른 몇몇 사람들
몇몇은 여름을 좋아하고, 다른 몇몇은 겨울을 좋아한다.   *불특정한 사람들을 묶어서 가리켜.

one ~, the other …	one the other (둘 중) 하나는 ~, 나머지 하나는 …	Amy can speak 2 languages. **One** is English, and **the other** is German.
one ~, another …, the other –	one another the other (셋 중) 하나는 ~, 또 다른 하나는 …, 나머지 하나는 –	I ordered 3 dishes. **One** was steak, **another** was pizza, and **the other** was salad.
one ~, the others …	one the others (여럿 중) 하나는 ~, 나머지는 …	They have 4 children. **One** is a daughter, and **the others** are sons.
some ~, others …	some others (여럿 중) 몇몇은 ~, 다른 몇몇은 …	**Some** like math, and **others** like English.
some ~, the others …	some the others (여럿 중) 몇몇은 ~, 나머지는 …	There are 20 students in my class. **Some** usually have breakfast, and **the others** skip it.

ⓘ **others** *vs.* **the others**: '나머지 중 일부'는 others, '나머지 모두'는 the others를 쓴다.

개념 **QUICK CHECK**

POINT 01

괄호 안에서 알맞은 것을 고르시오.

1 Which bag do you want? The red (it / one)?

2 Do you want (other / another) glass of juice?

3 Did you hear about the movie, *Aladdin*? I want to watch (it / one).

4 I've finished my homework, but I still have (another / other) things to do.

POINT 02

빈칸에 알맞은 부정대명사를 골라 기호를 쓰시오.

a. another	b. other	c. the other
d. some	e. others	f. the others

1 I have two cats. One is black, and _____ is white.

2 _____ like Korean food, and others like Italian food.

3 Ten of my classmates wear glasses, but _____ don't.

4 I saw three movies yesterday. One was boring, _____ was scary, and the other was exciting.

대표 기출 유형으로 **실전 연습**

1 [보기]에서 알맞은 말을 골라 문장을 완성하시오.

[보기]	it	one	another	the other

(1) I have many pens. You can borrow _____ .

(2) I lost my backpack yesterday, but I found _____ today.

(3) I bought two scarves. One is for Mom, and _____ is for me.

2 빈칸에 공통으로 알맞은 말을 쓰시오.

- That question is too difficult. Please ask me _____ .
- I love this pizza. Can I have _____ piece of it?

3 우리말과 일치하도록 문장을 완성하시오.

어떤 사람들은 휴가로 산에 가는 것을 좋아하고, 다른 사람들은 바다로 가는 것을 좋아한다.

> _____ like going to the mountains, and _____ like going to the beach for vacation.

자주 나와요!
4 빈칸에 들어갈 말이 순서대로 바르게 짝지어진 것은?

There were three books on the desk. One was mine, _____ was Dad's, and _____ was my brother's.

① another – other
② other – the other
③ another – the other
④ the other – other
⑤ the other – another

틀리기 쉬워요!
5 밑줄 친 부분이 어법상 어색한 것은?

① I need a dictionary. Do you have <u>one</u>?

② <u>Some</u> prefer dogs, and others prefer cats.

③ This cookie tastes great. Can I have <u>another</u>?

④ One of the two tickets is mine, and <u>the other</u> is Kevin's.

⑤ There were four boxes. One was big, and <u>others</u> were small.

개념 완성 Quiz *Choose or complete.*

1 같은 종류의 불특정한 하나를 가리킬 때는 it / one , 둘 중 나머지 하나를 가리킬 때는 another / the other 를 사용한다.
> POINT 01, 02

2 같은 종류의 정해지지 않은 '또 다른 하나'는 one / another / other (으)로 나타낸다.
> POINT 01

3 불특정한 다수를 가리킬 때는 one / some 과 others / the others 를 사용한다.
> POINT 02

4 셋 중 하나는 one, 다른 하나는 another / other / the other , 나머지 하나는 another / other / the other 로 나타낸다.
> POINT 02

5 '나머지 모두'를 가리킬 때는 others / the other / the others 를 사용한다.
> POINT 01, 02

UNIT 2 부정대명사 (2)

POINT 03 some, any

The cake looks tasty. I want to have *some.

케이크가 맛있어 보여요. 조금 먹고 싶어요.

*some은 대개 긍정문에서 쓰여.

막연한 대상이나 수량을 나타내는 some과 any는 대명사로도 쓰이고 형용사로도 쓰인다.

some	몇몇(의), 약간(의)	I made **some** cookies. Will you try **some**?
	긍정문과 제안·권유·요청하는 의문문에 주로 사용된다. 서술형 빈출	
any	아무(것) ~도 (…않다) 〈부정문〉	I need some pens, but I don't have **any**.
	어떤 ~라도 (…한가?) 〈의문문〉	Do you have **any** plans for this summer?
	부정문과 의문문에 주로 사용된다. 서술형 빈출	

POINT 04 each, every, all, both

Each country has its own culture.   각 나라에는 고유의 문화가 있다.

주어 (each+단수명사) 동사 (단수 취급)   *'각각'이라는 의미로 대상을 개별적으로 가리켜.

each, every, all은 많은 수를 대상으로 할 때, both는 두 개를 대상으로 할 때 사용한다. each, all, both는 부정대명사와 형용사로 모두 쓰이고, every는 형용사로만 쓰인다.

each	(둘 이상) 각각(의)	Each **girl has** her own computer. 단수명사 단수동사 Each of **the girls has** a different goal. 복수명사 단수동사
every	(셋 이상) 모든	Every **book** here **is** for children. 단수명사 단수동사 Every **student likes** the math teacher. 단수명사 단수동사
all	(셋 이상) 모두, 모든 (것)	All (of) **my friends have** smartphones. 복수명사 복수동사 All (of) **the money was** given to charity. 셀 수 없는 명사 단수동사
	➕ all이 단독으로 쓰일 때 사람을 나타내면 복수, 사물이나 상황을 나타내면 단수 취급한다. **All** *were* shocked to hear the news. [모든 사람] I hope **all** *is* well with you. [모든 일]	
both	둘 다	Both (of) **my parents are** police officers. 복수명사 복수동사

개념 QUICK CHECK

POINT 03

빈칸에 some과 any 중 알맞은 것을 쓰시오.

1 We don't have _____ classes today.

2 I bought _____ flowers for my mom.

3 Can I have _____ more salad, please?

4 Do you have _____ questions about the book?

POINT 04

괄호 안에서 알맞은 것을 고르시오.

1 (Each / Both) of them has a different opinion.

2 (All / Each) of my friends like to go camping.

3 (All / Every) student has to wear a school uniform.

4 I have two cousins. (All / Both) of them live in London.

대표 기출 유형으로 **실전 연습**

1 some 또는 any를 사용하여 다음 대화를 완성하시오.

> **A:** I need _____ coins to use the snack machine. Can I borrow some?
>
> **B:** Sorry. I don't have _____.

2 빈칸에 들어갈 말로 알맞은 것은?

> I have two sisters. _____ of them are high school students.

① One　　　　② Each　　　　③ Both
④ Some　　　⑤ Every

3 some과 any 중 빈칸에 들어갈 말이 나머지와 <u>다른</u> 하나는?

① Why don't you eat _____ grapes?
② She put _____ sugar in her coffee.
③ Would you like to have _____ milk?
④ The man didn't have _____ money in his pocket.
⑤ I shared _____ of my stories with my classmates.

4 빈칸에 알맞은 현재시제 be동사를 넣어 문장을 완성하시오.

(1) All the fruit juice _____ sold out now.
(2) Each of us _____ special because we are all different.
(3) All of my friends _____ good at singing and dancing.

5 다음 중 어법상 올바른 문장은?

① Each team has eleven players.
② Every students understood the rules.
③ I don't have some plans for Christmas.
④ All of the machines is out of order now.
⑤ Both of my brothers doesn't like bulgogi.

개념 완성 Quiz *Choose or complete.*

1 some / any (은)는 주로 긍정문에 쓰이고, some / any (은)는 주로 부정문에 쓰인다.
> POINT 03

2 '~ 둘 다'는 each / every / both +복수명사로 나타낸다.
> POINT 04

3 제안하는 의문문에는 주로 some / any (을)를 쓴다.
> POINT 03

4 each / all 은(는) 복수명사와도 쓰이고 셀 수 없는 명사와도 쓰인다.
> POINT 04

5 each와 every는 형용사로 쓰일 때 반드시 단수 / 복수 명사와 함께 쓰이고, both는 단수/ 복수 명사와 함께 쓰인다.
> POINT 03, 04

UNIT 3 재귀대명사

POINT 05 재귀대명사의 쓰임

Tom introduced *himself to us. Tom은 자기 자신을 우리에게 소개했다.

주어 　 동사 　 목적어 (= Tom) 　 * 주어(Tom)와 같은 목적어를 대신하는 대명사야.

재귀대명사는 인칭대명사의 소유격이나 목적격에 -self(단수)나 -selves(복수)를 붙인 형태로 '~ 자신'의 의미이다.

재귀 용법 (생략 불가능)	주어 = 목적어	Amy saw **herself** in the mirror. We wrote essays about **ourselves**.
	재귀대명사는 동사와 전치사의 목적어로 모두 사용된다.	
강조 용법 (생략 가능)	주어나 목적어 강조 (스스로, 직접)	I **myself** made this chocolate cake. He didn't like the song **itself**.
	➕ 강조 용법의 재귀대명사는 주로 강조하는 말 바로 뒤에 오지만 주어를 강조할 때에는 주어 뒤나 문장 끝에 올 수 있다. 서술형 빈출 You have to clean your room **yourself**.	

POINT 06 재귀대명사 관용 표현

She lives *by herself in a big city. 그녀는 대도시에서 혼자서 산다.

혼자서 　 * 재귀대명사가 포함된 관용 표현이야.

by oneself	혼자서, 홀로(= alone)	Don't go into the woods **by yourself**.
for oneself	혼자 힘으로	Mary did her homework **for herself**.
of itself	저절로	The door suddenly closed **of itself**.
cut oneself	베이다	Be careful not to **cut yourself**.
enjoy oneself	즐거운 시간을 보내다	We **enjoyed ourselves** at the party.
help oneself (to)	(~을) 마음껏 먹다	**Help yourself to** anything you want.
talk to oneself	혼잣말하다	They often **talk to themselves**.
beside oneself	제정신이 아닌	Bill was **beside himself** with anger.
make oneself at home	(집에서처럼) 편안히 있다	Please sit down and **make yourself at home**.
between ourselves	우리끼리 얘기지만	**Between ourselves**, the food wasn't good.

개념 QUICK CHECK

POINT 05

밑줄 친 부분을 생략할 수 있으면 ○, 없으면 × 표시하시오.

1 Jessica fixed the oven <u>herself</u>. (　)

2 She will introduce <u>herself</u>. (　)

3 My brother <u>himself</u> wrote the poem. (　)

4 Tom and I were very proud of <u>ourselves</u>. (　)

POINT 06

빈칸에 알맞은 말을 골라 어법에 맞게 문장을 완성하시오.

help oneself	cut oneself
enjoy oneself	beside oneself

1 They ＿＿＿＿＿＿ at the beach last weekend.

2 She was ＿＿＿＿＿＿ with joy.

3 Please ＿＿＿＿＿＿ to the food and drinks.

4 Dad ＿＿＿＿＿＿ while he was shaving in the morning.

대표 기출 유형으로 **실전 연습**

1 밑줄 친 부분을 생략할 수 있는 것은?

① Alice was angry with herself.
② Be careful not to hurt yourself.
③ Did you write the letter yourself?
④ Jack likes to create things for himself.
⑤ Animals protect themselves in many different ways.

2 우리말과 일치하도록 재귀대명사를 사용하여 문장을 완성하시오.

(1) 어떤 사람들은 종종 혼잣말을 한다.
> Some people often _____ _____ _____.

(2) 우리는 음악 축제에서 즐거운 시간을 보냈다.
> We _____ _____ at the music festival.

자주 나와요!
3 밑줄 친 부분의 쓰임이 [보기]와 같은 것은?

[보기]   Emily herself told them the bad news.

① My dad makes dinner himself.
② She had to take care of herself.
③ I looked at myself in the mirror.
④ I cut myself on a piece of broken glass.
⑤ We should always believe in ourselves.

4 괄호 안의 말과 재귀대명사를 사용하여 대화를 완성하시오.

A: Welcome to my house. Please _____ _____ _____
   _____. (home)
B: Thank you so much.

틀리기 쉬워요!
5 다음 중 어법상 틀린 문장은?

① She didn't blame herself.
② Do it yourself from now on.
③ The window opened of itself.
④ All of us have to love ourselves.
⑤ My little brother sometimes talks to myself.

개념 완성 **Quiz** *Choose or complete.*

1 동사나 전치사의 목적어로 사용된 재귀대명사는 생략할 수 있다 / 없다.
> POINT 05

2 '혼잣말하다'는 talk to / make oneself, '즐거운 시간을 보내다'는 help / enjoy oneself로 나타낸다.
> POINT 06

3 '스스로, 직접' 어떤 행위를 했다는 의미를 강조하기 위해 쓰인 재귀대명사는 생략할 수 있다 / 없다.
> POINT 05

4 '(집에 있는 것처럼) 편안히 있다'는 _____ oneself _____ _____ (으)로 나타낸다.
> POINT 06

5 목적어로 쓰인 재귀대명사는 주어와 동일한 / 다른 대상을 나타낸다.
> POINT 05, 06

서술형 실전 연습

1 빈칸에 공통으로 알맞은 말을 쓰시오.

> • My laptop doesn't work. I need to get a new _____.
> • I have three hats. _____ is black, and the others are brown.

자주 나와요!

2 빈칸에 알맞은 말을 [보기]에서 골라 쓰시오.

> [보기]   one   other   another   others   the other

(1) There are many different ways to enjoy the weekend. Some like to go out, and _____ like to just stay home.

(2) Chris recommended three different books to me. _____ was about history, _____ was about architecture, and _____ was about social issues.

2 • 다른 몇몇: [others / the others]
• 나머지 모두: [others / the others]
> POINT 02

3 빈칸에 공통으로 들어갈 동사 have의 올바른 형태를 쓰시오.

> • Each person _____ both strong and weak points.
> • Every student _____ his or her own locker.

3 • 모든 ~: [all / every]+단수명사
• 각각의 ~: [each / every]+단수명사
> POINT 04

4 우리말과 일치하도록 괄호 안의 말을 사용하여 문장을 완성하시오.

(1) 먼저 자신을 소개해 주세요. (introduce)
> Please _____ _____ first.

(2) 엄마는 그 차를 직접 고치셨다. (fixed)
> Mom _____ _____ the car.

5 다음 사진을 보고, 괄호 안의 말을 어법에 맞게 사용하여 사진을 묘사하는 문장을 완성하시오. (단, 현재진행형으로 쓸 것)

> _____
> (both, the girl, sunglasses)

Step 2

6 주어진 문장에서 어법상 <u>틀린</u> 부분을 찾아 바르게 고쳐 쓰시오.

(1)
> All the money were gone by the end of the week.

(2)
> All of you needs to do your best.

고난도

7 주어진 문장을 〈조건〉에 맞게 바꿔 쓰시오.

(1)
> I have some sandwiches in my bag.

〔조건〕 1. 부정문으로 바꿀 것
2. 8단어로 쓸 것

(2)
> All of the students love the school garden.

〔조건〕 1. every로 시작하는 문장으로 다시 쓸 것
2. 필요시 단어의 형태를 바꿀 것
3. 6단어로 쓸 것

8 재귀대명사를 사용하여 각 대화를 완성하시오.

(1)
A: It's just _____ _____. Don't tell anyone.
B: OK. I'll keep it a secret.

(2)
A: How was the musical?
B: It was fantastic. I really _____ _____.

개념 완성 Quiz *Choose or complete.*

6 all의 쓰임:
- 「all+_____ 명사+복수동사」
- 「all+_____ 명사+단수동사」
> POINT 04

7 • some / any : 부정문에서 막연한 수나 양을 나타냄
• all / every : 단수명사와 함께 '(셋 이상의) 모든'의 의미를 나타냄
> POINT 03, 04

8 • 혼자서, 홀로: _____ oneself
• 즐거운 시간을 보내다: _____ oneself
• 우리끼리 얘기지만: _____ _____
> POINT 06

실전 모의고사

시험일 :	월	일	문항 수 : 객관식 18 / 서술형 7
목표 시간 :			총점
걸린 시간 :			/ 100

01 다음 글의 빈칸에 들어갈 말로 알맞은 것은? **3점**

> My camera is out of order, but I don't have much money. I will buy a used _____.

① it　　　② one　　　③ other
④ them　　⑤ another

02 다음 대화의 빈칸에 들어갈 말로 알맞은 것은? **3점**

> **A:** Do you like this jacket?
> **B:** Not really. Can you show me _____?

① each　　　② other　　　③ some
④ another　　⑤ the other

03 밑줄 친 부분을 생략할 수 있는 것 **2개**를 고르시오. **3점**

① I'm satisfied with <u>myself</u>.
② She wrote a song <u>herself</u>.
③ He cut <u>himself</u> with scissors.
④ We solved the problems for <u>ourselves</u>.
⑤ The moon <u>itself</u> goes around the Earth.

[04-05] 빈칸에 공통으로 알맞은 것을 고르시오. 각 3점

04

> • Will you have _____ glass of milk?
> • I have three caps: one is red, _____ is white, and the other is blue.

① one　　　② another　　　③ other
④ others　　⑤ the other

05

> • Some of the boys are here, but where are _____?
> • Here are three balls. One is blue, and _____ are red.

① another　　② other　　　③ others
④ the other　　⑤ the others

[06-07] 어법상 올바른 문장을 고르시오. 각 3점

06 ① Every player on our team play very well.
② Each group have four or five members.
③ Both buses stops at the subway station.
④ Some of the tourists was getting off the bus.
⑤ All my classmates want to watch the final match.

07 ① My grandpa built his house myself.
② She talked to herself in front of the mirror.
③ John and his parents felt proud of himself.
④ A lot of people enjoyed ourselves at the festival.
⑤ Did you prepare all the food for the picnic by itself?

08 밑줄 친 부분의 쓰임이 [보기]와 같은 것은? **3점**

> [보기]　I painted my room <u>myself</u>.

① We hid <u>ourselves</u> behind the car.
② Cats clean <u>themselves</u> after a meal.
③ He taught <u>himself</u> to play the harmonica.
④ Dad <u>himself</u> made the special dish for us.
⑤ The boy is looking at <u>himself</u> in the water.

[09-10] 어법상 <u>틀린</u> 문장을 고르시오.　　각 3점

09 ① I have five trees in my garden: three are tall, and others are short.

② One of my classmates likes P.E. class, and the others like art class.

③ Mr. White has two sons. One is a soccer player, and the other is a baseball player.

④ Some people enjoy traveling with their friends, and others prefer traveling alone.

⑤ I want to visit three countries: one is Germany, another is France, and the other is Austria.

10 ① Would you like some more juice?

② They spent some time at the beach.

③ There isn't some cheese in the fridge.

④ She didn't leave any messages for me.

⑤ I need some stamps. Do you have any?

[11-12] 빈칸에 들어갈 말이 순서대로 바르게 짝지어진 것을 고르시오.　　각 4점

11
- Help yourselves _____ the drinks.
- The candle went out _____ itself.
- There was nobody in the forest. He was all _____ himself.

① of – in – by　　② of – for – beside

③ to – for – of　　④ to – of – by

⑤ for – of – beside

12
- _____ of us were exhausted.
- He visits his hometown _____ year.
- This story is _____ ourselves.

① All – both – of

② Every – both – of

③ Both – every – between

④ Each – every – between

⑤ Some – both – between

13 잘못된 문장을 올바르게 고친 것 중 <u>틀린</u> 것은?　　4점

① Every question have only one answer.

　> Every question has only one answer.

② All my friends agrees with my opinion.

　> All my friends agree with my opinion.

③ Each of us have a different destination.

　> Each of us has a different destination.

④ There are any nice pictures on the wall.

　> There are some nice pictures on the wall.

⑤ I don't like this cell phone case. Do you have other?

　> I don't like this cell phone case. Do you have one?

14 밑줄 친 부분이 바르게 쓰인 것은?　　4점

① I forgot to bring a pen. Can I borrow <u>it</u>?

② Are you looking for sunglasses? How about these <u>one</u>?

③ Mom bought a new computer. She uses <u>one</u> every day.

④ This glass is a bit dirty. Could you bring me a clean <u>one</u>?

⑤ My sister likes the black sandals. They are more expensive than the grey <u>one</u>.

15 다음 글의 빈칸 ⓐ와 ⓑ에 들어갈 말이 순서대로 바르게 짝지어진 것은?　　4점

Yesterday was Parents' Day. I wanted to buy Mom and Dad nice presents, but I didn't have ____ⓐ____ money. I had to borrow ____ⓑ____ money from my sister.

① no – any　　　② any – some

③ any – any　　　④ some – some

⑤ some – any

16 빈칸에 들어갈 재귀대명사가 나머지와 <u>다른</u> 하나는? **4점**

① Were you there by _____?
② Please make _____ at home.
③ Did you move these boxes _____?
④ The door closed of _____ behind us.
⑤ Sometimes you need time to enjoy _____.

17 어법상 <u>틀린</u> 것끼리 짝지어진 것은? **4점**

ⓐ Both of my sisters enjoys reading books.
ⓑ Some like hamburgers, and others like pizza.
ⓒ Do you have other plans for tomorrow?
ⓓ She has two daughters. One is a teacher, and another is a vet.

① ⓐ, ⓑ, ⓒ   ② ⓐ, ⓓ   ③ ⓑ, ⓒ
④ ⓑ, ⓓ   ⑤ ⓒ, ⓓ

고난도

18 다음 글의 (A)~(C)에서 어법상 올바른 것끼리 짝지어진 것은? **5점**

   I am a member of the school band. All the members in the band (A) is / are girls. Each (B) member / members has her own role. We practice every (C) Thursday / Thursdays .

    (A)   (B)   (C)
① is ... member ... Thursday
② is ... member ... Thursdays
③ is ... members ... Thursday
④ are ... members ... Thursdays
⑤ are ... member ... Thursday

서술형

19 [보기]에서 알맞은 말을 골라 그림을 설명하는 문장을 완성하시오. 각 **2점**

[보기]	one	some	it
	another	the other	others

(1) I have three cousins. One is Ben, _____ is Ted, and _____ is Jeff.

(2) _____ like playing soccer, and _____ like playing tennis.

soccer   tennis

(3) I lost my watch. _____ was a gift from my uncle. I need a new _____.

20 우리말과 일치하도록 빈칸에 공통으로 알맞은 말을 쓰시오. **4점**

> 나에게는 지구에 관한 책이 한 권도 없어. 너는 있니?

> I don't have _____ books about the Earth. Do you have _____?

21 두 문장의 의미가 같도록 재귀대명사를 사용하여 문장을 완성하시오. 각 **3점**

(1) My friends and I had a good time at the concert.
= My friends and I _____ _____ at the concert.

(2) The man lived alone in the small town and painted a lot of pictures.
= The man lived _____ _____ in the small town and painted a lot of pictures.

22 다음 대화의 밑줄 친 우리말을 괄호 안의 말과 재귀대명사를 사용하여 영작하시오. (6단어) 4점

> A: Why do people look so excited?
> B: Their soccer team won the championship.
> <u>그들은 흥분해서 제정신이 아니야.</u>
> (with excitement)

> _____

23 우리말과 일치하도록 〈보기〉의 단어들을 바르게 배열하여 문장을 완성하시오. 4점

> 〈보기〉　member　　hard　　each
> 　　　　 our club　 is practicing　 of

> 우리 동아리의 각 회원은 춤 경연 대회에서 우승하기 위해 열심히 연습하고 있다.

> _____
> to win the dance contest.

24 다음 그림을 설명하는 글을 부정대명사를 사용하여 완성하시오. 5점

> Susan is sitting on the sofa with her five cats. _____ is playing with Susan, _____ is sleeping on her lap, and _____ are sitting on the sofa.

25 어법상 틀린 문장 2개를 찾아 바르게 고쳐 쓰시오. 각 4점

> ⓐ Tina doesn't have any siblings.
> ⓑ The boys cleaned the park himself.
> ⓒ Both of the boy bands dance very well.
> ⓓ Jason visited two cities: one was Seattle, and other was Vancouver.

(　　) > _____
(　　) > _____

약점 공략
틀린 문제가 있다면?

틀린 문항 번호가 있는 칸을 색칠하고, 어떤 문법 POINT의 집중 복습이 필요한지 파악해 보세요.

문항 번호	연관 문법 POINT	문항 번호	연관 문법 POINT	문항 번호	연관 문법 POINT
01	P1	10	P3	19	P1, P2
02	P1	11	P6	20	P3
03	P5, P6	12	P4, P6	21	P6
04	P1, P2	13	P1, P3, P4	22	P6
05	P2	14	P1	23	P4
06	P3, P4	15	P3	24	P2
07	P5, P6	16	P5, P6	25	P1~P6
08	P5	17	P1, P2, P4		
09	P2	18	P4		

연관 문법 POINT 참고

P1 (p.100) one, another, other　　P4 (p.102) each, every, all, both
P2 (p.100) 부정대명사의 쓰임　　　P5 (p.104) 재귀대명사의 쓰임
P3 (p.102) some, any　　　　　　　P6 (p.104) 재귀대명사 관용 표현

내신만점 **Level Up Test**

∙∙∙∙∙∙∙∙∙∙∙∙∙∙ 신유형 ∙∙∙∙∙∙∙∙∙∙∙∙∙∙

01 어법상 **틀린** 부분을 바르게 고친 것은?

① Each of the players have a ball. (have → has)

② Leaders from 7 other countries attended the meeting. (other → another)

③ Some of them arrived on Monday. Other arrived the next day. (Other → The other)

④ My uncle has four kids. One of them is a boy, and others are girls. (others → some)

⑤ I need two books. One is a math book, and another is a novel. (another → other)

02 대화의 밑줄 친 부분의 쓰임이 **어색한** 것은?

① **A:** You can borrow these books.
   B: Thanks, but I need other <u>ones</u>, too.

② **A:** Is there anyone in the classroom?
   B: There are <u>some</u> students.

③ **A:** I love this cake. Can I have <u>another</u> piece?
   B: Of course. Here you are.

④ **A:** Have you seen Andy's two brothers?
   B: Yes. <u>One</u> was tall, and the other was short.

⑤ **A:** This is too big for me. Do you have it in <u>the other</u> size?
   B: Sure. Please try this on.

03 어법상 올바른 것끼리 짝지어진 것은?

> ⓐ Both of the answers is correct.
> ⓑ Please give me another chance.
> ⓒ I think every children like animals.
> ⓓ There weren't any people in the street.
> ⓔ Each students have different homework to do.

① ⓐ, ⓒ, ⓔ   ② ⓑ, ⓒ, ⓓ   ③ ⓑ, ⓓ
④ ⓒ, ⓓ, ⓔ   ⑤ ⓓ, ⓔ

∙∙∙∙∙∙∙∙∙∙∙∙∙∙ 서술형 ∙∙∙∙∙∙∙∙∙∙∙∙∙∙

04 빈칸에 알맞은 말을 [보기]에서 골라 쓰시오. (단, 중복해서 사용 가능)

[보기]	another	the other
	others	the others

(1) Some like going hiking, and _____ don't.

(2) I was still hungry, so I had _____ sausage.

(3) There are two TVs in my house: one is in the living room, and _____ is in my parents' room.

(4) She had an umbrella in one hand and her purse in _____.

(5) There were three books on my table. One is here. Where are _____?

05 우리말과 일치하도록 [조건]에 맞게 문장을 완성하시오.

> 어떤 사람들은 스포츠 하는 것을 좋아한다. 다른 사람들은 스포츠 경기 보는 것을 좋아한다.
>
> > (1) _____ sports.
> > (2) _____ sports games.

> [조건] 1. to부정사를 사용할 것
>   2. 각각 동사 play, watch를 사용할 것
>   3. 각각 4단어로 쓸 것

CHAPTER 09

비교 표현

형용사와 부사의 원급, 비교급, 최상급을 사용하여 둘 또는 그 이상의 대상이 가지는 성질 및 상태 등의 정도 차이를 비교할 수 있다.

Preview

원급을 사용한 비교 표현	as+형용사/부사의 원급+as	My brother is as tall as my mother.
	배수사+as+원급+as	I work twice as hard as him.
	as+원급+as possible	They left the party as soon as possible.

비교급을 사용한 비교 표현	비교급+than	My sister is taller than my brother.
	비교급+and+비교급	The puppy grew bigger and bigger.
	the+비교급, the+비교급	The more you read, the smarter you will be.

최상급을 사용한 비교 표현	the+최상급+of/in ~	My sister is the tallest in my family.
	one of the+최상급+복수명사	Tom is one of the best players in his team.
	the+서수+최상급	I am the third shortest girl in my class.
	the+최상급+명사+주어+현재완료	That is the best story I've ever heard.

POINT 01 원급

> Ben is *as tall as his father. — Ben은 자신의 아버지만큼 키가 크다.
>
> A as+형용사/부사의 원급+as B
>
> *A와 B 두 대상의 정도가 같음을 표현해.

「as+형용사/부사의 원급+as」는 비교되는 두 대상의 정도나 상태가 같음을 나타낸다.

as+원급+as	~만큼 …한/하게	His hair is **as long as** mine. Tyler speaks Korean **as well as** Jiho.
not as(so)+원급+as	~만큼 …하지 않은/않게	Seoul is **not as large as** LA. = LA is larger than Seoul.
	⊕ 원급 비교의 부정문은 비교급 구문으로 바꿔 쓸 수 있다. 「A ~ not as+원급+as+B」= 「B ~ 비교급+than+A」	

ⓘ 비교하는 대상은 문법적으로 형태가 같아야 한다. [서술형 빈출]
Walking fast is as hard as **running**.

POINT 02 비교급 · 최상급

> Jen is *taller than me. She is the tallest in my family.
>
> A   비교급+than B   A   the+최상급   in+비교 대상/집단
>
> Jen은 나보다 키가 더 크다. 그녀는 우리 가족 중에서 가장 키가 크다.
>
> *-er than으로 A가 B보다 정도가 높음을 나타내고, the -est로 비교 대상 중 A의 정도가 가장 높은 것을 표현해.

비교급은 비교되는 두 대상이 차이가 있을 때 사용하며, 최상급은 셋 이상을 비교하여 그중에 한 대상이 최고일 때 사용한다.

비교급+than	~보다 더 …한/하게	My piano is **older than** yours. Sally is **more popular than** her sister. Light travels much **faster than** sound.
	⊕ 비교급 강조: 비교급을 강조할 때는 비교급 앞에 much, far, still, a lot, even 등을 쓰며 '훨씬'으로 해석한다. ⊕ '~보다 덜 …한/하게'는 「less+원급+than」으로 나타낸다. That question was **less difficult than** the other ones.	
the+최상급	가장 ~한/하게	Russia is **the largest** country in the world. Susan is **the tallest** of the students. Jason runs **fastest** in his class.
	⊕ 최상급 뒤에는 보통 「in+장소·집단(단수명사)」나 「of+복수명사」의 표현이 이어지며, 일반적으로 부사가 최상급으로 쓰일 때는 the를 쓰지 않는다.	

개념 QUICK CHECK

POINT 01

괄호 안에서 알맞은 것을 고르시오.

1 I know her as (better / well) as you.

2 Suji's hair is as short as (you / yours).

3 A dog runs as (fast / faster) as a rabbit.

4 Seho is (not as / as not) old as my sister.

POINT 02

빈칸에 알맞은 말을 고르시오.

1 Dad sings ＿＿＿ than Mom.
　□ good　□ well　□ better

2 Anne is the ＿＿＿ girl in my class.
　□ tall　□ taller　□ tallest

3 This backpack is ＿＿＿ lighter than that one.
　□ so　□ very　□ much

4 I think Ed is the best singer ＿＿＿ the world.
　□ to　□ in　□ from

대표 기출 유형으로 **실전 연습**

1 우리말과 일치하도록 괄호 안의 말을 바르게 배열하여 문장을 완성하시오. (단, 필요시 어법에 맞게 형태를 바꿀 것)

Susan은 그녀의 언니만큼 똑똑하다.

> Susan _____.

(as, her sister, is, smart, as)

^{자주} ^{나와요!}
2 빈칸에 들어갈 말로 알맞지 <u>않은</u> 것은?

I like these shoes _____ better than those ones.

① far ② a lot ③ even
④ very ⑤ still

3 두 문장의 의미가 같도록 빈칸에 알맞은 말을 쓰시오.

Suho is not as creative as Jinsu.

= Jinsu is _____ _____ _____ Suho.

4 밑줄 친 부분이 어법상 틀린 것은?

① China is <u>much larger than</u> Korea.
② Tom gets up <u>earliest</u> in his family.
③ This smartphone is <u>as lighter as</u> that one.
④ Is the blue whale <u>the heaviest animal</u> on Earth?
⑤ Classical music is <u>less popular than</u> hip hop among teenagers.

^{틀리기} ^{쉬워요!}
5 빈칸에 들어갈 말이 순서대로 바르게 짝지어진 것은?

• We ate as _____ as the others.
• Soccer is _____ more exciting than baseball.
• Michelle is the most cheerful _____ the three sisters.

① much – so – in ② much – much – of
③ more – so – in ④ more – much – of
⑤ most – too – in

개념 완성 Quiz *Choose or complete.*

1 두 대상의 정도가 같음을 나타낼 때는 형용사나 부사의 원급 / 비교급 / 최상급 을 사용한다.
> POINT 01

2 '훨씬 더 ~한/하게'는 「 very / much +비교급」으로 표현한다.
> POINT 02

3 원급 비교의 부정문은 비교 대상의 순서를 바꿔 비교급 / 최상급 구문으로 나타낼 수 있다.
> POINT 01, 02

4 '~보다 덜 …한/하게'는 「 not / less +원급+than」으로 나타낸다.
> POINT 01, 02

5 최상급 뒤에는 보통 「 of / in +복수명사」 또는 「 of / in +장소·집단」의 표현이 이어진다.
> POINT 01, 02

UNIT 2 여러 가지 비교 표현

POINT 03 원급·비교급·최상급을 이용한 표현

(1) 원급을 이용한 표현

His hair is *twice as long as mine.
A ⎯ 배수사+원급 비교 ⎯ B
그의 머리카락은 내 머리카락보다 2배 길다.
*A와 B의 정도 차이를 구체적으로 나타내.

배수사+ as+원급+as	~보다 몇 배 …한/하게	My bag is three times as heavy as yours. = My bag is three times heavier than yours.
		⊕ 배수사: 성질이나 상태가 몇 배 정도 되는지를 나타내는 말로, 2배일 때는 twice를 쓰고 나머지는 three times와 같이 숫자 다음에 times를 붙여 나타낸다. 절반은 「half+as+원급+as」로 나타낸다.
as+원급+ as possible	가능한 한 ~한/하게	I try to exercise as often as possible. = I try to exercise as often as I can.
		⊕ 「as+원급+as possible」=「as+원급+as+주어+can(could)」 서술형 빈출

(2) 비교급을 이용한 표현

The tree is growing *taller and taller.
비교급+and+비교급
그 나무는 점점 더 크게 자라고 있다.
*정도나 강도가 점점 증가하는 것을 나타내.

비교급+and+비교급	점점 더 ~한/하게	It's getting darker and darker. We got more and more excited.
		⊕ 비교급이 「more+원급」인 경우: 「more and more+원급」
the+비교급(+주어+동사), the+비교급(+주어+동사)	~하면 할수록 더 …하다	The warmer the weather is, the better I feel.

(3) 최상급을 이용한 표현

Mozart is one of the greatest *musicians.
one of the+최상급+복수명사
모차르트는 가장 위대한 음악가 중 한 명이다.
*'여러 명 중 한 명'이니까 최상급 다음에는 복수명사가 와야 해.

one of the+ 최상급+복수명사	가장 ~한 … 중 하나	She is one of the greatest artists in the world.
the+서수+최상급	~ 번째로 가장 …한	Jason is the second tallest boy in his class.
the+최상급+명사 (+that)+주어+현재완료	(지금껏) ~한 것 중에서 가장 …한	That is the saddest story (that) I have (ever) heard.

개념 QUICK CHECK

POINT 03 - (1), (2)

빈칸에 알맞은 것을 고르시오.

1 I'll call you as soon as _____.
   □ can   □ possible

2 My pencil is _____ as long as yours.
   □ much   □ four times

3 Yena's English is getting _____ and better.
   □ good   □ better

4 The more you practice, the _____ you'll become.
   □ better   □ best

POINT 03 - (2), (3)

우리말과 같도록 주어진 표현을 어법에 맞게 사용하여 문장을 완성하시오.

1 날씨가 점점 더 추워지고 있다.
   The weather is getting _____ and _____. (cold)

2 더 높이 올라갈수록 더 추워져.
   _____ _____ you climb, the colder it becomes. (high)

3 그녀는 내가 본 중에서 가장 아름다운 여인 이다.
   She is the most beautiful lady I _____ ever _____. (see)

4 지호는 우리 반에서 가장 인기 있는 남자아 이 중 한 명이다.
   Jiho is one of _____ _____ _____ _____ in my class. (popular)

대표 기출 유형으로 **실전 연습**

1 빈칸에 들어갈 말로 알맞은 것은?

> Jason ran as fast as he _____.

① can ② could ③ does

④ did ⑤ possible

2 우리말과 일치하도록 괄호 안의 말을 어법에 맞게 사용하여 문장을 완성하시오.

(1) 겨울이 점점 더 짧아지고 있다. (short)

> Winter is getting _____.

(2) 내 여동생은 나보다 우유를 세 배 더 많이 마신다. (much, as)

> My sister drinks milk _____ I do.

자주 ^{나와요!}
3 밑줄 친 ①~⑤ 중 어법상 틀린 것은?

> Soccer is one of the most popular sport in Korea.
> ①　　② 　　　　③ 　　　　④ ⑤

4 빈칸에 들어갈 말이 순서대로 바르게 짝지어진 것은?

> • Please call me back as _____ as possible.
> • The hall became _____ and more crowded.
> • The more money he donated, _____ happier he became.

① soon – more – the ② soon – many – much

③ sooner – more – the ④ sooner – many – much

⑤ sooner – more – much

틀리기 ^{쉬워요!}
5 다음 중 어법상 올바른 문장은?

① The city is half as larger as Seoul.

② Come in as silently as you possible.

③ That is the best idea I've ever heard.

④ Jim is one of funniest kids in my school.

⑤ The more vegetables you eat, healthier you'll be.

개념 완성 Quiz *Choose or complete.*

1 '가능한 한 ~하게'는 「as+부사의 원급 +as [possible / can / do]」로 나타 낸다.
> **POINT 03-(1)**

2 '점점 더 ~한'은 [원급 / 비교급]을 사 용하여 나타내고, '~보다 몇 배 …한'은 [원급 / 최상급]을 사용하여 나타낸다.
> **POINT 03-(1), (2)**

3 '가장 ~한 … 중 하나'는 「one of the+ [비교급 / 최상급]+[단수명사 / 복수명사]」 로 나타낸다.
> **POINT 03-(3)**

4 비교급이 「more+형용사」 형태인 경우, '점점 더 ~한'은 「[more+형용사+and more / more and more+형용사]」 로 나타낸다.
> **POINT 03-(1), (2)**

5 '지금껏 ~한 것 중에서 가장 …한'은 「the+최상급+명사+주어+[과거시제 / 현재완료]」로 나타낸다.
> **POINT 03**

서술형 실전 연습

1 주어진 두 문장의 내용과 일치하도록 as를 사용하여 문장을 완성하시오.

Mina is 14 years old. Jane is 14 years old, too.

> Mina is _____ Jane.

2 그림을 보고, 괄호 안의 말을 사용하여 문장을 완성하시오.

 $5 $12 $9

(1) The bag is _____ _____ the cap. (cheap)

(2) The cap is _____ _____ _____ item of the three.
(expensive)

3 우리말과 일치하도록 괄호 안의 말을 어법에 맞게 사용하여 문장을 완성하시오.

(1) 화성은 지구의 절반 정도 크기이다. (big)

> Mars is _____ _____ _____ _____ the Earth.

(2) 수질 오염이 점점 더 심해지고 있다. (bad)

> Water pollution is getting _____ _____ _____.

4 어법상 틀린 부분을 찾아 바르게 고쳐 쓰시오.

(1) The more you exercise, the healthy you will become.

_____ > _____

(2) Gaudí is one of the most famous architect in history.

_____ > _____

5 그림을 보고, 괄호 안의 말을 어법에 맞게 사용하여 비교하는 문장을 완성하시오.

Spark   Max

(1) Max is not _____ _____ _____ Spark. (big)

(2) Spark's tail is _____ _____ Max's. (short)

Step 2

6 다음 대화의 밑줄 친 우리말과 일치하도록 괄호 안의 말을 어법에 맞게 사용하여 쓰시오.

> **A:** How did you like the movie?
> **B:** It was (1) <u>내가 본 것 중에서 최고의 영화</u>. I want to watch it again (2) <u>가능한 한 빨리</u>.

(1) _____ (good, see)

(2) _____ (soon, possible)

고난도

7 우리말과 일치하도록 (조건)에 맞게 문장을 쓰시오.

(1) Brian은 Tom보다 2배 오래 잤다.

> _____

> (조건)　1. sleep, long, as를 어법에 맞게 사용할 것
> 　　　　2. 7단어의 완전한 문장으로 쓸 것

(2) 그 수프는 뜨거울수록 더 맛있다.

> _____

> (조건)　1. soup, delicious, taste를 어법에 맞게 사용할 것
> 　　　　2. 10단어의 완전한 문장으로 쓸 것

8 다음 표의 내용과 일치하도록 (조건)에 맞게 문장을 완성하시오.

	Height	Weight
Minho	165 cm	58 kg
Jake	168 cm	60 kg
David	168 cm	65 kg

> (조건)　1. (1)에는 tall, (2)에는 heavy를 어법에 맞게 사용할 것
> 　　　　2. (2)에는 boy를 반드시 포함할 것

(1) Jake _____ David.

(2) David _____ the three.

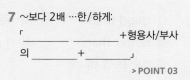

개념 완성 Quiz *Choose or complete.*

6 • 지금껏 ~한 것 중에서 가장 …한:
「_____ + _____ + 명사 + 주어 + _____」

• 가능한 한 ~한/하게:
「_____ + 형용사/부사의 원급 + _____ _____」

> POINT 03

7 ~보다 2배 …한/하게:
「_____ _____ + 형용사/부사의 _____ + _____」

> POINT 03

8 셋 중 가장 ~한/하게:
「_____ + 형용사/부사의 _____ + _____ the three」

> POINT 01, 02

실전 모의고사

시험일 :	월	일	문항 수 : 객관식 18 / 서술형 7
목표 시간 :			총점
걸린 시간 :			/ 100

[01-03] 빈칸에 들어갈 말로 알맞은 것을 고르시오. 각 2점

01

Stretch your arms as _____ as you can.

① high　　② higher　　③ highest
④ highly　　⑤ more highly

02

My cell phone is _____ yours.

① good than　　② better to
③ better than　　④ the better than
⑤ the best of

03

Health is _____ thing of all.

① the most　　② important
③ more important　　④ most important
⑤ the most important

04 빈칸에 들어갈 말로 알맞지 <u>않은</u> 것은? 2점

This book is more _____ than that one.

① boring　　② difficult　　③ useful
④ heavy　　⑤ expensive

05 빈칸에 들어갈 말이 순서대로 바르게 짝지어진 것은? 3점

• Chen speaks Korean _____ than Kate.
• This is the _____ horror movie I've ever watched.

① best – bad　　② best – worst
③ well – worse　　④ better – worst
⑤ better – worse

06 밑줄 친 부분과 바꿔 쓸 수 있는 것은? 3점

A cheetah runs <u>much</u> faster than a zebra.

① too　　② very　　③ ever
④ most　　⑤ a lot

07 다음 문장과 의미가 같은 것은? 3점

Jack is not as young as Paul.

① Paul is older than Jack.
② Paul is as young as Jack.
③ Paul is younger than Jack.
④ Jack is younger than Paul.
⑤ Paul is not younger than Jack.

08 우리말을 영어로 바르게 옮긴 것은? 4점

당신은 책을 많이 읽을수록 더욱 현명해진다.

① More books you read, wiser you become.
② The more you read books, you become the wiser.
③ The more books you read, the wiser you become.
④ The better books you read, the wiser you become.
⑤ The more books you read, you become the more wise.

09 빈칸에 들어갈 말이 나머지와 <u>다른</u> 하나는? 4점

① Mom tries to walk as _____ as she can.
② Jane has _____ bags than her sister does.
③ Your bed is _____ comfortable than mine.
④ The _____ you have, the _____ you want.
⑤ The book is becoming _____ and _____ popular.

10 우리말을 영작한 문장 중 어법상 **틀린** 것은?　4점

① 이 방은 내 방보다 2배 더 크다.

This room is twice as big as mine.

② Faker는 가장 유명한 프로게이머 중 한 명이다.

Faker is one of the most famous pro gamers.

③ 컴퓨터는 점점 더 작아지고 있다.

Computers are getting smaller and smaller.

④ 캐나다는 세계에서 두 번째로 큰 나라이다.

Canada is the second large country in the world.

⑤ 이 차는 그가 가져 본 것 중에서 가장 비싼 것이다.

This car is the most expensive one that he has ever owned.

11 다음 표의 내용과 일치하는 문장은?　4점

	A-Phone	LZ V100	Space S
MODEL			
PRICE	$1,000	$800	$800
WEIGHT	142 g	173 g	155 g
POPULARITY	★★	★	★★★

① Space S is lighter than A-Phone.

② Space S is as expensive as LZ V100.

③ A-Phone is less popular than LZ V100.

④ A-Phone is more popular than Space S.

⑤ A-Phone is not as expensive as LZ V100.

통합 고난도

12 다음 중 어법상 올바른 문장은?　4점

① Yuna can skate as well as I am.

② Do the dishes as quickly as he can.

③ This car is even faster than that car.

④ My brother's feet are bigger than me.

⑤ Paul caught more fish than his father was.

13 다음 중 어법상 **틀린** 문장은?　4점

① Mark is the smartest in the students.

② Days become longer and longer in summer.

③ This coffee is three times as strong as that one.

④ Skydiving is the most thrilling activity in the world.

⑤ Seoul is one of the most popular tourist spots in Asia.

통합

14 짝지어진 두 문장의 의미가 같지 **않은** 것은?　4점

① Jina is as funny as Sua.

= Sua is not funnier than Jina.

② My bag is not as old as yours.

= Your bag is older than mine.

③ The Nile is much longer than the Han River.

= The Nile is a lot longer than the Han River.

④ She sang the song as loudly as possible.

= She sang the song as loudly as she could.

⑤ If you work harder, you can make more money.

= The harder you work, the more money you can make.

15 다음 두 차의 가격을 비교하는 문장의 ★에 들어갈 단어로 알맞은 것은?　4점

80 million won　　　20 million won

The black car is _____ ★ _____ _____ _____ the red one.

① as　　　② than　　　③ four

④ times　　　⑤ expensive

16 어법상 올바른 문장의 개수는?   **4점**

> ⓐ Russia is more big than Canada.
> ⓑ It's getting more and more warm.
> ⓒ Lisa looks happier than her younger sister.
> ⓓ The Louvre is one of the largest museum in the world.

① 0개   ② 1개   ③ 2개   ④ 3개   ⑤ 4개

고난도

17 다음 대화의 밑줄 친 ①~⑤ 중 어법상 **틀린** 것은?   **5점**

> **A:** ① I think Captain America is stronger than Iron Man.
> **B:** I don't think so. Iron Man has more weapons, and ② he is much faster than Captain America.
> **A:** What about the Hulk? ③ Who is more powerful, the Hulk or Iron Man?
> **B:** Well, ④ the Hulk is not as powerful as Iron Man. Actually, I believe ⑤ Iron Man is most powerful hero of all.

고난도 신유형

18 빈칸 ⓐ~ⓔ 중 어느 곳에도 들어갈 수 **없는** 것은?   **5점**

> • She jumped as high as ___ⓐ___ .
> • Eric's house is ___ⓑ___ Andrew's.
> • The world is getting ___ⓒ___ .
> • Mina plays the violin ___ⓓ___ than I do.
> • American football is ___ⓔ___ in North America.

① she could

② more expensive

③ twice as big as

④ smaller and smaller

⑤ one of the most popular sports

19 다음 표의 내용과 일치하도록 괄호 안의 말을 어법에 맞게 사용하여 문장을 완성하시오.   **각 2점**

London	Seoul	Shanghai	New York
☀️	🌨️	⛅	🌨️
2℃	−5℃	−1℃	−5℃

(1) New York is _____ _____ _____ Seoul today. (cold)

(2) Shanghai is _____ _____ _____ Seoul. (cold)

(3) London is _____ _____ _____ _____ the four. (warm, city)

20 주어진 문장을 어법상 올바르게 고쳐 쓰시오.   **각 3점**

(1) August is hottest month of the year in Korea.

> \> _____

(2) These cookies taste much good than yours.

> \> _____

21 다음 그림의 상황에서 '거울'이 하는 말을 비교 표현을 사용하여 완성하시오. (단, (1), (2) 모두 beautiful을 사용할 것)   **각 3점**

Mirror: Snow White is (1) _____ _____ _____ you. She is (2) _____ _____ _____ woman in the world.

22 다음 글의 밑줄 친 우리말과 일치하도록 괄호 안의 말을 어법에 맞게 사용하여 문장을 완성하시오.　4점

> I respect King Sejong most. He invented Hangeul in 1446. <u>한글은 세계에서 가장 과학적인 문자 체계 중 하나이다.</u>

> Hangeul is _____ _____ _____

_____ _____ _____ _____ in

the world. (one, scientific, writing system)

23 다음 두 문장을 같은 의미의 한 문장으로 [조건]에 맞게 완성하시오.　4점

> I save 10,000 won a month. My sister saves 50,000 won a month.

[조건]　1. 괄호 안의 단어를 사용하되 반드시 한 단어의 형태는 바꿀 것
　　　　2. 문맥상 필요한 단어 2개를 반드시 추가할 것

> My sister saves five _____ _____

_____ _____ I do. (much, money)

24 다음 두 건축물의 높이를 비교하는 문장을 괄호 안의 지시에 따라 주어진 말을 사용하여 완성하시오.　각 3점

Tower A　　Tower B

(1) Tower B _____ Tower A.
　　(not, 원급 비교)

(2) Tower A _____ Tower B.
　　(a lot, 비교급)

25 다음 그림 속 학생들의 말을 완성할 때, 빈칸 ★와 ♥에 들어갈 말을 조합하여 마지막 문장을 완성하시오.　5점

The baseball game is getting ____★____ _____ _____ exciting.

Now I'm feeling _____ ♥ than yesterday.

> The ★_____, the ♥_____.

<table>
<tr><td colspan="2">약점 공략
틀린 문제가 있다면?</td><td colspan="4">틀린 문항 번호가 있는 칸을 색칠하고,
어떤 문법 POINT의 집중 복습이
필요한지 파악해 보세요.</td></tr>
</table>

문항 번호	연관 문법 POINT	문항 번호	연관 문법 POINT	문항 번호	연관 문법 POINT
01	P3	10	P3	19	P1, P2
02	P2	11	P1, P2	20	P2
03	P2	12	P1~P3	21	P2
04	P2	13	P2, P3	22	P3
05	P2, P3	14	P1~P3	23	P3
06	P2	15	P3	24	P1, P2
07	P1	16	P2, P3	25	P2, P3
08	P3	17	P1, P2		
09	P2, P3	18	P3		

연관 문법 POINT 참고

P1 (p.114) 원급　　　　　P3 (p.116) 원급·비교급·최상급을 이용한 표현
P2 (p.114) 비교급·최상급

 Level Up Test

01 다음 우리말을 영어로 쓸 때 일곱 번째로 오는 단어는?

> 우리는 가능한 한 일찍 일어났다.

① as   ② got   ③ early
④ could   ⑤ possible

02 ⓐ~ⓔ의 빈칸 중 어느 곳에도 들어갈 수 <u>없는</u> 것은?

> ⓐ The shirt costs _____ than 30 dollars.
> ⓑ The more you laugh, _____ happier you'll be.
> ⓒ Lisa is the youngest _____ the three sisters.
> ⓓ I call my grandma as often _____ my mother.
> ⓔ The lion is _____ of the most dangerous animals in the world.

① as   ② the   ③ in
④ one   ⑤ more

03 어법상 틀린 문장끼리 짝지어진 것은?

① ⓐ The balloon got bigger and bigger.
  ⓑ Both recipes were easier than Mom's.
② ⓐ His cat is more larger than my dog.
  ⓑ I can solve the riddle as easily as you.
③ ⓐ Today is the happiest day of my life.
  ⓑ The test was not more difficult as the last one.
④ ⓐ The faster you drive, the most dangerous it is.
  ⓑ Your story is more interesting than him.
⑤ ⓐ Who is the fastest man in the world?
  ⓑ This room is twice as spacious as my room.

04 다음 대화 내용을 주어진 (조건)에 맞게 한 문장으로 쓰시오.

> **A:** Which ones are more comfortable, your old shoes or these shoes?
> **B:** My old shoes are more comfortable.

> (조건) 1. these shoes를 주어로 하여 my old shoes와 비교하는 문장으로 쓸 것
> 2. as를 사용할 것
> 3. 부정문으로 표현할 것

> \> _____

05 다음 글을 읽고, 물음에 답하시오.

> ① London is the largest city in Great Britain. ② The London Underground, the Tube, is the oldest underground railway in the world. ③ The Tower of London is one of most famous London attractions. ④ Another attraction is the London Eye. ⑤ It is the tallest Ferris wheel in the world.

(1) 밑줄 친 ①~⑤ 중 어법상 틀린 문장을 찾아 바르게 고쳐 쓰시오.

(   ) > _____

(2) 내용과 일치하도록 다음 표의 빈칸을 채우시오.

London	_____ _____ city in Great Britain
the Tube	_____ _____ underground railway in the world
London Eye	_____ _____ Ferris wheel in the world

CHAPTER 10

관계사

관계사(關係詞)는 연결된 두 문장의 관계를 보여 주는 말로, 관계대명사와 관계부사가 있다. 관계대명사는 앞에 나온 명사(선행사)를 대신하는 대명사 역할과 접속사 역할을 동시에 하고, 관계부사는 부사 역할과 접속사 역할을 동시에 한다.

Preview

관계대명사	주격	who	I know *a girl* who lives in Jeju-do.
		which	I have *a book* which has interesting pictures.
		that	He was *the first person* that entered the room.
	목적격	who(m)	Mr. Lee is *the teacher* (who(m)) everyone likes.
		which	This is *the book* (which) I highly recommend.
		that	She's *the cutest baby* (that) I've ever seen.
	소유격	whose	I have *a friend* whose dad is an actor.
	선행사 포함	what	What you heard is not true.
관계부사	when	시간	I miss *the days* when we played soccer together.
	where	장소	Korea is *the country* where I was born.
	why	이유	Do you know *the reason* why he left so early?
	how	방법	This is how(the way) I solved the problem.

UNIT 1 주격·목적격 관계대명사

POINT 01 주격 관계대명사

관계대명사절
I have a brother *who plays the piano well.
선행사   주격 관계대명사
*선행사가 관계대명사절에서 주어 역할을 해.
나에게는 피아노를 잘 치는 남동생이 있다.

관계대명사는 앞에 나온 명사(선행사)를 대신하는 대명사 역할을 함과 동시에 절을 이끌어 선행사에 연결시키는 접속사의 역할을 한다. 관계대명사가 이끄는 절은 선행사를 수식하는데, 선행사가 관계대명사절에서 주어 역할을 할 때 주격 관계대명사를 쓴다.

who	선행사: 사람	Amy is *the girl* who won the contest. ← Amy is the girl. + She won the contest.
which	선행사: 사물/동물	I like *stories* which have happy endings. Look at *the cat* which is sitting on the roof.
that	선행사: 사람/사물/ 동물	I have *a friend* that has a lot of comic books. A giraffe is *an animal* that has a long neck.

① 주격 관계대명사가 이끄는 절에서 동사는 선행사의 인칭과 수에 일치시킨다. 서술형 빈출
I have a cousin who lives in New York.

POINT 02 목적격 관계대명사

관계대명사절
Ms. Han is the teacher *whom we like the most.
선행사   목적격 관계대명사
*선행사가 관계대명사절에서 목적어 역할을 해.
한 선생님은 우리가 가장 좋아하는 선생님이다.

whom / who	선행사: 사람	He's *the boy* who(m) I like. [동사의 목적어] He's *the boy* who(m) I talked to. [전치사의 목적어]
which	선행사: 사물/동물	*The cake* which we ate was great. This is *the dog* of which we take care.
that	선행사: 사람/사물/ 동물	He is *the student* that every teacher likes. I bought *a ball* that we can play with.

① 관계대명사절에는 선행사를 대신하는 (대)명사는 쓰지 않는다. 서술형 빈출
Mina is wearing a skirt that her mom made it. (×)

① 관계대명사가 전치사의 목적어일 때 전치사는 목적격 관계대명사 앞에 오거나 관계사절 끝에 올 수 있다. 전치사가 관계대명사 앞에 올 때 선행사가 사람인 경우에는 관계대명사 whom만, 사물인 경우에는 which만 쓸 수 있다. 서술형 빈출
She's the one who(m)(that) we talked about. (O)
She's the one about whom we talked. (O)
She's the one about who/that we talked. (×)

개념 QUICK CHECK

POINT 01

괄호 안에서 알맞은 관계대명사를 고르시오.

1 Look at the boy (who / which) is riding a bike.

2 I need a robot (who / which) can clean the house.

3 She is my classmate (which / that) lives next door.

4 I like animals (who / that) are friendly to people.

POINT 02

빈칸에 알맞은 관계대명사를 모두 고르시오.

1 This is the actor _____ I saw yesterday.
☐ who   ☐ whom   ☐ which

2 London is the city _____ I visited last year.
☐ whom   ☐ which   ☐ that

3 Jake is the boy _____ I played with yesterday.
☐ who   ☐ which   ☐ that

4 She is the girl about _____ I told you.
☐ who   ☐ whom   ☐ which

대표 기출 유형으로 **실전 연습**

1 주어진 두 문장과 같은 뜻이 되도록 관계대명사를 사용하여 문장을 완성하시오.

(1) My father is a painter. He paints landscapes.

> My father is a painter _____.

(2) The bus runs every hour. It goes to the airport.

> The bus _____ every hour.

2 빈칸에 들어갈 말이 순서대로 바르게 짝지어진 것은?

> • They like stores which _____ full of toys.
> • The boy who _____ upstairs is friendly.

① is – live   ② is – lives   ③ are – lives
④ are – live   ⑤ are – living

3 빈칸에 공통으로 들어갈 말을 한 단어로 쓰시오.

> • Annie is a girl _____ likes rap music.
> • This is the dog _____ I found in the park.

틀리기 쉬워요!
4 다음 중 어법상 올바른 문장은?

① This is a musician which I like.
② I have a cat which have blue eyes.
③ The ice cream that we had wasn't sweet.
④ Suzy is the friend to that I'm writing a letter.
⑤ The movie which we saw it yesterday was sad.

자주 나와요!
5 밑줄 친 부분의 쓰임이 나머지와 다른 하나는?

① I lost the map <u>which</u> Mom bought me.
② They haven't decided <u>which</u> way to go.
③ He wants the cookies <u>which</u> you baked.
④ She likes the restaurant <u>which</u> is near the river.
⑤ I like the animal <u>which</u> is called the King of Animals.

개념 완성 Quiz *Choose or complete.*

1 선행사가 사람이면 주격 관계대명사로 who / which 나 that을, 선행사가 사물이거나 동물이면 who / which 나 that을 사용한다.
> POINT 01

2 주격 관계대명사가 이끄는 절에서 동사는 선행사 / 목적어 의 인칭과 수에 일치시킨다.
> POINT 01

3 선행사의 종류에 상관 없이 모두 사용할 수 있는 관계대명사는 who / which / that 이다.
> POINT 01, 02

4 전치사가 목적격 관계대명사 앞에 올 때 선행사가 사람이면 관계대명사는 who / whom / that 만 쓸 수 있다.
> POINT 01, 02

5 관계대명사 / 의문사 로 쓰인 which 앞에는 선행사가 있다.
> POINT 01, 02

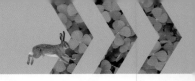

UNIT 2 소유격 관계대명사, 관계대명사 that

POINT 03 소유격 관계대명사

관계대명사절
Andy is a boy **whose** nickname is Superman.

선행사 　소유격 관계대명사+명사 　*소유격 관계대명사는 항상 명사와
함께 「whose+명사」로 쓰여.

Andy는 별명이 Superman인 남자아이다.

소유격 관계대명사는 선행사가 관계대명사절에서 소유격으로 쓰이는 경우에 사용한다.

whose	선행사: 사람/사물/동물	I know *a woman* **whose** son is a singer. Tim took care of *a bird* **whose** leg was broken.

POINT 04 관계대명사 that

I saw a girl and a dog **that** were running together.

선행사가 「사람+사물/동물」　주격 관계대명사 that

나는 함께 달리고 있는 여자아이와 개를 보았다.

(1) 관계대명사 that을 주로 쓰는 경우 〔서술형 빈출〕

선행사	사람+사물/동물	Look at *the man and the dolphin* **that** are swimming together.
	-thing으로 끝나는 대명사	There is *nothing* **that** I can do for you.
	the+최상급/서수	It was *the first smartphone* **that** I bought.
	the only, the very, the same, the last, no, all 등을 포함	He is *the only boy* **that** Amy disliked. This is *the very book* **that** I wanted to read. *All* **that** glitters is not gold.

(2) 관계대명사 that을 쓸 수 없는 경우

소유격 자리	Andy is a boy **whose** nickname is Superman. (O) Andy is a boy <u>that</u> nickname is Superman. (×)
전치사 바로 뒤	I like the boy **that** Kelly is talking *about*. (O) I like the boy *about* **whom** Kelly is talking. (O) I like the boy *about* <u>that</u> Kelly is talking. (×)

ⓘ 관계대명사 that *vs.* 접속사 that: 관계대명사 that이 이끄는 형용사절에는 주어나 목적어 중에 빠진 성분이 있는 반면, 접속사 that이 이끄는 명사절에는 완전한 문장이 이어진다.

- 관계대명사 that절: 명사를 수식하는 형용사절로, 앞에 선행사가 있다.
  I have *a friend* **that** lives in Seattle.　〔선행사+관계대명사 that〕
- 접속사 that절: 주어·목적어·보어 역할을 하는 명사절로, 앞에 선행사가 없다.
  I heard **that** *my friend Sam lives in Seattle.*　〔접속사 that+완전한 문장〕

개념 QUICK CHECK

POINT 03

괄호 안에서 알맞은 것을 고르시오.

1 Kate is the girl (who / whose) father is Dr. Howard.

2 I like this painting (which / whose) colors are very unique.

3 Cathy has a cat (which / whose) name is Angel.

POINT 04

빈칸에 알맞은 것을 고르시오.

1 The first book _____ I read in English was *The Little Prince*.
　□ who 　□ that 　□ whose

2 The smartest boy _____ I know is David.
　□ that 　□ which 　□ whose

3 Is there anything _____ is bothering you?
　□ who 　□ that 　□ whose

4 Jim is my cousin to _____ I send a birthday card every year.
　□ who 　□ that 　□ whom

5 They know _____ Tim is my brother.
　□ 관계대명사 that 　□ 접속사 that

대표 기출 유형으로 **실전 연습**

1 주어진 두 문장과 같은 뜻이 되도록 관계대명사를 사용하여 문장을 완성하시오.

(1) I bought this CD for Jessica. Her birthday is next Sunday.

> I bought this CD for Jessica _____.

(2) I watched two movies. Their stories were similar.

> I watched two movies _____.

2 빈칸에 공통으로 들어갈 말로 알맞은 것은?

> • Minsu has all the books _____ I've wanted to read.
> • She was the first Korean _____ traveled to space.

① who   ② that   ③ whose
④ whom   ⑤ which

3 밑줄 친 부분의 쓰임이 나머지와 <u>다른</u> 하나는?

① She saved all the money <u>that</u> she earned.
② We saw a man <u>that</u> was singing on the street.
③ Tell me one thing <u>that</u> is very important to you.
④ The problem is <u>that</u> we don't know about it well.
⑤ I have some friends <u>that</u> love playing computer games.

4 빈칸에 that이 들어갈 수 <u>없는</u> 것은?

① He is the only actor _____ I like.
② I'll buy the camera _____ strap is purple.
③ I have no books _____ are written in Spanish.
④ We bought the last cake _____ the chef made.
⑤ They were the very people _____ he saved from the fire.

5 밑줄 친 부분의 쓰임이 가장 적절한 것은?

① She is the smartest person <u>who</u> I know.
② The last city <u>that</u> he visited was London.
③ The woman <u>that</u> hair is red is a famous model.
④ There was a box in <u>that</u> a little cat was sleeping.
⑤ There is something <u>which</u> I really want to know.

개념 완성 Quiz *Choose or complete.*

1 선행사에 상관 없이 사용할 수 있는 소유격 관계대명사는 _____이다.
> POINT 03

2 선행사에 all이나 서수가 포함된 경우에는 관계대명사로 _____을(를) 주로 사용한다.
> POINT 04

3 관계대명사 that은 수식하는 명사(구) 앞 / 뒤 에 쓰이고, 접속사 that은 뒤에 명사(구) / 「주어+동사」가 이어진다.
> POINT 04

4 관계대명사 that을 쓰지 않는 경우는 선행사에 최상급이 포함될 때 / 선행사가 「사람+사물」일 때 / 소유격 자리일 때 이다.
> POINT 03, 04

5 관계대명사 that을 주로 쓰는 경우는 선행사가 -thing으로 끝날 때 / 전치사 뒤에 관계대명사가 쓰일 때 이다.
> POINT 03, 04

UNIT 3 관계대명사 what, 관계대명사의 생략

POINT 05 관계대명사 what

명사절
This is *what I was looking for.   이것이 내가 찾고 있던 것이다.

= the thing + that(which)
(선행사+관계대명사)

* 선행사를 포함하고 있어서 앞에 선행사가 따로 없어.

what은 선행사를 포함하는 관계대명사로, what이 이끄는 명사절은 문장 내에서 주어·목적어·보어의 역할을 한다.

what	~하는 것 (= the thing(s) that(which))	What I bought was this backpack. [주어] Show me **what** you made in class. [목적어] This is **what** we brought for you. [보어]
	⊕ 다른 관계대명사가 이끄는 절은 선행사를 수식하는 형용사절이지만 what이 이끄는 절은 명사절이다. He is a writer [**who** wrote many novels]. [명사 수식 – 형용사절] I can't believe **what** I am seeing. [believe의 목적어 – 명사절] 　　　　　　　　내가 보고 있는 것	

① 관계대명사 what *vs.* 의문사 what
관계대명사 what은 '~하는 것'이라고 해석하고 의문사 what은 '무엇'이라고 해석한다.
That movie is **what** I want to watch.　　[관계대명사]
I want to know **what** your favorite movie is. [의문사]

POINT 06 관계대명사의 생략

The person *[I called] was my sister.   내가 전화한 사람은 언니였다.
선행사　└─ who(m)(that) 생략

* 목적격 관계대명사가 생략된 형태야.

주격과 소유격 관계대명사는 생략할 수 없지만, 목적격 관계대명사와 「주격 관계대명사+be동사」는 생략할 수 있다.

목적격 관계대명사	I'm reading a book (**which/that**) you lent me.
⊕ 전치사의 목적어로 쓰인 목적격 관계대명사: 전치사가 관계사절 끝에 있는 경우에는 생략할 수 있지만, 전치사 바로 뒤에 목적격 관계대명사가 올 때는 생략할 수 없다. 서술형 빈출 This is the jacket I was looking **for**. (O) This is the jacket **for which** I was looking. (O) This is the jacket **for** I was looking. (×)	
「주격 관계대명사+be동사」	Look at the girl (**who is**) playing the flute. My grandparents live in a house (**which was**) built in 1970.

POINT 05

빈칸에 알맞은 것을 고르시오.

1 Tell me the news _____ you heard.
　☐ that　　☐ what

2 His friends gave Ted _____ he needed.
　☐ that　　☐ what

3 Playing soccer is _____ they want to do now.
　☐ that　　☐ what

4 I asked her _____ she had in her bag.
　☐ 관계대명사 what　☐ 의문사 what

POINT 06

생략할 수 있는 부분이 있는 문장에 √ 표시하고, 생략 가능한 부분에 밑줄을 그으시오.

1 The people whom he invited didn't come.　　☐

2 This is a bird which can talk and sing.　　☐

3 The music that I'm listening to now is really good.　　☐

4 My brother lives with his friend whose name is Daniel.　　☐

대표 기출 유형으로 **실전 연습**

1 두 문장의 의미가 같도록 빈칸에 알맞은 말을 쓰시오.

K-pop is the thing that Judy is interested in these days.

= K-pop is _____ Judy is interested in these days.

자주 ^{나와요!}
2 밑줄 친 What(what)의 쓰임이 [보기]와 같은 것은?

> [보기] What I bought at the shopping mall was a scarf.

① We didn't know what to do next.
② Alexander will tell you what these are.
③ I don't remember what he looked like at all.
④ What kind of music do you usually listen to?
⑤ Swimming is what I usually do in my free time.

3 주어진 문장에서 생략된 부분을 넣어 문장을 다시 쓰시오.

(1) The student Ms. Yoon met yesterday was Lisa.

> _____

(2) The girl wearing glasses is my best friend.

> _____

4 다음 중 어법상 틀린 문장은?

① That is the question I wanted to ask.
② She is an artist I'm reading a book about.
③ Let me see what you drew in art class today.
④ The thing what I wrote was a poem for children.
⑤ He is the friend with whom you can sing and dance.

틀리기 ^{쉬워요!}
5 다음 문장의 밑줄 친 ①~⑤ 중 어법상 틀린 것은?

> Recycling is the subject with which this book is dealing, but
>   ①   ②
> which this book says is different from what I thought.
>   ③   ④   ⑤

개념 완성 Quiz *Choose or complete.*

1 _____은(는) 선행사를 포함하는 관계대명사이다.
> POINT 05

2 관계대명사 / 의문사 what은 '~하는 것'이라고 해석하고 관계대명사 / 의문사 what은 '무엇'이라고 해석한다.
> POINT 05

3 주격 / 소유격 / 목적격 관계대명사와 「주격 관계대명사+be동사 / 전치사+목적격 관계대명사」는 생략 가능하다.
> POINT 06

4 「전치사+목적격 관계대명사」 형태에서 목적격 관계대명사는 생략할 수 있다 / 없다.
> POINT 05, 06

5 관계대명사 what이 이끄는 절은 문장에서 형용사 / 명사 역할을 한다.
> POINT 05

UNIT 4 관계부사

POINT 07 관계부사

> This is the house *where I was born.   이곳이 내가 태어난 집이다.
> 　　　　선행사(장소)　　　관계부사
>
> This is the house *in which I was born.
> 　　　　선행사(장소)　　전치사+관계대명사
>
> *관계부사는 「전치사+관계대명사」로 바꿔 쓸 수 있어.

관계부사는 시간·장소·이유·방법을 나타내는 선행사를 수식하는 형용사절을 이끌며 접속사 역할과 부사 역할을 동시에 한다.

(1) 관계대명사 *vs.* 관계부사

관계대명사	뒤에 주어나 목적어가 없는 불완전한 문장이 이어짐	We need someone **who** speaks Chinese well. I went to the park **which** I liked.
관계부사	뒤에 완전한 문장이 이어짐	I like the park **where** I ride my bike. = I like the park in which I ride my bike.
		⊕ 관계부사는 「전치사+관계대명사」로 바꿔 쓸 수 있다.

(2) 관계부사의 쓰임

when	선행사: 시간 (= at/on/in which)	I remember *the day* **when** we first met. = I remember the day **on which** we first met.
where	선행사: 장소 (= at/on/in which)	This is *the store* **where** I bought my cap. = This is the store **at which** I bought my cap.
why	선행사: 이유 (= for which)	This is *the reason* **why** I helped you. = This is the reason **for which** I helped you.
how	선행사: 방법 (= in which)	She told me how she made the cake. = She told me the way she made the cake.
	⊕ 관계부사 how와 선행사 the way는 함께 쓰지 않으며 둘 중 하나는 반드시 생략해야 한다. 서술형 빈출 She told me <u>the way how</u> she made the cake. (×)	

ⓘ 관계부사의 선행사가 the time, the place, the reason 등 일반적인 명사(구)일 때는 선행사나 관계부사 중 하나를 생략할 수 있다.

I won't forget **the place** I won the race.
= I won't forget **where** I won the race.

Do you know **the reason** she's crying?
= Do you know **why** she's crying?

개념 QUICK CHECK

POINT 07 - (1)

괄호 안에서 알맞은 것을 고르시오.

1 He likes stores (which / where) are open 24 hours a day.

2 Is there any café (that / where) I can spend some time?

3 We visited the house to (which / where) Anna moved last month.

4 Do you remember the park (which / where) we first met?

POINT 07 - (2)

빈칸에 알맞은 관계부사를 고르시오.

1 I want to know _____ you went there.
　□ how　　□ what　　□ where

2 This is the park _____ I jog every morning.
　□ how　　□ when　　□ where

3 Today is the day _____ we have a talent show.
　□ why　　□ when　　□ where

4 She told us the reason _____ she was late.
　□ why　　□ how　　□ where

대표 기출 유형으로 **실전 연습**

1 주어진 두 문장을 한 문장으로 바꿀 때 빈칸에 알맞은 말을 각각 쓰시오.

> The hotel is a tourist attraction. I stayed at the hotel.

(1) The hotel at _____ I stayed is a tourist attraction.

(2) The hotel _____ I stayed is a tourist attraction.

2 우리말과 일치하도록 빈칸에 알맞은 말을 각각 쓰시오.

> 너는 그녀가 결석한 이유를 아니?

(1) Do you know the reason for _____ she was absent?

(2) Do you know _____ she was absent?

자주
나와요!
3 빈칸에 들어갈 말이 나머지와 <u>다른</u> 하나는?

① It is a lake _____ people can fish.

② That is the market _____ I buy fresh fruit.

③ There is a store _____ you can buy water.

④ A library is a place _____ you can borrow books.

⑤ March is the month _____ my new semester begins.

틀리기
쉬워요!
4 다음 중 어법상 올바른 문장은?

① The park is the place how I rest.

② I know the way he makes friends.

③ This is what she got angry with you.

④ Today is the day where I take the test.

⑤ Sam is the reason when I always laugh.

5 빈칸에 들어갈 말이 순서대로 바르게 짝지어진 것은?

> This is a theater _____ will be completed next month.
> It'll be the place _____ you can see musicals and plays.

① that – which   ② when – how   ③ which – when

④ which – where   ⑤ where – which

개념 완성 Quiz *Choose or complete.*

1 관계부사절에서 선행사는 주어 / 목적어 / 부사 역할을 한다.
> POINT 07-(1), (2)

2 이유를 나타내는 관계부사는 _____ 이고, _____ _____ 로 바꿔 쓸 수 있다.
> POINT 07-(1), (2)

3 시간을 나타내는 선행사 뒤에는 관계부사 _____ 을(를) 쓰고, 장소를 나타내는 선행사 뒤에는 관계부사 _____ 을(를) 쓴다.
> POINT 07-(2)

4 관계부사 where / why / how 를 쓸 때는 선행사나 관계부사 중 하나만 써야 한다.
> POINT 07-(2)

5 관계대명사 뒤에는 완전한 / 불완전한 문장이 이어지고, 관계부사 뒤에는 완전한 / 불완전한 문장이 이어진다.
> POINT 07-(1), (2)

서술형 실전 연습

개념 완성 **Quiz** *Choose or complete.*

1 주어진 두 문장을 적절한 관계대명사를 사용하여 한 문장으로 쓰시오.

(1) The man was my uncle. I met him on the bus.

> The man _____ was my uncle.

(2) We went to the bookstore. It had many different magazines.

> We _____ .

1 관계대명사절:

명사절 / 형용사절 / 부사절 이고 앞에 있는 명사(구)를 수식함

> POINT 01, 02

2 어법상 틀린 부분을 찾아 바르게 고쳐 쓰시오.

> This is the boy band who songs are loved by a lot of fans around the world.

_____ > _____

2 관계대명사의 격과 어순:

• 「선행사+ 주격 / 소유격 관계대명사 +동사 ~」

• 「선행사+ 주격 / 소유격 관계대명사 +명사+동사 ~」

> POINT 03

틀리기 쉬워요!
3 다음 문장을 관계대명사 that을 사용하여 다시 쓰시오.

> Mozart is the composer about whom the professor is writing.

> _____

3 전치사 바로 뒤에 올 수 있는 관계대명사:

_____, _____

> POINT 02, 04

4 우리말과 일치하도록 괄호 안의 말과 관계대명사를 사용하여 문장을 완성하시오.

(1) 나는 네가 말한 것을 분명히 기억한다. (said)

> I clearly remember _____ _____ _____ .

(2) 내가 원하는 것은 네 도움이야. (want)

> _____ _____ _____ _____ your help.

4 선행사를 포함하는 관계대명사 that / what 이 이끄는 절: 형용사절 / 명사절

> POINT 05

5 다음 표의 내용과 일치하도록 적절한 관계부사를 사용하여 문장을 완성하시오.

	was born in Jeju-do	2006
Sumi	moved to Seoul	2017
	went back to Jeju-do because of homesickness	2018

(1) Jeju-do was the place _____ .

(2) 2017 was the year _____ .

(3) Homesickness was the reason _____ .

5 관계부사의 종류:

• 시간: _____
• 장소: _____
• 이유: _____
• 방법: _____

> POINT 07

6 문장에서 생략된 부분을 [보기]에서 골라 문장을 다시 쓰시오.

[보기]	who	that	who is	which is

(1) Look at the mountain covered with snow.

> _____

(2) The boy wearing red sneakers is my cousin.

> _____

(3) Do you like the present you got from your dad?

> _____

6 관계대명사의 생략:
- 앞에 _____가 없는 목적격 관계대명사
- 「주격 관계대명사+_____」
> **POINT 06**

고난도

7 다음 대화의 밑줄 친 부분과 바꿔 쓸 수 있는 문장을 [조건]에 맞게 쓰시오.

A: What do you want for your birthday?
B: I want a new camera.

[조건]	1. 관계대명사 what을 주어로 하는 완전한 문장으로 쓸 것
	2. want와 my birthday를 반드시 사용할 것
	3. be동사를 반드시 포함할 것

> _____

7 what이 이끄는 명사절이 문장의 주어일 때:
- 선행사가 [있음 / 없음]
- 동사는 [단수형 / 복수형]으로 씀
> **POINT 05**

---

8 [보기]에 주어진 말을 사용하여 대화를 완성하시오.

[보기]	what	where	which	why

A: I went to the Korean restaurant _____ is very popular in my town.
B: How was the food?
A: They served great food. I think that's _____ it is always crowded.
B: It sounds like the restaurant is a place _____ I can enjoy Korean food.
A: Right. Let's go there next week.

8 관계사절의 구조:
- 「관계대명사+[완전한 / 불완전한] 문장」
- 「관계부사+[완전한 / 불완전한] 문장」
> **POINT 01, 07**

실전 모의고사

시험일 :	월	일	문항 수 : 객관식 18 / 서술형 7
목표 시간 :			총점
걸린 시간 :			/ 100

[01-02] 빈칸에 들어갈 말로 알맞은 것을 고르시오. 각 2점

01

> Eric is the only person _____ I share my secrets with.

① that   ② what   ③ when
④ which   ⑤ where

02

> This is the movie theater _____ I watched *The Lion King*.

① that   ② what   ③ when
④ which   ⑤ where

03 빈칸에 들어갈 말로 알맞지 <u>않은</u> 것을 <u>2개</u> 고르시오. 3점

> Do you remember the P.E. teacher _____ I told you about?

① who   ② whom   ③ that
④ whose   ⑤ which

04 우리말을 영어로 옮길 때 빈칸에 들어갈 말로 알맞은 것은? 3점

> 이 동아리는 역사에 관심 있는 사람들을 위한 것이다.
> \> This club is for _____.

① whom are interested in history
② people are interested in history
③ that people are interested in history
④ people who are interested in history
⑤ people they are interested in history

05 밑줄 친 ①~⑤ 중 어법상 틀린 것은? 3점

> The boy <u>who</u> <u>is</u> <u>sitting</u> <u>next to</u> my parents <u>are</u>
>   ①   ②   ③   ④   ⑤
> my cousin, Alex.

06 두 문장의 의미가 같도록 할 때 빈칸에 들어갈 말이 순서대로 바르게 짝지어진 것은? 3점

> The coat _____ has red buttons is mine.
> = The coat _____ buttons are red is mine.

① which – that   ② what – which
③ which – what   ④ what – whose
⑤ that – whose

07 빈칸에 들어갈 말이 순서대로 바르게 짝지어진 것은? 3점

> • Don't forget _____ you learned today.
> • I first met Amy on August 25 _____ I arrived in New York.

① that – which   ② what – when
③ that – when   ④ what – which
⑤ which – that

08 밑줄 친 What(what)의 쓰임이 나머지와 <u>다른</u> 하나는? 3점

① <u>What</u> you believe is not true.
② Is this <u>what</u> you ate yesterday?
③ <u>What</u> makes you think I was wrong?
④ I'll tell you <u>what</u> I heard from Ms. Lee.
⑤ <u>What</u> we know is that we will have a new science teacher.

[09-10] 빈칸에 들어갈 말이 나머지와 <u>다른</u> 하나를 고르시오.

각 **3점**

09 ① Ted is the boy _____ loves basketball.

② I have a friend _____ has a twin sister.

③ He is the boy _____ mother is from Italy.

④ He is the architect _____ designed that building.

⑤ Do you know the woman _____ is waving at us?

10 ① This bag is _____ I decided to buy.

② I'll take _____ we need for camping.

③ The store didn't have _____ I wanted.

④ _____ she sent me was a birthday gift.

⑤ I bought a book _____ Mom would like.

11 밑줄 친 부분을 생략할 수 없는 것을 <u>모두</u> 고르시오. **3점**

① Sam is the friend <u>whom</u> I often play tennis with.

② The library <u>which</u> we went to was very quiet.

③ Mr. Song is a teacher <u>who</u> teaches Korean in Paris.

④ The movie is about a man <u>that</u> tries to save the Earth.

⑤ The smartphone <u>that</u> I wanted to buy was too expensive.

12 빈칸에 where가 들어갈 수 <u>없는</u> 것은? **3점**

① There is a lake _____ we can swim.

② I need a place _____ I can take a nap.

③ That is the gym _____ I exercise every day.

④ Let's find a room _____ we can study together.

⑤ The school _____ is across from my house is 50 years old.

13 빈칸 ⓐ~ⓒ에 들어갈 관계사가 순서대로 바르게 짝지어진 것은? **4점**

• Thanksgiving is the day _____ ⓐ _____ all my family gets together.

• Does Mom know _____ ⓑ _____ you want for Christmas?

• That's the reason _____ ⓒ _____ I like her.

① that – which – why

② when – what – why

③ when – that – why

④ which – what – how

⑤ which – when – how

14 다음 중 어법상 <u>틀린</u> 문장은? **4점**

① Paris is the city which Eric grew up.

② Sarah is the girl I took a picture with.

③ The person they are waiting for is Dr. Kim.

④ That is what we are going to do this summer vacation.

⑤ The documentary film shows how people can stay healthy.

통합 고난도

15 빈칸에 들어갈 말이 같은 것끼리 짝지어진 것은? **4점**

ⓐ His answer was not _____ I expected.

ⓑ Sally lost all the books _____ I lent her.

ⓒ July 19 is the day _____ the Mud Festival starts.

ⓓ Look at the man and his dog _____ are playing with a ball.

① ⓐ, ⓑ   ② ⓐ, ⓓ   ③ ⓑ, ⓒ

④ ⓑ, ⓓ   ⑤ ⓒ, ⓓ

16 밑줄 친 <u>that</u>의 쓰임이 (보기)와 같은 것의 개수는? 4점

> (보기) I tasted the first cake <u>that</u> Jim made.

ⓐ Tell me all <u>that</u> you know about it.
ⓑ I heard <u>that</u> Eric painted the pictures.
ⓒ The book <u>that</u> Clara is reading looks interesting.
ⓓ I didn't know <u>that</u> the boy was one of my classmates.
ⓔ We saw an animated film <u>that</u> Andrew recommended to us.

① 1개　② 2개　③ 3개　④ 4개　⑤ 5개

17 밑줄 친 부분을 that으로 바꿔 쓸 수 없는 것은? 4점

① These are the macarons <u>which</u> I made.
② Yena is the girl <u>whom</u> I often talk to on the phone.
③ The person <u>who</u> cares about me the most is my mother.
④ Ed is a famous artist with <u>whom</u> everyone wants to work.
⑤ The musical <u>which</u> I watched was about a brave boy.

18 어법상 틀린 것끼리 짝지어진 것은? 5점

ⓐ I like the girl is getting on the bus.
ⓑ She is the actress whom I like the most.
ⓒ There's something that you should know.
ⓓ I like pop songs which lyrics are beautiful.

① ⓐ, ⓑ　　② ⓐ, ⓒ, ⓓ　　③ ⓐ, ⓓ
④ ⓑ, ⓒ　　⑤ ⓑ, ⓒ, ⓓ

서술형

19 (보기)에서 알맞은 관계사를 골라 두 문장을 한 문장으로 연결하시오. (단, 중복 사용 불가) 각 3점

> (보기) who　that　what　when　how

(1) Did you see the bag? + Grandma bought it for me.

> Did you see _____?

(2) I miss last winter. + I was traveling with Dad then.

> I miss _____.

20 두 문장의 의미가 같도록 할 때 빈칸에 알맞은 말을 각각 쓰시오. 4점

> The woman _____ is walking her dog over there is my English teacher.
> = The woman _____ her dog over there is my English teacher.

21 우리말과 일치하도록 괄호 안의 말을 바르게 배열하여 문장을 쓰시오. 각 3점

(1) 나는 그녀가 말하는 방식이 마음에 든다.
(the way, talks, I, like, she)

> _____

(2) 그녀에게 일어난 일은 너의 잘못이 아니다.
(to her, your fault, happened, is not, what)

> _____

22 괄호 안의 말을 사용하여 (조건)에 맞게 우리말을 영어로 옮겨 쓰시오.　　　　　　　　　각 **4점**

> [조건]　1. 관계대명사 또는 관계부사를 사용할 것
>
> 　　　　2. (1)은 4단어, (2)는 6단어로 쓸 것

(1) 당신이 원하는 것을 고르세요. (choose, want)

> \> _____

(2) 이것이 내가 친구를 사귀는 방법이다. (make friends)

> \> _____

고난도

23 다음 대화의 내용을 (조건)에 맞게 한 문장으로 쓰시오. **5점**

> **A:** What do you want to do, Minsu?
>
> **B:** I want to enter the race.

> [조건]　1. 관계대명사와 to부정사를 사용할 것
>
> 　　　　2. '민수가 원하는 것'이 주어가 되도록 쓸 것
>
> 　　　　3. 8단어로 쓸 것

> \> _____

고난도

24 다음 글을 읽고, 어법상 **틀린** 부분을 두 군데 찾아 바르게 고쳐 쓰시오.　　　　　　　　　　각 **3점**

> 　I went to the movies with my brother last weekend. The movie we saw was an SF movie. It was about a man whose tried to survive on Mars. He eventually returned to the Earth which his wife was waiting for him.

(1) _____ 　\> _____

(2) _____ 　\> _____

25 다음 사진을 보고, 남자아이의 말을 (조건)에 맞게 완성하시오.　　　　　　　　　각 **3점**

> [조건]　1. 관계대명사 또는 관계부사를 사용할 것
>
> 　　　　2. 관계사절의 주어로 I 또는 we를 사용할 것
>
> 　　　　3. 괄호 안의 말을 사용할 것

(1) The girl with _____ _____ _____

_____ _____ is my new friend, Kate.

(took this picture)

(2) We took this picture on the day _____

_____ _____ _____. (first met)

약점 공략
틀린 문제가 있다면?

틀린 문항 번호가 있는 칸을 색칠하고, 어떤 문법 POINT의 집중 복습이 필요한지 파악해 보세요.

문항 번호	연관 문법 POINT	문항 번호	연관 문법 POINT	문항 번호	연관 문법 POINT
01	P2, P4	**10**	P2, P5	**19**	P2, P7
02	P7	**11**	P6	**20**	P1, P6
03	P2	**12**	P1, P7	**21**	P5, P7
04	P1	**13**	P5, P7	**22**	P5, P7
05	P1	**14**	P2, P5, P6, P7	**23**	P5
06	P1, P3	**15**	P1~P7	**24**	P1, P7
07	P5, P7	**16**	P2, P4	**25**	P2, P4, P7
08	P5	**17**	P1, P2, P4		
09	P1, P3	**18**	P1~P4		

연관 문법 POINT 참고

P1 (p.126) 주격 관계대명사　　　　　P5 (p.130) 관계대명사 what
P2 (p.126) 목적격 관계대명사　　　　P6 (p.130) 관계대명사의 생략
P3 (p.128) 소유격 관계대명사　　　　P7 (p.132) 관계부사
P4 (p.128) 관계대명사 that

내신만점 Level Up Test

.... **신유형** ....

01 짝지어진 두 문장끼리 서로 바꿔 쓸 수 없는 것은?

① Can you tell me how it is done?
  → Can you tell me the way how it is done?
② We can't give you what you need.
  → We can't give you the thing that you need.
③ There were some people watching the parade.
  → There were some people who were watching the parade.
④ The house where Mozart was born is now a museum.
  → The house which Mozart was born in is now a museum.
⑤ She's talking about the shoes she bought yesterday.
  → She's talking about the shoes which she bought yesterday.

02 다음 문장의 밑줄 친 부분에 대한 설명으로 알맞지 않은 것은?

ⓐ <u>What</u> she said made me happy.
ⓑ The day <u>when</u> we first met was cloudy.
ⓒ She ate the chocolate <u>which</u> was in the refrigerator.
ⓓ <u>The printer</u> which was fixed yesterday broke down again.
ⓔ Do you have the textbook <u>that</u> I lent to you last week?

① ⓐ: '~하는 것'의 의미이다.
② ⓑ: which와 바꿔 쓸 수 있다.
③ ⓒ: 주격 관계대명사이다.
④ ⓓ: 관계대명사의 선행사이다.
⑤ ⓔ: 생략할 수 있다.

.... **서술형** ....

03 주어진 우리말에서 관계사절로 바꿀 수 있는 부분에 밑줄을 긋고, [조건]에 맞게 문장을 완성하시오.

(1) 청소를 마친 학생들은 집에 갔다.
  > The students _____.

  [조건] 1. finish cleaning, go home을 어법에 맞게 사용할 것
       2. 관계사를 반드시 사용할 것
       3. 5단어로 완성할 것

(2) 나는 그들이 늦은 이유를 모른다.
  > I don't know _____.
              (the reason)

  [조건] 1. 관계사와 괄호 안의 말을 사용할 것
       2. 과거시제로 쓸 것
       3. 6단어로 완성할 것

04 다음 각 문장에서 어법상 틀린 부분을 찾아 바르게 고쳐 쓰시오.

(1) The tornado hit the town was powerful.
(2) The boy who hair is curly is Mr. Taylor's son.
(3) This is the only bridge that go to the island.
(4) Mom is wearing a scarf which she received it on her birthday.

(1) _____ > _____
(2) _____ > _____
(3) _____ > _____
(4) _____ > _____

CHAPTER

11

접속사

접속사(接續詞)는 문장 안의 두 성분 또는 문장과 문장을 '이어 주는 말'이다. 대등한 관계에 있는 말을 이어 주는 등위 접속사, 주절과 그 의미를 보충해 주는 종속절을 연결하는 종속 접속사, 두 개 이상의 단어가 하나의 접속사 역할을 하는 상관 접속사가 있다.

Preview

부사절을 이끄는 접속사	시간	As I entered the classroom, everyone welcomed me.
	이유	Since it was raining hard, we couldn't go camping.
	조건	Unless you keep practicing, you won't be able to win the contest.
	양보	Although I got up late this morning, I wasn't late for school.

| 명령문, and/or | 명령문, and ~ | Hurry up, and you won't miss the bus. |
| | 명령문, or ~ | Hurry up, or you'll miss the bus. |

명사절을 이끄는 접속사	that	주어	It is strange that you haven't heard the news.
		목적어	I heard that there was a big accident.
		보어	The problem is that we are running out of time.

상관 접속사	both A and B	A와 B 둘 다	not A but B	A가 아니라 B
	either A or B	A와 B 둘 중 하나	neither A nor B	A도 B도 아닌
	not only A but also B	A뿐만 아니라 B도	B as well as A	A뿐만 아니라 B도

UNIT 1 시간 · 이유를 나타내는 접속사

POINT 01 시간을 나타내는 접속사

I don't watch TV [*while I'm eating]. 나는 먹는 동안에 TV를 안 본다.
주절 　　　　　　～하는 동안에 └ 접속사가 이끄는 부사절
*주절의 동작이 일어난 때를 나타내는 부사절이야.

when	～할 때	When I was young, I lived in Busan.
while	～하는 동안	Please take care of my dog **while** I'm away.
as	～할 때, ～하면서	I felt great **as** I stood on the mountaintop.
before	～하기 전에	Say sorry to her **before** it's too late.
after	～한 후에	I will go on a trip **after** I finish this project.
until	～할 때까지	I'll wait here **until** the concert is over.
since	～한 이후로	They've been friends **since** they were ten.
as soon as	～하자마자	It started snowing **as soon as** I went out.

ⓘ while은 진행형과 함께 자주 쓰이며, '～인 반면에'라는 대조의 의미를 나타낼 때도 쓰인다.
I usually listen to music **while** I'm cooking. [～하는 동안]
Aaron finished reading the book, **while** I read only half of it. [반면에(대조)]

ⓘ 시간을 나타내는 접속사가 쓰인 부사절에서는 미래 상황을 현재시제로 나타낸다. 서술형 빈출
I'll meet him when he **comes** back. (O)　 I'll meet him when he will come back. (×)

POINT 02 이유를 나타내는 접속사

I stayed home [because it rained]. 비가 와서 나는 집에 있었다.
주절 　　　～하기 때문에 └ 접속사가 이끄는 부사절(이유)

because		I couldn't sleep **because** I was so nervous.
as	～하기 때문에, ～이므로	**As** he was hungry, he ate up all the pizza.
since		I had to borrow the book **since** I lost mine.

ⓘ because *vs.* because of: 둘 다 '～ 때문에'라는 뜻이지만 because 뒤에는 절(주어+동사)이
오고, because of 뒤에는 명사(구)가 온다.
We stayed home **because** *it rained a lot*.
We stayed home **because of** *heavy rain*.

ⓘ 접속사 as는 다양한 의미로 사용되므로 문맥에 맞게 의미를 파악하도록 한다.
As I entered the classroom, everyone looked at me. [～할 때]
As I didn't feel good, I didn't go to school today. [～ 때문에]
As he got older, he became more generous. [～할수록]
As you know, Dad doesn't like sports. [～하듯이]
I'll do it **as** you wish. [～하는 대로]

개념 QUICK CHECK

POINT 01

우리말과 일치하도록 알맞은 접속사를 골라 기호를 쓰시오.

a. as	b. before	c. after
d. until	e. since	f. while

1 내가 돌아올 때까지 여기서 기다리렴.
Wait here _____ I come back.

2 내가 자고 있는 동안에 친구가 전화했다.
My friend called _____ I was sleeping.

3 계단을 올라가면서 나는 노래를 불렀다.
_____ I climbed up the stairs, I sang a song.

4 잊어버리기 전에 숙제를 하렴.
Do your homework _____ you forget.

POINT 02

괄호 안에서 알맞은 것을 고르시오.

1 People don't like him (because / while) he is not honest.

2 (As / Until) it was too hot, we stayed inside the building.

3 The restaurant is popular (that / since) it serves delicious food.

4 (Because / Because of) I haven't eaten anything since the morning, I'm really hungry.

대표 기출 유형으로 **실전 연습**

1 [보기]에서 알맞은 접속사를 골라 문장을 완성하시오. (단, 한 번씩만 쓸 것)

[보기]	since	before	while	until

(1) Wash your hands _____ you eat meals.

(2) I saw Eric _____ I was taking a walk in the park.

(3) We've known each other _____ we were children.

2 두 문장의 의미가 같도록 할 때 빈칸에 들어갈 말로 알맞은 것은?

> Grandpa exercises regularly. That is the reason he is healthy.
> = _____ Grandpa exercises regularly, he is healthy.

① Until　　　　② When　　　　③ While
④ Before　　　⑤ Since

자주 나와요!
3 다음 문장에서 어법상 틀린 부분을 찾아 바르게 고쳐 쓰시오.

> When I will get a job, I will buy a new tablet PC.

_____ > _____

4 빈칸에 들어갈 말이 순서대로 바르게 짝지어진 것은?

> • I won't give up _____ I pass the test.
> • _____ she had a bad cold, she had to stay in bed.

① until – As　　　② until – Before　　　③ while – Since
④ since – Until　　⑤ since – After

틀리기 쉬워요!
5 밑줄 친 as(As)가 [보기]와 같은 의미로 쓰인 것은?

[보기]	Some people listen to music <u>as</u> they work.

① I went to bed early <u>as</u> I was tired.

② When in Rome, do <u>as</u> the Romans do.

③ Jake fell down <u>as</u> he ran to catch the bus.

④ <u>As</u> you know, I don't really like Italian food.

⑤ <u>As</u> it was cold and windy outside, we didn't go out.

개념 완성 Quiz　*Choose or complete.*

1 '~한 이후로 계속'은 until / since, '~하는 동안'은 while / since, '~하기 전에'는 before / until 을(를) 사용하여 나타낸다.
> POINT 01

2 '~하기 때문에', '~한 이후로 계속'의 의미를 모두 나타낼 수 있는 접속사는 _____ 이다.
> POINT 02

3 시간을 나타내는 부사절에서는 미래 상황을 미래시제 / 현재시제 로 나타낸다.
> POINT 01

4 '~하기 때문에', '~할 때, ~하면서'의 의미를 모두 나타낼 수 있는 접속사는 _____ 이다.
> POINT 01, 02

5 as가 '~하기 때문에'라는 의미로 쓰이는 경우에는 _____ 나 _____, '~할 때'의 의미로 쓰이는 경우에는 _____ 와(과) 바꿔 쓸 수 있다.
> POINT 01, 02

UNIT 2 조건 · 양보를 나타내는 접속사, 명령문, and/or ~

POINT 03 조건을 나타내는 접속사

[*If you take a bath], you'll feel better. 목욕을 하면 기분이 나아질 거야.

(만약) ~하면 └ 접속사가 이끄는 부사절   주절   * if절은 조건, 주절은 결과를 나타내.

if	(만약) ~하면, ~라면	We won't go to the beach if it rains.
		⊕ 조건을 나타내는 접속사가 쓰인 부사절에서는 미래 상황을 현재시제로 나타낸다. 서술형 빈출
unless	(만약) ~하지 않으면, ~ 아니라면 (= if ~ not)	Unless you practice, you can't win the race. = If you don't practice, you can't win the race.
		⊕ unless는 부정의 의미를 가지므로 not과 함께 쓰지 않는다.

① if가 '~인지 (아닌지)'의 의미로 명사절을 이끌 때는 whether로 바꿔 쓸 수 있고, 이때는 미래 상황을 미래시제로 나타낸다.
I don't know if(whether) it *will snow* tomorrow. (내일 눈이 올지 안 올지 나는 모르겠다.)

POINT 04 양보를 나타내는 접속사

[*Although he is young], he sings well. 그는 어리지만 노래를 잘해.

(비록) ~이지만 └ 접속사가 이끄는 부사절   주절   * 종속절과 주절의 내용이 상반될 때 사용해.

| although (though) | 비록 ~이지만, ~에도 불구하고 | Although the news was true, they didn't believe it. |
| even though | | Even though he is very old, he likes hip hop music. |

① even though는 though보다 더 강한 양보의 의미를 나타낸다.

POINT 05 명령문, and/or ~

Hurry up, *or you'll be late. 서둘러. 그렇지 않으면 너는 늦을 거야.

명령문   그렇지 않으면   * 명령문 뒤에서는 or가 '혹은'이라는 뜻이 아니야.

| 명령문, and ~ | ~해라, 그러면 …할 것이다 | Leave now, and you won't miss the bus. = If you leave now, you won't miss the bus. |
| 명령문, or ~ | ~해라, 그렇지 않으면 …할 것이다 | Leave now, or you'll miss the bus. = If you don't leave now, you'll miss the bus. = Unless you leave now, you'll miss the bus. |

개념 QUICK CHECK

POINT 03-04

빈칸에 알맞은 것을 고르시오.

1 You can't read your email _____ you know the password.
□ if   □ unless

2 They arrived on time _____ the traffic was bad.
□ unless   □ even though

3 If you _____ him, he will come to the party.
□ invite   □ will invite

4 _____ it was cold outside, they went hiking.
□ If   □ Although

POINT 05

and와 or 중 빈칸에 알맞은 것을 쓰시오.

1 Close the window, _____ you'll catch a cold.

2 Go to bed now, _____ you can get up early.

3 Be honest, _____ you will have many friends.

4 Get ready quickly, _____ you'll be late for school.

대표 기출 유형으로 **실전 연습**

1 밑줄 친 부분을 바르게 바꿔 쓴 것은?

Unless you tell her the truth, she'll get angry at you.

① If you tell her the truth
② As you tell her the truth
③ When you tell her the truth
④ If you don't tell her the truth
⑤ Because you will tell her the truth

2 빈칸에 공통으로 들어갈 말로 알맞은 것은?

• _____ it was very cold, Ron didn't wear a coat.
• _____ we live in the same town, I have never seen her.

① Unless
② Since
③ If
④ Although
⑤ Whether

3 두 문장의 의미가 같도록 빈칸에 알맞은 말을 쓰시오.

(1) If you take this medicine now, you will feel better.
   = Take this medicine now, _____ you will feel better.

(2) If you don't turn down the volume, the baby will wake up.
   = _____ _____ the volume, _____ the baby will wake up.

자주 나와요!
4 빈칸에 들어갈 말이 순서대로 바르게 짝지어진 것은?

• I won't buy the T-shirt _____ it's expensive.
• _____ he's not good at singing, he wants to be a singer.

① if – Unless
② if – Even though
③ unless – If
④ unless – Because
⑤ Although – As

틀리기 쉬워요!
5 다음 중 어법상 올바른 문장은?

① Keep a pet, or you won't feel lonely.
② Unless you aren't careful, you may get hurt.
③ Let's go to the park if the weather will be good.
④ Be nice to others, and you can't make many friends.
⑤ He has a lot of money even though he doesn't have a job.

개념 완성 Quiz *Choose or complete.*

1 unless는 as / if / if ~ not 의 의미를 나타낸다.
> POINT 03

2 두 문장의 내용이 상반되거나 예상치 못한 결과를 이어 주는 접속사는 if / unless / although 이다.
> POINT 04

3 「명령문, and/or ~」에서 접속사 뒤에 긍정적인 결과를 나타내는 내용이 나오면 and / or, 부정적인 결과를 나타내는 내용이 나오면 and / or 를 사용한다.
> POINT 05

4 접속사 if가 쓰인 문장에서 if절은 조건 / 결과, 주절은 조건 / 결과 을(를) 나타낸다.
> POINT 03, 04

5 unless는 not과 함께 쓸 수 있다 / 없다.
> POINT 03, 04, 05

POINT 06 접속사 that

It is certain [*that they will win].   그들이 이길 것은 확실하다.

가주어   주어 역할을 하는 명사절(~가 …하는 것)   *진짜 주어는 It이 아니라 that 이하야.

접속사 that이 이끄는 명사절은 문장에서 주어·목적어·보어 역할을 한다.

주어	~하는 것은	That you still like the actor is surprising. = It is surprising **that** you still like the actor.
	➕ 가주어 It을 문장의 주어 자리에 쓰고 진주어인 that절을 문장의 뒤로 보내 「It ~ that …」의 형태로 쓸 수 있다. 서술형 빈출	
목적어	~하는 것을	I think (**that**) he is a good dancer.
	➕ 목적어 역할을 하는 명사절을 이끄는 접속사 that은 생략할 수 있다.	
보어	~하는 것(이다)	The problem is **that** I don't have enough time.

POINT 07 상관 접속사

[*Both my sister and my brother] are tall.

both   *A*   and   *B*   복수 취급

나의 누나와 형은 둘 다 키가 크다.   *두 개의 단어가 짝을 이루어 접속사 역할을 해.

both *A* and *B*	A와 B 둘 다	**Both** he and I are interested in baseball.
either *A* or *B*	A와 B 둘 중 하나	I want to learn **either** French **or** German.
neither *A* nor *B*	A도 B도 아닌	Emma was **neither** clever **nor** diligent.
not *A* but *B*	A가 아니라 B	He is **not** a painter **but** a designer.
not only *A* but also *B*	A뿐만 아니라 B도	I bought **not only** *a shirt* **but also** *a hat*. = I bought *a hat* as well as *a shirt*.
	➕ *B* as well as *A*로 바꿔 쓸 수 있으며 also는 생략하기도 한다.	

① 상관 접속사에서 *A*와 *B*는 문법적으로 형태가 같아야 한다. 서술형 빈출
She is **both** *beautiful* **and** *intelligent*.   [둘 다 형용사]
You can **either** *stay here* **or** *go back home*.   [둘 다 동사구]
I like **not only** *reading books* **but also** *watching movies*.   [둘 다 동명사구]

① 상관 접속사가 쓰인 문장에서 동사의 수 일치는 *A*와 *B* 중에서 *B*에 일치시킨다. 단, both *A* and
*B*는 '둘 다'를 의미하므로 항상 복수 취급한다. 서술형 빈출
Either I or *he* has to go to the market.
Neither he nor *we* want to clean the house.
Not only you **but also** *she* is kind.
Both he **and** his sister like to play the guitar.

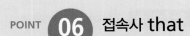

개념 QUICK CHECK

POINT 06

밑줄 친 부분이 문장에서 어떤 역할을 하는지
기호를 쓰시오.

a. 주어	b. 목적어	c. 보어

1 I know <u>that he is lying</u>. _____

2 It is strange <u>that they haven't
arrived yet</u>. _____

3 Do you think <u>this jacket is too
big for me</u>? _____

4 The important thing is <u>that you
are happy now</u>. _____

POINT 07

빈칸에 알맞은 말을 [보기]에서 골라 쓰시오.

[보기]	and	nor
	or	but also

1 The boy must be either angry
_____ sad.

2 Both the price _____ the
quality are important.

3 He can neither read _____
write yet.

4 Not only you _____ Chris is
a friend of mine.

대표 기출 유형으로 **실전 연습**

1 주어진 문장과 의미가 같도록 빈칸에 알맞은 말을 쓰시오.

That the player isn't in good condition is too bad.

= _____ is too bad _____ the player isn't in good condition.

2 두 문장의 의미가 같도록 빈칸에 알맞은 접속사를 쓰시오.

(1) My dad doesn't ride a bike. He doesn't drive a car, either.

= My dad _____ rides a bike _____ drives a car.

(2) Karen is not only a fashion designer but also a song writer.

= Karen is a song writer _____ _____ _____ a fashion designer.

자주 나와요!
3 밑줄 친 that을 생략할 수 <u>없는</u> 것은?

① I think <u>that</u> we need to talk.

② The fact is <u>that</u> it was an accident.

③ They didn't know <u>that</u> it was a holiday.

④ Joey hopes <u>that</u> she will pass the exam.

⑤ Do you believe <u>that</u> Santa will give you a present?

틀리기 쉬워요!
4 빈칸에 들어갈 말이 순서대로 바르게 짝지어진 것은?

_____ Thursday _____ Friday is okay. I will be free on those days.

① Not – but   ② Either – or   ③ Neither – nor
④ One – the other   ⑤ Both – and

5 다음 중 어법상 올바른 문장은?

① The movie was both scary and sadly.

② That is certain that he will agree with us.

③ Both Tim and I am middle school students.

④ You can neither play soccer nor ride a bike here.

⑤ I like not only going skiing but also go ice-fishing in winter.

개념 완성 Quiz *Choose or complete.*

1 접속사 that이 이끄는 명사절이 주어로 쓰일 때는 주로 가주어 | That / It |을 문장 앞에 쓰고 that절을 뒤로 보낸다.
> POINT 06

2 'A도 B도 아닌'은 _____ A _____ B로 나타내며, not only A but also B는 B _____ _____ _____ A 와 의미가 같다.
> POINT 07

3 접속사 that이 이끄는 명사절이 문장의 | 주어 / 목적어 / 보어 |로 쓰일 때는 that을 생략할 수 있다.
> POINT 06

4 상관 접속사가 주어로 쓰인 경우, both A and B는 항상 | 단수 / 복수 | 취급하고, 나머지는 모두 | A / B |에 수를 일치시킨다.
> POINT 07

5 상관 접속사에서 A와 B는 문법적으로 형태가 | 같아야 한다 / 달라도 된다 |.
> POINT 06, 07

서술형 실전 연습

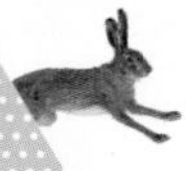

1 [보기]에서 알맞은 말을 골라 주어진 문장을 접속사로 시작하는 한 문장으로 바꿔 쓰시오.

[보기]	until	while	since	after

(1) I was exhausted, so I took a nap under the tree.

> _____

(2) I will go shopping first, and then I'll go to see an exhibition.

> _____

(3) I did my homework. Dad was cooking dinner at that time.

> _____

2 다음 문장과 의미가 같도록 빈칸에 알맞은 말을 쓰시오.

If you don't take a taxi, you will be late.

(1) _____ you _____ a taxi, you will be late.

(2) Take a taxi, and _____ _____ _____ _____.

(3) Take a taxi, or _____ _____ _____ _____.

3 다음 대화의 흐름에 맞게 괄호 안의 말을 바르게 배열하여 문장을 완성하시오.

A: Mary is angry at Chris.
B: I know. The problem (it, doesn't, that, Chris, is, know).
A: That's a sad story.

> The problem _____.

4 우리말과 의미가 같도록 괄호 안의 말과 상관 접속사를 사용하여 두 개의 문장을 쓰시오. (단, 각각 다른 상관 접속사를 사용할 것)

그것은 맛있을 뿐만 아니라 너의 건강에도 좋아.
(delicious, good for your health)

(1) _____

(2) _____

개념 완성 Quiz (sidebar)

1 • 접속사 _____ : ~한 이후로 계속, ~하기 때문에
• 접속사 _____ : ~하는 동안에, ~인 반면에
> POINT 01, 02

2 • 만약 ~하면: 「_____+주어+동사」
• 만약 ~하지 않으면:
「_____+주어 ~ not …」 또는
「_____+주어+동사」
> POINT 03, 05

3 접속사 that이 이끄는 절:
• 명사절 / 부사절
• 주어일 때 단수 / 복수 취급
• that 뒤에 「주어+동사」가 이어짐
> POINT 06

4 A뿐만 아니라 B도:
• _____ _____ A _____
_____ B
• B _____ _____
A
> POINT 07

Step 2

5 우리말과 일치하도록 알맞은 접속사와 괄호 안의 말을 어법에 맞게 사용하여 문장을 완성하시오.

(1) Sarah는 네 살 때 이후로 TV에 출연해 오고 있다. (four years old)

> Sarah has been on TV _____.

(2) 폭풍우가 지나갈 때까지 실내에 있자. (the storm, pass by)

> Let's stay inside _____.

(3) 그녀는 시간이 충분히 없었지만 그것을 완벽히 끝냈다. (have enough time)

> _____, she finished it perfectly.

5 • 접속사 _____ : ~할 때까지
• 접속사 _____ : 비록 ~이지만
> POINT 01, 04

6 다음 우리말과 일치하도록 (조건)에 맞게 문장을 쓰시오.

> Sam과 나는 둘 다 음악에 관심이 없다.

[조건] 1. neither를 반드시 사용할 것
2. be interested in music을 사용할 것
3. 8단어로 쓸 것

> _____

6 상관 접속사가 주어로 쓰일 때
• both A and B: 단수 / 복수 취급
• either A or B, not A but B 등 나머지: A / B 에 수 일치
> POINT 07

고난도

7 다음 Jason의 일정표와 일치하도록 빈칸에 알맞은 말을 (조건)에 맞게 쓰시오.

Plans for Tomorrow

9:00–11:00	have a piano lesson
12:00–14:00	go shopping with Mark
14:30–16:30	play soccer
16:30	Dad will pick me up.

[조건] 1. 각 문장에 접속사 until, before, after 중 하나를 쓸 것
2. 시제에 유의하여 쓸 것

Jason is going to be very busy tomorrow. He will have a piano lesson _____ he _____ shopping with Mark. He _____ soccer _____ he finishes shopping. He will play soccer _____ his dad _____ him up.

7 시간이나 조건을 나타내는 부사절: 미래 상황을 _____로 나타냄
> POINT 01

실전 모의고사

[01-03] 빈칸에 들어갈 말로 알맞은 것을 고르시오.　각 2점

01

Turn to the right, _____ you'll see the City Hall.

① so　　　② but　　　③ or

④ and　　⑤ for

02

Not only my mother _____ I like Indian food.

① or　　　　② so　　　　③ also

④ but also　⑤ as well as

03

Is it true _____ the tall building belongs to Mr. White?

① if　　　　② when　　　③ that

④ while　　⑤ before

[04-05] 빈칸에 공통으로 들어갈 말로 알맞은 것을 고르시오.

각 3점

04

• Dana has taken cello lessons _____ she was five.

• Becky speaks English well _____ she has lived in Australia for five years.

① as　　　② if　　　③ after

④ since　　⑤ because

05

• My parents came back home _____ I was sleeping.

• My brother likes classical music, _____ I like rap music.

① since　　② while　　③ until

④ because　⑤ even though

06 우리말을 영어로 바르게 옮긴 것은?　3점

내가 뉴욕에 도착하자마자 너에게 전화할게.

① As soon as I arrive in New York, I call you.

② As soon as I arrive in New York, I'll call you.

③ As soon as I arrived in New York, I called you.

④ As soon as I will arrive in New York, I'll call you.

⑤ As soon as I will arrive in New York, I would call you.

07 빈칸 ⓐ~ⓒ에 들어갈 말이 순서대로 바르게 짝지어진 것은?　4점

• _____ⓐ_____ you don't want it, I will give it to my sister.

• _____ⓑ_____ Jake tried his best, he couldn't win the contest.

• _____ⓒ_____ I called her name, Alice turned around.

① If – As – When

② If – Although – When

③ If – While – Although

④ Unless – As – Although

⑤ Unless – Although – When

08 밑줄 친 As(as)가 (보기)와 같은 의미로 쓰인 것은? 3점

> (보기) As she was dizzy, she couldn't drive.

① As you know, I'm poor at science.

② As we climb up, the air grows colder.

③ He waved at us as he got on the plane.

④ Joan talked on the phone as she walked.

⑤ As he was very tired, he soon fell asleep.

09 밑줄 친 that을 생략할 수 있는 것은? 3점

① It wasn't true that Henry got married.

② It's shocking that Alice failed the test.

③ It was clear that he didn't like the movie.

④ I heard that a new math teacher came today.

⑤ The good news is that the police found the missing boy.

10 다음 그림의 상황을 바르게 나타낸 문장은? 3점

① Jina likes either milk or cheese.

② Jina likes both milk and cheese.

③ Jina likes neither milk nor cheese.

④ Jina likes not only milk but also cheese.

⑤ Jina doesn't like neither milk nor cheese.

11 다음 중 문장의 의미가 나머지와 다른 하나는? 3점

① Hurry up, or you'll miss the train.

② Hurry up, and you can catch the train.

③ If you hurry up, you can't catch the train.

④ Unless you hurry up, you'll miss the train.

⑤ If you don't hurry up, you can't catch the train.

12 빈칸에 들어갈 말이 나머지와 다른 하나는? 4점

① Mason believes _____ aliens exist.

② It is not easy _____ solve the problem.

③ It is certain _____ Dave broke the glass.

④ The truth is _____ Ann didn't cheat on the test.

⑤ It is interesting _____ male seahorses give birth to babies.

13 짝지어진 두 문장의 의미가 같지 않은 것은? 4점

① My friends arrived after I left.

= Before my friends arrived, I left.

② Mom can speak not only English but also Spanish.

= Mom can speak not English but Spanish.

③ As soon as the thief saw the police officer, he ran away.

= On seeing the police officer, the thief ran away.

④ If you don't follow this rule, we can't work together.

= Unless you follow this rule, we can't work together.

⑤ Since it was too hot, I had to turn on the air conditioner.

= It was too hot, so I had to turn on the air conditioner.

고난도

14 다음 중 어법상 올바른 문장은? 4점

① I wonder that he cleaned his room or not.

② My mom doesn't like neither coffee nor tea.

③ If it will be sunny on Sunday, we'll go hiking.

④ Not I but my brother have been to Bangkok.

⑤ Press the button, and the program will be started.

15 밑줄 친 that의 쓰임이 같은 것끼리 짝지어진 것은? 4점

> ⓐ The point is <u>that</u> you told me a lie.
> ⓑ <u>That</u> lady over there is Yuna's mother.
> ⓒ The man <u>that</u> I spoke to was very gentle.
> ⓓ It's disappointing <u>that</u> Robert broke his promise.
> ⓔ I think <u>that</u> Amy is the smartest in my class.

① ⓐ, ⓑ, ⓓ　　② ⓐ, ⓓ, ⓔ　　③ ⓑ, ⓒ
④ ⓑ, ⓓ, ⓔ　　⑤ ⓒ, ⓔ

18 어법상 틀린 문장의 개수는? 4점

> ⓐ Either John or his parents has to pay the bill.
> ⓑ When my grandmother be back, I'll give her a hug.
> ⓒ Because of he ate too much, he had a stomachache.
> ⓓ Even though I didn't follow Dad's recipe, the spaghetti tasted great.

① 0개　② 1개　③ 2개　④ 3개　⑤ 4개

고난도 신유형
16 다음 문장이 빈칸에 들어갈 수 있는 것은? 5점

> he will go to the summer camp

① I want to know if _____.
② I'll be very pleased if _____.
③ I'll use his laptop after _____.
④ If _____, his sister will join, too.
⑤ I'll take care of his dog when _____.

서술형

19 우리말과 일치하도록 접속사를 추가하고 괄호 안의 말을 바르게 배열하여 문장을 쓰시오. 4점

> 그가 정직한 남자라는 것은 분명하다.

> _____
> (an, he, It's, honest, is, man, clear)

고난도
17 어법상 올바른 문장끼리 짝지어진 것은? 5점

> ⓐ Neither you nor Kevin is right.
> ⓑ When his childhood, his family was very poor.
> ⓒ Although I take a taxi, I was late for the meeting.
> ⓓ It's amazing that nobody got hurt in the accident.
> ⓔ We are going to play board games until the rain stops.

① ⓐ, ⓑ, ⓓ　　② ⓐ, ⓒ, ⓔ　　③ ⓐ, ⓓ, ⓔ
④ ⓑ, ⓒ, ⓓ　　⑤ ⓑ, ⓒ, ⓔ

20 〈A〉, 〈B〉, 〈C〉에서 알맞은 말을 하나씩 골라 문장을 쓰시오. 각 3점

〈A〉	〈B〉	〈C〉
(1) Work out regularly,	because	you will be much healthier
(2) I want to either watch TV	or	it snowed a lot
(3) We couldn't go camping	and	read books

(1) _____
(2) _____
(3) _____

21 다음 두 문장을 상관 접속사를 사용하여 한 문장으로 완성하시오. 4점

> Paul doesn't like reading books. Ron doesn't like reading books, either.

= _____ Paul nor Ron _____.

22 다음 그림 속 상황에서 개미가 베짱이에게 해 줄 수 있는 말을 (조건)에 맞게 완성하시오. 4점

regret it / work hard

[조건] 1. 주어진 표현과 명령문을 사용할 것

2. and 또는 or를 반드시 포함할 것

23 다음 글의 밑줄 친 ⓐ~ⓔ 중 어법상 **틀린** 것을 바르게 고쳐 쓰시오. 4점

> The good news is ⓐ that my cousin Yuri will visit me this weekend. ⓑ As both Yuri and I ⓒ like Italian food, we will go to ⓓ neither Pizza Place ⓔ or Pasta World.

(   ) > _____

24 다음 표를 보고, Cathy의 내일 계획을 나타내는 문장을 (조건)에 맞게 쓰시오. 각 3점

화창할 경우	비가 올 경우
go to an amusement park	go to an aquarium

[조건] 1. 접속사 if와 will을 반드시 사용할 것

2. (1)에는 sunny, (2)에는 rain을 사용할 것

(1) _____

(2) _____

25 괄호 안의 접속사를 사용하여 주어진 내용을 한 문장으로 바꿔 쓰시오. 각 4점

(1)
> This salad is both tasty and healthy. (not only)

> _____

(2)
> Alice is in London, not in New York. (but)

> _____

약점 공략
틀린 문제가 있다면?

틀린 문항 번호가 있는 칸을 색칠하고, 어떤 문법 POINT의 집중 복습이 필요한지 파악해 보세요.

문항 번호	연관 문법 POINT	문항 번호	연관 문법 POINT	문항 번호	연관 문법 POINT
01	P5	10	P7	19	P6
02	P7	11	P3, P5	20	P2, P5, P7
03	P6	12	P6	21	P7
04	P1, P2	13	P1, P2, P3, P7	22	P5
05	P1	14	P3, P5, P7	23	P2, P6, P7
06	P1	15	P6	24	P3
07	P1, P3, P4	16	P1, P3	25	P7
08	P1, P2	17	P1, P4, P6, P7		
09	P6	18	P1, P2, P4, P7		

연관 문법 POINT 참고

P1 (p.142) 시간을 나타내는 접속사   P5 (p.144) 명령문, and/or ~

P2 (p.142) 이유를 나타내는 접속사   P6 (p.146) 접속사 that

P3 (p.144) 조건을 나타내는 접속사   P7 (p.146) 상관 접속사

P4 (p.144) 양보를 나타내는 접속사

Level Up Test

신유형

01 어법상 틀린 것끼리 바르게 짝지어진 것은?

> ⓐ Neither Kelly nor I like insects.
> ⓑ Either Ann or Julia are going to come with us.
> ⓒ The test was both very short and quite easy.
> ⓓ He is not only intelligent but also studies hard.
> ⓔ You'll have to wait until they will call your name.

① ⓐ, ⓑ, ⓒ　　② ⓐ, ⓑ, ⓓ　　③ ⓑ, ⓒ, ⓔ
④ ⓑ, ⓓ, ⓔ　　⑤ ⓒ, ⓓ, ⓔ

02 빈칸에 들어갈 접속사를 순서대로 바르게 말한 사람은?

> (A) It's not surprising _____ he said no.
> (B) Our coach will be upset _____ we are there on time.
> (C) He doesn't go skiing any more _____ he had an accident.

① 창민　as – because – although
② 희수　while – even though – since
③ 기철　when – until – because of
④ 은빈　because – when – unless
⑤ 나영　that – unless – because

03 우리말과 일치하도록 7단어의 문장으로 쓸 때 앞에서 다섯 번째로 오는 단어는? (단, 한 단어의 접속사로 시작할 것)

> 비록 그녀는 가끔 거짓말을 하지만, 나는 그녀를 믿는다.

① I　　　② sometimes　③ she
④ lies　　⑤ trust

서술형

04 〈A〉와 〈B〉의 각 내용을 [보기]에 주어진 접속사로 연결하여 한 문장으로 쓰시오. (단, 접속사로 문장을 시작할 것)

> [보기]　if　　although　　unless

〈A〉	〈B〉
(1) she is rich	• you'll get pink
(2) you mix red and white	• he'll go to the movies with Emma
(3) Tony is busy this weekend	• she doesn't waste money

(1) _____

(2) _____

(3) _____

05 자연스러운 문장이 되도록 [보기]에서 알맞은 표현을 골라 [조건]에 맞게 문장을 완성하시오.

> [보기]　you're driving
> she comes back
> you come into the house
> I fought with him

> [조건]　1. 접속사 until, before, since, while 중 하나를 사용할 것
> 　　　　2. 접속사가 중복되지 않게 할 것

(1) Don't talk on the phone _____.

(2) Take off your shoes _____.

(3) Let's wait here _____.

(4) I haven't seen him _____.

CHAPTER 12

가정법

직설법은 있는 그대로를 말하는 어법인 반면,
가정법은 실제 사실과 반대되는 일을 사실처
럼 가정(假定)해서 말하거나 일어날 가능성이
적은 일에 대한 소망을 나타내는 어법이다.

Preview

| 가정법 과거 | If I were you, I wouldn't accept his suggestion.
If she had more time, she could read more books. |

| 가정법 과거완료 | If it had been sunny, we could have gone camping.
If she had seen you, she would have waved at you. |

| I wish 가정법 | I wish+가정법 과거 | I wish I were better at math. |
| | I wish+가정법 과거완료 | I wish I had learned how to ski. |

| as if 가정법 | as if+가정법 과거 | He talks as if he knew everything. |
| | as if+가정법 과거완료 | He acted as if nothing had happened. |

UNIT 1 가정법 과거

POINT 01 가정법 과거

*If I were you, I would ask for help. 내가 너라면 도움을 요청할 텐데.

If+주어+동사의 과거형 — 종속절
주어+조동사의 과거형+동사원형 — 주절

*현실과 반대되는 상황을 가정해서 말하고 있어.

현재 사실과 반대되는 상황이나 실현 가능성이 희박한 일을 소망하여 가정할 때 쓴다.

| If+주어+동사의 과거형 ~, 주어+조동사의 과거형+ 동사원형 …. | (만약) ~라면 …할 텐데 | If he came early, he could meet her. I would play outside if it were sunny. |
| | | ⊕ if절의 be동사는 주어의 인칭과 수에 관계없이 were를 사용한다. 서술형 빈출 |

ⓘ 가정법 과거를 사실 그대로를 말하는 직설법으로 바꿀 때는 현재시제를 사용하며, 가정법이 부정문이면 직설법은 긍정문으로, 가정법이 긍정문이면 직설법은 부정문으로 쓴다. 서술형 빈출

If I had time, I could visit Mike. [가정법 과거]
→ As I don't have time, I can't visit Mike. [직설법 현재]

POINT 02 단순 조건문 vs. 가정법 과거

If I *find the key, I will tell you. 내가 그 열쇠를 발견하면 너에게 말해 줄게.

현재시제 ／ 미래시제 ／ *동사를 보면 가정법인지 단순 조건문인지 알 수 있어.

단순 조건문은 실제로 일어날 가능성이 있는 일을 나타낸다.

단순 조건문	(만약) ~라면 …할 것이다	If I am not busy, I will travel to Canada.
	현재나 미래에 실제로 일어날 수 있는 상황에 대한 조건을 나타낼 때 사용하며, if절은 현재형, 주절은 현재형 또는 미래형으로 쓴다.
	⊕ 미래 상황이어도 조건을 나타내는 if절의 동사는 현재시제로 쓴다. 서술형 빈출 If he leaves tomorrow, he won't be able to get there on time.
가정법 과거	(만약) ~라면 …할 텐데	If I were not busy, I would travel to Canada. = As I am busy, I won't travel to Canada.
	현재 사실과 반대되는 상황이나 실현 가능성이 희박한 일을 가정할 때 쓰며, if절과 주절 모두 과거형으로 쓴다.

개념 QUICK CHECK

POINT 01

빈칸에 알맞은 것을 고르시오.

1 If she _____ me, I could finish the work earlier.
   ☐ helps   ☐ helped

2 I would be happy if he _____ my teacher.
   ☐ is   ☐ were

3 If you saw the movie, you _____ cry a lot.
   ☐ may   ☐ would

4 If he _____ my address, he would write me a letter.
   ☐ knows   ☐ knew

POINT 02

빈칸에 알맞은 것을 골라 기호를 쓰시오.

a. I'll help you with yours
b. we will go swimming
c. I would buy you lunch
d. I wouldn't have to go to school

1 If it is hot tomorrow, _____.

2 If I had more money, _____.

3 If today were Sunday, _____.

4 If I finish my project early, _____.

대표 기출 유형으로 **실전 연습**

1 우리말과 일치하도록 가정법 문장을 완성하시오.

> 그 재킷이 저렴하다면 나는 그것을 살 텐데.

> If the jacket _____ cheap, I _____ it.

2 괄호 안의 말을 어법상 올바른 형태로 바꿔 문장을 완성하시오.

(1) Dad _____ pleased if we clean up the house.
(be)

(2) If he _____ her phone number, he could call her.
(know)

자주 나와요!
3 다음 문장과 의미가 같은 것은?

> As the box is heavy, I can't carry it.

① If the box isn't heavy, I can't carry it.
② If the box isn't heavy, I could carry it.
③ If the box were heavy, I could carry it.
④ If the box weren't heavy, I could carry it.
⑤ If the box weren't heavy, I couldn't carry it.

틀리기 쉬워요!
4 두 문장의 의미가 같도록 할 때 밑줄 친 ①~⑤ 중 어법상 틀린 것은?

> If I <u>didn't know</u> the truth, I <u>would believe</u> the report.
>   ①   ②
> = As I <u>know</u> the truth, I <u>didn't believe</u> the report.
>   ③   ④   ⑤

5 다음 중 어법상 올바른 문장은?

① I'll help her if I had enough time.
② If we'll hurry, we can get there in time.
③ If I had a camera, I can take a picture of it.
④ He could watch the movie if he is old enough.
⑤ You can go out if you finish your homework before six.

개념 완성 Quiz *Choose or complete.*

1 현재 사실과 반대되는 상황을 가정할 때는 「If+주어+ 동사의 과거형 / 동사원형 , 주어+ 조동사의 과거형 / 조동사 +동사원형」으로 나타낸다.
> POINT 01

2 미래에 실제로 일어날 수 있는 상황에 대한 조건을 나타낼 때 if절의 동사는 과거시제 / 현재시제 / 미래시제 로 쓴다.
> POINT 01, 02

3 가정법 과거 문장은 과거시제 / 현재시제 / 미래시제 를 사용한 직설법 문장으로 바꿔 쓸 수 있다.
> POINT 01

4 실현 가능성이 희박한 일을 가정할 때 쓰는 가정법 과거 문장의 주절에는 조동사 / 일반동사 의 과거형이 쓰인다.
> POINT 01

5 단순 조건문과 가정법 과거 문장은 실현 가능성 / 가정하는 시점 에 차이가 있다.
> POINT 01, 02

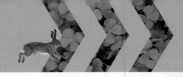

UNIT 2 가정법 과거완료

POINT 03 가정법 과거완료

*If Tom **had practiced** harder, he **would have won**.

　　　　└─ had+과거분사 ─┘　　　└─ 조동사의 과거형+have+과거분사 ─┘
　　　　└───── 종속절 ─────┘　　　└────── 주절 ──────┘

Tom이 더 열심히 연습했다면 우승했을 텐데.　*더 열심히 연습하지 않아서 우승하지 못했다는 말이야.

과거 사실과 반대되는 상황이나 과거에 이루지 못한 일을 가정할 때 쓴다.

If+주어+had+과거분사 ~, 주어+조동사의 과거형+ have+과거분사 ….	(만약) ~였다면 …했을 텐데	If I **had had** money, I **would have bought** the bag. If I **had not been** sick, my parents **wouldn't have worried** about me.
		✚ 부정문으로 쓸 때는 if절은 had 뒤, 주절은 조동사 과거형 뒤에 not이나 never를 쓴다.

ⓘ 가정법 과거완료를 직설법으로 바꿀 때는 과거시제를 사용하며, 가정법이 부정문이면 직설법은 긍정문으로, 가정법이 긍정문이면 직설법은 부정문으로 쓴다. [서술형 빈출]
If I **had not fallen** down, I **could have come** in first. [가정법 과거완료]
→ As I **fell** down, I **couldn't come** in first. [직설법 과거]

POINT 04 가정법 과거 vs. 가정법 과거완료

If I **had been** there *yesterday, I **could have seen** you.

　　　　　　　　└ 가정하는 시점 (과거) ┘

내가 어제 그곳에 있었다면 너를 볼 수 있었을 텐데.　*가정하는 시점이 과거이므로 가정법 과거완료를 써.

가정법 과거와 가정법 과거완료는 가정하는 시점이 다르다.

가정법 과거	(만약) ~라면 …할 텐데	If it **snowed**, we **could make** a snowman. → As it **doesn't snow**, we **can't make** a snowman.
		현재 사실과 반대되는 상황을 가정하며, if절의 동사와 주절의 (조)동사 모두 과거형으로 쓴다.
가정법 과거완료	(만약) ~였다면 …했을 텐데	If it **had snowed** during the trip, we **could have made** a snowman. → As it **didn't snow** during the trip, we **couldn't make** a snowman.
		과거 사실과 반대되는 상황을 가정하며, if절의 동사는 「had+과거분사」, 주절의 동사는 「조동사의 과거형+have+과거분사」로 쓴다.

POINT 03

밑줄 친 부분을 바르게 고쳐 쓰시오.

1 If I <u>wore</u> a coat, I wouldn't have caught a cold.

2 We could <u>enjoy</u> the party if we had been invited.

3 If David <u>has known</u> the truth, he would have been angry.

4 If he had not helped me, I <u>would fail</u> the test.

POINT 04

두 문장의 의미가 같도록 괄호 안에서 알맞은 것을 고르시오.

1 As I was tired, I didn't go fishing.
= If I (weren't / hadn't been) tired, I would (go / have gone) fishing.

2 As she didn't hurry, she couldn't buy the ticket.
= If she (had / had not) hurried, she (could / couldn't) have bought the ticket.

3 As I lost my cell phone, I couldn't call you.
= If I (didn't lose / hadn't lost) my cell phone, I could (call / have called) you.

대표 기출 유형으로 **실전 연습**

1 주어진 문장을 가정법 문장으로 완성하시오.

As I came home late, Mom was worried.

> If I _____ home late, Mom _____ worried.

2 빈칸에 알맞은 말을 〔보기〕에서 골라 어법에 맞게 쓰시오.

〔보기〕	go	catch	miss

(1) If I had run faster, I could _____ the train.

(2) If I had more time, I would _____ hiking with you.

자주 나와요!
3 다음 문장과 의미가 같은 것은?

He would have been with us if he hadn't gone on a trip.

① He goes on a trip, so he isn't with us.
② He went on a trip, so he wasn't with us.
③ He'll go on a trip, so he won't be with us.
④ We went on a trip, so we weren't with him.
⑤ We'll go on a trip, so we won't be with him.

틀리기 쉬워요!
4 주어진 문장에 이어질 말로 알맞은 것은?

I don't have my smartphone now. _____

① If I had it, I could call my mom.
② If I have it, I cannot call my mom.
③ If I had had it, I could call my mom.
④ If I have it, I couldn't have called my mom.
⑤ If I had had it, I could have called my mom.

5 다음 글의 밑줄 친 문장에서 어법상 틀린 부분을 찾아 바르게 고쳐 쓰시오.

It was Dave's birthday yesterday, but I totally forgot. If I didn't forget his birthday, I would have sent him a present.

_____ > _____

개념 완성 **Quiz**　*Choose or complete.*

1 과거 사실과 반대되는 상황을 가정할 때는 if절에 〔동사의 과거형 / had+과거분사〕을(를) 쓴다.
> POINT 03

2 가정법 과거와 가정법 과거완료는 〔실현 가능성 / 가정하는 시점〕이 다르다.
> POINT 03, 04

3 가정법 과거완료 문장은 직설법 〔현재 / 과거〕 문장으로 바꿔 쓸 수 있으며, 이때 가정하는 내용과 〔반대되는 / 일치하는〕 내용으로 나타낸다.
> POINT 03

4 현재 사실과 반대되는 상황을 가정하여 소망을 나타낼 때는 가정법 〔과거 / 과거완료〕를 사용한다.
> POINT 04

5 가정법 과거완료는 〔과거 사실 / 현재 사실〕과 반대되거나 〔과거 / 현재〕에 이루지 못한 일을 가정할 때 쓴다.
> POINT 03, 04

UNIT 3 I wish+가정법, as if+가정법

POINT 05 I wish+가정법

> **I wish I had a car.** 내게 차가 있으면 좋을 텐데.
> 가정법 과거
> *차가 없는 현재 상황과 반대되는 상황을 소망하는 말이야.

「I wish+가정법 과거」는 현재의 이룰 수 없는 소망이나 현재 사실에 대한 유감이나 아쉬움을 나타내고, 「I wish+가정법 과거완료」는 과거 사실에 대한 유감이나 아쉬움을 나타낸다.

I wish+가정법 과거 (주어+동사의 과거형)	~라면 좋을 텐데	I wish someone **cleaned** my room. I wish Joe **were** my classmate.
		➊ be동사가 쓰이면 인칭과 수에 관계없이 were를 쓴다.
I wish+가정법 과거완료 (주어+had+과거분사)	~였다면 좋았을 텐데	I wish I **had brought** my umbrella. I wish I **had** not **been** late for the concert.

ⓘ '~해서 유감이다'라는 뜻의 직설법 문장 I'm sorry (that) ~.로 바꿔 쓸 수 있다. [서술형 빈출]
I wish he **were** nice to other people. [I wish+가정법 과거]
→ I'm sorry (that) he **isn't** nice to other people. [직설법 현재]
I wish I **had finished** my project yesterday. [I wish+가정법 과거완료]
→ I'm sorry (that) I **didn't finish** my project yesterday. [직설법 과거]

POINT 06 as if+가정법

> **He talks *as if he knew everything.** 그는 모든 것을 아는 것처럼 말한다.
> 가정법 과거
> *실제로는 아닌데 그런 척하는 것을 나타내.

「as if+가정법」은 실제로는 그렇지 않지만 그런 것처럼 가정하여 말할 때 사용한다.

as if+가정법 과거 (주어+동사의 과거형)	(현재) 마치 ~인 것처럼	I *feel* **as if** I **were** in heaven. (In fact, I *am not* in heaven.) She *acted* **as if** she **knew** me. (In fact, she *didn't know* me.)
		주절의 시제와 같은 시점의 일을 가정한다.
as if+가정법 과거완료 (주어+had+과거분사)	(그때) 마치 ~였던 것처럼	Tim *talks* **as if** he **had seen** the movie. (In fact, he *didn't see* the movie.) The man *acted* **as if** he **had met** me before. (In fact, we *had not met* before.)
		주절의 시제보다 이전 시점의 일을 가정한다.

개념 QUICK CHECK

POINT 05

주어진 문장을 소망을 나타내는 표현으로 쓸 때 빈칸에 알맞은 말을 쓰시오.

1 I'm sorry we don't have a fall vacation.
  > I wish we _____ a fall vacation.

2 I'm sorry that you didn't help me yesterday.
  > I wish you _____ me yesterday.

3 I'm sorry that we don't go to the same school.
  > I wish we _____ to the same school.

4 I'm sorry that Mr. Lee wasn't my teacher last year.
  > I wish Mr. Lee _____ my teacher last year.

POINT 06

빈칸에 알맞은 말을 골라 기호를 쓰시오.

| a. he knew |
| b. she had finished |
| c. their team won |
| d. I had been |

1 Joe acts as if _____ the answer.

2 They speak as if _____ the game.

3 Sue talks as if _____ the work yesterday.

4 I felt as if _____ there before.

대표 기출 유형으로 **실전 연습**

1 주어진 문장을 가정법을 사용한 문장으로 바꿀 때 빈칸에 알맞은 말을 쓰시오.

I'm sorry that he is not my friend.

> I wish _____ my friend.

2 빈칸에 들어갈 말로 알맞은 것은?

The concert was fantastic. I wish you _____ it with me.

① enjoy ② enjoyed ③ was enjoying
④ have enjoyed ⑤ had enjoyed

3 다음 글의 빈칸에 알맞은 말을 쓰시오.

She talks as if she _____ my secret. In fact, she doesn't know it.

4 다음 문장으로 알 수 있는 사실은?

They act as if they were a couple.

① They were a couple.
② They want to be a couple.
③ They are not a real couple.
④ They think they are a couple.
⑤ They are going to be a couple.

5 다음 글의 밑줄 친 문장에서 어법상 틀린 부분을 찾아 바르게 고쳐 쓰시오.

My brother talks to Mom as if he did his homework. But I know he didn't do it.

_____ > _____

개념 완성 Quiz *Choose or complete.*

1 현재 사실에 대한 유감이나 아쉬움을 표현할 때는 「I wish+주어+ 동사의 과거형 / had+과거분사 」(으)로 나타낸다.
> POINT 05

2 과거 사실에 대한 유감이나 아쉬움을 표현할 때는 「I wish+주어+ 동사의 과거형 / had+과거분사 」(으)로 나타낸다.
> POINT 05

3 「as if+가정법 과거」는 주절보다 과거의 시점 / 주절과 같은 시점 의 일을 가정할 때 사용한다.
> POINT 06

4 주절의 시제와 같은 시점의 일을 '마치 ~인 것처럼'이라고 가정할 때는 「as if +주어+ 동사원형 / 동사의 과거형 / had+과거분사 」의 형태를 사용한다.
> POINT 06

5 주절의 시제보다 이전 시점의 일을 '마치 ~였던 것처럼'이라고 가정할 때는 「as if+주어+ 동사원형 / 동사의 과거형 / had+과거분사 」의 형태를 사용한다.
> POINT 06

서술형 실전 연습

1 빈칸에 알맞은 말을 [보기]에서 골라 어법에 맞게 문장을 완성하시오.

[보기]	be	live	turn	come

(1) If Amy _____ to the party, she could meet Mina.

(2) You'll find the store if you _____ left at the corner.

(3) I could have seen the movie if the exam _____ over.

자주 나와요!
2 주어진 문장을 가정법 문장으로 완성하시오.

(1) As he doesn't have a car, he can't pick you up.

> If he _____ a car, he _____ _____ you up.

(2) I practiced hard. That's why I didn't lose the game.

> If I _____ _____ hard, I _____ _____ _____
the game.

(3) In fact, Andy cannot read my mind.

> Andy always smiles as if he _____ _____ my mind.

3 괄호 안의 말을 바르게 배열하여 문장을 완성하시오.

If I _____ last weekend,
　　　　　　(busy, had, been, not)
I _____.
　　　(visited, have, my grandparents, would)

4 우리말과 일치하도록 괄호 안의 말을 사용하여 문장을 완성하시오.

(1) 지금이 점심 시간이면 좋을 텐데.

> I wish _____ now. (it, lunchtime)

(2) 내가 그때 그녀의 조언을 받아들였더라면 좋을 텐데.

> I wish _____ then. (take, her advice)

Step 2

5 다음 글에서 어법상 **틀린** 부분을 찾아 바르게 고쳐 쓰시오.

> Lena acts as if nothing happened to her. In fact, she left her wallet on the bus.

_____ > _____

6 Jessica가 처한 다음 상황을 읽고, 빈칸에 알맞은 말을 써서 문장을 완성하시오.

> It is raining heavily, and Jessica is at school. It's time to go home, but she doesn't have an umbrella. In this situation, what would Jessica say?

I wish _____ _____ _____ _____ .

Jessica

고난도

7 다음 대화의 밑줄 친 문장을 주어진 〔조건〕에 맞게 바꿔 쓰시오.

> **A:** Hi, Cathy. You look sleepy.
> **B:** I couldn't sleep well last night because it was noisy outside.
> **A:** That's too bad.

〔조건〕　1. If로 문장을 시작할 것
　　　　2. 반대되는 상황을 가정하는 문장으로 쓸 것

> _____

8 빈칸에 알맞은 말을 〔보기〕에서 골라 어법에 맞게 글을 완성하시오.

〔보기〕	be	lie	go

> Sam talks as if he always (1) _____ to the library after school. But in fact, he doesn't go there at all. I want to say to him, "If I (2) _____ you, (3) I _____ _____."

실전 모의고사

시험일 :	월	일	문항 수 : 객관식 18 / 서술형 7
목표 시간 :			총점
걸린 시간 :			/ 100

[01-02] 빈칸에 들어갈 말로 알맞은 것을 고르시오.   각 2점

01

> If I were you, I _____ the contest.

① enter   ② entered
③ will enter   ④ would enter
⑤ have entered

02

> Mom treats me as if I _____ a baby.

① am   ② were   ③ will be
④ would be   ⑤ have been

03 빈칸에 들어갈 have의 올바른 형태가 순서대로 바르게 짝지어진 것은?   3점

> • Raise your hand if you _____ a question.
> • I would buy the skirt if I _____ a daughter.

① have – have   ② have – had
③ have – will have   ④ had – will have
⑤ had – would have

04 주어진 문장을 가정법 문장으로 바꿔 쓸 때 빈칸에 들어갈 말로 알맞은 것은?   3점

> I didn't go to bed early last night, so I got up late.
> > If I _____ to bed earlier last night, I wouldn't have gotten up late.

① went   ② had gone
③ have gone   ④ hadn't gone
⑤ haven't gone

05 우리말을 영어로 바르게 옮긴 것은?   3점

> 내가 노래를 잘하면 좋을 텐데.

① I wish I be a good singer.
② I wish I'll be a good singer.
③ I wish I were a good singer.
④ I wish as if I were a good singer.
⑤ I wish I have been a good singer.

06 다음 대화의 빈칸에 들어갈 말로 알맞은 것은?   3점

> **A:** What would you do if you won the lottery?
> **B:** _____

① I'll be happy.
② I help others in need.
③ I donated some money.
④ I would have visited many countries.
⑤ I would buy a nice house for my parents.

07 밑줄 친 부분이 어법상 **틀린** 것은?   3점

① If you go this way, you will get lost.
② If she were here, she would be excited.
③ If he isn't busy, I could have lunch with him.
④ If he knew the truth, he would be surprised.
⑤ If they got here on time, I could meet them.

08 밑줄 친 ①~⑤ 중 어법상 **틀린** 것은?   3점

> If it were fine yesterday, my family would
>   ①   ②   ③
> have planted the seeds.
>   ④   ⑤

09 주어진 문장에 이어질 말로 알맞은 것은? 3점

> Brandon didn't solve the problem, but _____.

① he talks as if he solves it
② he talks as if he solved it
③ he talks as if he will solve it
④ he talks as if he had solved it
⑤ he talks as if he hadn't solved it

[10-11] 주어진 문장의 의미로 알맞은 것을 고르시오. 각 3점

10

> If we had those books, we wouldn't have to borrow them.

① I feel as if we had those books.
② We had those books because we borrowed them.
③ We don't have those books, so we have to borrow them.
④ As we have those books, we don't have to borrow them.
⑤ Though we don't have those books, let's not borrow them.

11

> I wish I knew all the answers.

① I'm sure that I know all the answers.
② I wondered if I knew all the answers.
③ I'm afraid that I know all the answers.
④ I'm sorry I don't know all the answers.
⑤ I'm sorry I didn't know all the answers.

[12-13] 빈칸에 들어갈 말로 알맞지 <u>않은</u> 것을 고르시오. 각 3점

12

> If I spoke English well, _____.

① I could teach my sister English
② I would travel around the world
③ I could make friends more easily
④ I might have been an English teacher
⑤ I would be able to read English novels

13

> Laura talks as if _____.

① she knows me
② she had visited Rome
③ she had read the book
④ she were a good student
⑤ she had met John yesterday

14 두 문장의 의미가 같도록 할 때, 빈칸에 들어갈 말이 순서대로 바르게 짝지어진 것은? 4점

> Sarah doesn't have a pet, so she feels lonely.
> = _____ Sarah _____ a pet, she _____ feel lonely.

① If – has – will
② If – had – would
③ If – had – wouldn't
④ As – has – will
⑤ As – had – wouldn't

15 다음 중 어법상 올바른 문장은? 4점

① I would give you a ride if I had a car.
② I wish I didn't eat too much last night.
③ She talked as if she has gone camping.
④ My parents will be glad if I'll pass the test.
⑤ If I had my cell phone, I could have texted you.

16 빈칸에 알맞은 be동사의 형태가 나머지와 <u>다른</u> 하나는?

4점

① I wish I _____ a good swimmer.

② He always acts as if he _____ a doctor.

③ If he _____ here, he could play with us.

④ You can go to bed now if you _____ sleepy.

⑤ We could move the chairs if they _____ not heavy.

통합 고난도

17 밑줄 친 부분을 어법에 맞게 고친 것 중 <u>틀린</u> 것은? 5점

① I wish Dad <u>goes</u> camping with us.
　　　　　→ could go

② Tom wishes he <u>is</u> born in Denmark.
　　　　　　　→ had been

③ If I had an oven, I <u>can</u> make cookies.
　　　　　　　→ will be able to

④ Lisa walks as if she <u>is</u> a fashion model.
　　　　　　　→ were

⑤ If I <u>knew</u> his email address, I would have
　　　　→ had known
contacted him.

18 어법상 올바른 것끼리 짝지어진 것은? 4점

ⓐ If you got nervous, call me anytime.

ⓑ If it were sunny, we could go to the beach.

ⓒ Jenny talks to me as if she got up early every morning.

ⓓ If Jake had had no plans last Sunday, I could go to the museum with him.

① ⓐ, ⓑ　　　② ⓐ, ⓓ　　　③ ⓑ, ⓒ

④ ⓑ, ⓒ, ⓓ　　　⑤ ⓑ, ⓓ

서술형

19 우리말과 일치하도록 빈칸에 알맞은 말을 쓰시오. 3점

만약 그가 여기에 있다면 그는 뭐라고 말할까?

> What _____ he _____ if he _____ here?

20 다음 문장에서 어법상 <u>틀린</u> 부분을 찾아 바르게 고쳐 쓰시오. 3점

Minho wasn't at the party yesterday, but he acts as if he has been there.

_____ > _____

21 주어진 문장을 가정법 문장으로 완성하시오. 각 3점

(1) I'm sorry I'm not good at sports.

> I wish _____.

(2) I'm sorry she didn't invite me to her party.

> I wish _____.

(3) He didn't travel to Europe.

> He talks as if _____.

22 주어진 고민을 읽고, (보기)에서 알맞은 내용을 골라 조언 하는 문장을 완성하시오.　　　각 3점

> (보기)　make a list of things to buy
>
> 　　　　get up 30 minutes earlier
>
> 　　　　take a note of what to do

(1) **A:** I don't have time to eat breakfast.

　　B: If I were you, ＿＿＿＿＿＿＿＿＿.

(2) **A:** I always forget what I have to do.

　　B: If I were you, ＿＿＿＿＿＿＿＿＿.

(3) **A:** I bought too many things.

　　B: If I had been in your place, ＿＿＿＿＿

　　＿＿＿＿＿＿＿＿＿＿＿＿＿＿＿＿.

23 ⟨A⟩와 ⟨B⟩에 제시된 표현을 한 번씩 사용하여 (예시)와 같이 가정법 문장으로 쓰시오.　　　각 3점

⟨A⟩ 원인	⟨B⟩ 결과
didn't study hard	failed the exam
(1) don't have my wallet	can't take a taxi
(2) had too much food	had a stomachache

> (예시)　If I had studied hard, I wouldn't have failed the exam.

(1) ＿＿＿＿＿＿＿＿＿＿＿＿＿＿＿＿

(2) ＿＿＿＿＿＿＿＿＿＿＿＿＿＿＿＿

24 다음 대화를 읽고, 물음에 답하시오.　　　각 3점

> **A:** If you ＿＿＿＿＿＿ there, we could have enjoyed the festival together.
>
> **B:** Yes. I'm sorry I wasn't there.

(1) 빈칸에 들어갈 be동사의 알맞은 형태를 쓰시오.

(2) 밑줄 친 문장을 다음과 같이 바꿔 쓸 때 빈칸에 알맞은 말을 쓰시오.

　　> I wish ＿＿＿＿＿＿＿＿＿＿＿＿.

25 다음 글을 읽고, 물음에 답하시오.　　　각 3점

> I went hiking with Kate yesterday. Kate was late, so we missed the train. Kate didn't say sorry to me and even acted (A) <u>as if she didn't do</u> anything wrong. Kate didn't seem to know that (B) 만약 그녀가 제시간에 왔 더라면 우리는 기차를 탈 수 있었을 것이다.

(1) 밑줄 친 (A)를 어법에 맞게 고쳐 쓰시오.

　　> ＿＿＿＿＿＿＿＿＿＿＿＿＿＿＿＿

(2) 밑줄 친 (B)의 우리말을 괄호 안에 주어진 단어를 사용 하여 영어로 옮겨 쓰시오.

　　> ＿＿＿＿＿＿＿＿＿＿＿(come) on time, we ＿＿＿＿＿＿＿＿＿(take) the train

약점 공략
틀린 문제가 있다면?

틀린 문항 번호가 있는 칸을 색칠하고, 어떤 문법 POINT의 집중 복습이 필요한지 파악해 보세요.

문항 번호	연관 문법 POINT	문항 번호	연관 문법 POINT	문항 번호	연관 문법 POINT
01	P1	10	P1	19	P1
02	P6	11	P5	20	P6
03	P2	12	P1	21	P5, P6
04	P3	13	P6	22	P1, P3
05	P5	14	P1	23	P1, P3
06	P1	15	P1~P6	24	P3, P5
07	P1, P2	16	P1, P2, P5, P6	25	P3, P6
08	P3, P4	17	P1~P6		
09	P6	18	P1, P2, P3, P6		

연관 문법 POINT 참고

P1 (p.156) 가정법 과거 　　　　　　P4 (p.158) 가정법 과거 vs.
P2 (p.156) 단순 조건문 vs. 　　　　　　　　　　　가정법 과거완료
　　　　　　가정법 과거 　　　　　P5 (p.160) I wish+가정법
P3 (p.158) 가정법 과거완료 　　　　P6 (p.160) as if+가정법

 Level Up Test

·············· 신유형 ··············

01 (A)~(C)에 대해 바르게 설명한 학생은?

> (A) If I go to the park, I will bring my dog.
> (B) If Sam were here, he would be really delighted.
> (C) If I had heard the weather report, I would have taken my umbrella.

① 소희 세 문장 모두 가정법 문장이야.

② 준호 (A)에서 go는 went, will bring은 brought 로 바꿔야 해.

③ 현수 (B)의 If절에서 were는 is로 바꿔야 해.

④ 유진 (B)에서 알 수 있는 사실은 Sam이 지금 여기에 없다는 거야.

⑤ 효정 (C)에서 '나'는 일기예보를 들었어.

02 빈칸 ⓐ~ⓔ에 들어갈 말이 어법상 틀린 것은?

> • He sounds as if he ____ⓐ____ a cold.
> • You'll find the bank if you ____ⓑ____ right.
> • I wish I ____ⓒ____ how to swim.
> • If you ____ⓓ____ me, you would understand.
> • If Jane hadn't climbed up the tree, she ____ⓔ____ her arm.

① ⓐ had   ② ⓑ turn

③ ⓒ had learned   ④ ⓓ are

⑤ ⓔ wouldn't have broken

03 다음 중 어법상 틀린 문장 두 개를 고르시오.

① She talks as if she had been ill.

② I wish it weren't cold and windy.

③ If you were under 18, you would get a discount.

④ If the player had practiced more, he would win the prize.

⑤ She wouldn't have bought the backpack if it not had been on sale.

·············· 서술형 ··············

04 【예시】와 같이 주어진 상황을 가정법 문장으로 쓰시오.

> 【예시】 상황 You don't wake up before 7:00, so you can't have breakfast.
> > If you woke up before 7:00, you could have breakfast.

(1)
> 상황 He doesn't have his glasses, so he can't see better.

> _____

(2)
> 상황 She wasn't careful, so she spilled her coffee.

> _____

05 다음 대화를 읽고, 물음에 답하시오.

> (A) Right, but I feel the cold more than others.
> (B) Are you cold? But it feels like it's spring today.
> (C) Yes, please. I hate winter. 내가 하와이에 있으면 좋겠어. (wish, Hawaii)
> (D) Oh, that's too bad. Do you want me to turn on the heater?

(1) 자연스러운 대화가 되도록 (A)~(D)를 배열하시오.

   (   ) – (   ) – (   ) – (   )

(2) 밑줄 친 우리말을 괄호 안의 말을 사용하여 영어로 쓰시오.

   _____

수능과 내신을 한 번에 잡는
프리미엄 고등 영어 수프림 시리즈

문법 어법

Supreme 고등영문법
쉽게 정리되는 고등 문법 / 최신 기출 문제 반영 /
문법 누적테스트

Supreme 수능 어법 기본
수능 어법 포인트 72개 / 내신 서술형 어법 대비 /
수능 어법 실전 테스트

Supreme 수능 어법 실전
수능 핵심 어법 포인트 정리 / 내신 빈출 어법 정리 /
어법 모의고사 12회

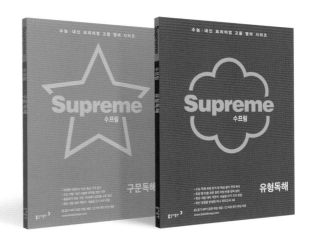

독해

Supreme 구문독해
독해를 위한 핵심 구문 68개 / 수능 유형 독해 /
내신·서술형 완벽 대비

Supreme 유형독해
수능 독해 유형별 풀이 전략 / 내신·서술형 완벽 대비 /
미니모의고사 3회

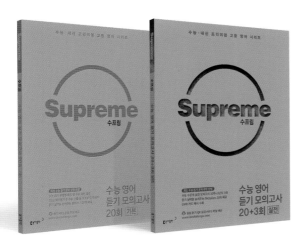

듣기

Supreme 수능 영어 듣기 모의고사 20회 기본
14개 듣기 유형별 분석 / 수능 영어 듣기 모의고사 20회 /
듣기 대본 받아쓰기

Supreme 수능 영어 듣기 모의고사 20+3회 실전
수능 영어 듣기 모의고사 20회+고난도 3회 /
듣기 대본 받아쓰기

동아출판

실전 문제로 중학 내신과 실력 완성에

빠르게 통하는

영문법 핵심 1200제

Answers

LEVEL

2

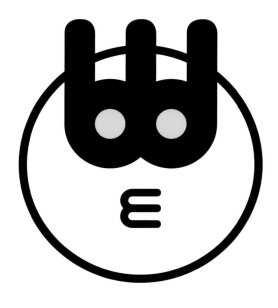

 동아출판

CHAPTER 01
문장의 형식

UNIT 01 1형식·2형식 문장

개념 QUICK CHECK p. 8

POINT 01   **1** They/didn't come.

주어   동사

2 The dogs/barked/loudly.

주어   동사   부사

4 There/were/flowers/in the box.

동사   주어   부사구

POINT 02   **1** sweet   **2** good   **3** old   **4** feels like

실전 연습 p. 9

1 ②   **2** look different   **3** ③   **4** ②   **5** ④

1 주어와 동사만으로 문장이 성립하는 1형식 문장이므로 빈칸에는 부사나 부사구가 들어갈 수 있다.

2 '~해 보이다'는 「look+형용사」로 나타낸다.

3 ③은 「주어+be동사+주격보어(명사구)」 형태의 2형식 문장이고, ①, ②, ⑤는 「주어+동사+부사(구)」 형태, ④는 「There+be동사 +주어+부사구」 형태의 1형식 문장이다.

4 ② 감각동사(sound) 뒤에는 주격보어로 부사가 아닌 형용사를 써야 한다. (strangely → strange)

5 감각동사 taste와 상태·변화동사 go 뒤에는 주격보어로 형용사가 온다. 두 번째 문장은 동사(sings)를 수식하는 부사(well)가 오는 것이 알맞다.

개념 완성 Quiz

1 부사(구)   **2** look+형용사   **3** 동사   **4** 형용사
5 주격보어

UNIT 02 3형식·4형식 문장

개념 QUICK CHECK p. 10

POINT 03   **1** 2형식   **2** 3형식   **3** 1형식   **4** 3형식
POINT 04   **1** to   **2** for   **3** for   **4** to

실전 연습 p. 11

1 ③   **2** ③   **3** showed us his pictures
4 (1) of   (2) ×   (3) for   **5** ⑤

1 like는 목적어가 필요한 동사이며, 목적어로 명사(구/절), 대명사, 동명사(구), to부정사(구)를 쓸 수 있다.

2 [보기]와 ③은 목적어가 있는 3형식 문장이고 ①, ⑤는 2형식 문장, ②, ④는 1형식 문장이다.

3 '~에게 …을 보여 주다'는 「show+간접목적어+직접목적어」로 표현한다. 3형식 문장(showed his pictures to us)으로 나타내면 빈칸 수와 맞지 않다.

4 수여동사 ask가 쓰인 3형식 문장에서는 간접목적어 앞에 전치사 of를 쓰고, make가 쓰인 문장에서는 for를 쓴다. (2)는 동사 뒤에 「간접목적어+직접목적어」가 이어지는 4형식 문장이므로 전치사가 필요하지 않다.

5 ⑤ 수여동사 buy가 3형식 문장에 쓰일 때는 간접목적어 앞에 전치사 for를 쓴다. send, show, lend, give는 3형식 문장에서 간접목적어 앞에 to를 쓴다.

개념 완성 Quiz

1 목적어   **2** 목적어   **3** ~에게, …을   **4** 간접목적어
5 전치사

UNIT 03 5형식 문장

개념 QUICK CHECK p. 12

POINT 05   **1** c   **2** b   **3** a   **4** d
POINT 06   **1** to open → open/opening   **2** ✓
      3 ✓   **4** doing → do/to do

실전 연습 p. 13

1 (1) Queen Bee   (2) boring   (3) to be
2 talking(talk) loudly   **3** ④   **4** ④   **5** ①

1 동사 call(~라고 부르다)은 목적격보어로 명사, find(~라고 생각하다)는 형용사, ask((~해 달라고) 요청하다)는 to부정사를 쓴다.

2 지각동사 hear는 목적격보어로 동사원형 또는 현재분사를 쓴다.

3 사역동사 let, have, make와 동사 help는 목적격보어로 동사원형을 쓰지만, 동사 tell은 목적격보어로 to부정사를 쓴다.

4 ④는 「주어＋동사＋목적어＋부사구」 형태의 3형식 문장이고, 나머지는 모두 「주어＋동사＋목적어＋목적격보어」 형태의 5형식 문장이다.

5 사역동사 have는 목적격보어로 동사원형을 쓰며, 동사 want는 목적격보어로 to부정사를 쓴다.

8 (1) let＋목적어＋동사원형: ～가 …하게 하다

　(2) ask＋목적어＋to부정사: ～에게 …할 것을 요청하다

서술형 실전 연습　　　　　　　　　pp.14~15

1 (1) tastes bitter　(2) looks like a doll

2 (1) a new cell phone for me

　(2) middle school students English

3 for

4 us to sit

5 (1) had Ray wash the car

　(2) heard a bird sing(singing)

6 to sit → sit / sitting

7 found the Taekwondo class exciting

8 (1) let Tom feed the dogs

　(2) asked Lisa to water the plants

1 감각동사 뒤에 형용사가 쓰일 때는 「감각동사＋형용사」, 명사가 쓰일 때는 「감각동사＋like＋명사」의 형태로 쓴다.

2 (1) 수여동사 buy가 쓰인 3형식 문장은 「buy＋직접목적어＋for＋간접목적어」의 어순으로 쓴다.
　(2) 수여동사 teach가 쓰인 4형식 문장은 「teach＋간접목적어＋직접목적어」의 어순으로 쓴다.

3 find, get, cook이 쓰인 3형식 문장에서는 간접목적어 앞에 전치사 for를 쓴다.

4 allow＋목적어＋to부정사: ～가 …하는 것을 허락하다

5 (1) 사역동사 have＋목적어＋동사원형: ～가 …하게 하다
　(2) 지각동사 hear＋목적어＋동사원형/-ing: ～가 …하는 것을 듣다

6 지각동사 see는 목적격보어로 동사원형 또는 현재분사를 쓴다.

7 「find＋목적어＋형용사」(～가 …하다고 생각하다)를 사용하여 'Anne은 태권도 수업이 재미있다고 생각했다'라는 의미의 5형식 문장을 완성할 수 있다.

실전 모의고사　　　　　　　　　pp.16~19

01 ②　**02** ②　**03** ①　**04** ③　**05** ①, ⑤　**06** ③

07 ①　**08** ④　**09** ④　**10** ②, ④　**11** ③　**12** ④

13 ③　**14** ③　**15** ④　**16** ①　**17** ⑤　**18** ④

19 (1) healthy　(2) good

20 emails to the K-pop singers

21 (1) were a lot of people in the stadium

　(2) could hear somebody snore(snoring)

22 Dad allowed me to join the soccer club.

23 He's(He is) listening to Grandma singing(sing).

24 ⓐ → Jane's pet dog looks like a wolf.

　ⓓ → My sister doesn't let me use her cell phone.

25 to give him a ride, to turn off

01 감각동사(taste) 뒤에는 주격보어로 형용사(salty)를 쓰며, 부사는 쓰지 않는다.

02 첫 번째 빈칸에는 동사 grow를 수식하는 부사 well(잘)이 알맞고, 두 번째 문장은 수여동사 get이 쓰인 3형식 문장이므로 간접목적어 앞에 전치사 for를 쓴다.

03 5형식 문장에서 동사가 지각동사(hear, feel)일 때는 목적격보어로 동사원형이나 현재분사 형태를 쓴다.

04 감각동사(look) 뒤에는 주격보어로 형용사를 쓰며, 명사가 올 경우에는 「감각동사＋like＋명사」(～처럼 …하다) 형태로 쓴다. lovely(사랑스러운)는 형용사이다.

05 ①, ⑤ 5형식 문장에서 사역동사 have와 let은 목적격보어로 동사원형을 쓴다.

06 4형식 문장을 3형식 문장으로 바꿀 때 수여동사 pass, teach, send, show 등이 쓰인 경우에는 간접목적어 앞에 전치사 to를 사용하고, make, buy, cook, get 등이 쓰인 경우에는 for를 사용한다.

07 동사 help는 5형식 문장에서 '(~가) …하는 것을 돕다'라는 의미로 쓰일 때 목적격보어로 동사원형이나 to부정사를 쓰고, 지각동사 see는 목적격보어로 동사원형이나 현재분사(-ing)를 쓰므로 공통으로 알맞은 것은 동사원형인 do이다.

08 ④는 an important meeting이 목적어인 3형식 문장이며, 나머지는 모두 「주어＋동사＋부사(구)」로 이루어진 1형식 문장이다.

09 (보기)와 ①, ②, ③, ⑤는 5형식 문장이고, ④는 간접목적어(the boys)와 직접목적어(a funny story)가 쓰인 4형식 문장이다.

10 수여동사 make 뒤에 간접목적어(his younger brother)와 직접목적어(a robot)를 써서 4형식 문장(②)으로 나타낼 수도 있고, 여기서 간접목적어와 직접목적어의 위치를 바꾸고 간접목적어 앞에 전치사 for를 사용하여 3형식 문장(④)으로 나타낼 수도 있다.

11 discuss, resemble, explain, marry, reach 등은 전치사를 쓰지 않고 바로 목적어를 쓰는 동사이다.

12 ④의 make는 목적격보어로 동사원형을 쓰는 사역동사이고, 나머지는 모두 '(~에게) …을 만들어 주다'라는 의미의 수여동사이다.

13 ③ 수여동사 give가 쓰인 4형식 문장을 3형식 문장으로 바꿀 때는 간접목적어 앞에 전치사 to를 쓴다.

14 수여동사 ask가 쓰인 3형식 문장에서는 간접목적어 앞에 전치사 of를 쓴다. 감각동사 sound 뒤에는 주격보어로 형용사를 쓰고, 사역동사로 쓰인 get은 목적격보어로 to부정사를 쓴다.

15 (보기)와 ④의 have는 '~가 …하게 하다'라는 의미를 나타내는 사역동사로 쓰였다. ①은 '가지다', ②는 '낳다', ⑤는 '먹다'의 의미로 쓰였으며, ③은 의무를 나타내는 「have to＋동사원형」의 have이다.

16 ⓐ, ⓑ: 「주어＋동사＋주격보어」로 이루어진 2형식 문장
ⓒ, ⓔ: 「주어＋동사＋목적어(＋부사구)」로 이루어진 3형식 문장
ⓓ: 「주어＋동사＋목적어＋목적격보어」로 이루어진 5형식 문장

17 ⓐ 감각동사(sound) 뒤에 명사(구)가 올 때는 「감각동사＋like＋명사(구)」 형태로 쓴다. (sounds → sounds like)
ⓑ 동사 make가 '~을 …하게 만들다'라는 의미의 5형식 문장에 쓰일 때는 목적격보어로 형용사를 쓴다. (happily → happy)
ⓒ 「주어＋동사＋목적어＋목적격보어」의 어순이 알맞다.
(named Joy his daughter → named his daughter Joy)
ⓔ 「encourage＋목적어＋목적격보어(to부정사)」: ~가 …하도록 격려하다 (becoming → to become)

18 ④ 수여동사 get이 쓰인 3형식 문장에서는 간접목적어 앞에 전치사 for를 쓴다. (→ for)

19 (1) 동사 make가 '~을 …하게 만들다'라는 의미로 5형식 문장에 쓰일 때는 목적격보어로 형용사를 쓴다.
(2) 감각동사(taste) 뒤에는 주격보어로 형용사를 쓰므로 good(맛이 좋은)이 알맞다. well이 형용사로 쓰일 때는 '건강한'을 의미

하므로 적절하지 않다.

20 수여동사 send가 쓰인 4형식 문장을 3형식 문장으로 바꿔 쓸 때는 간접목적어(the K-pop singers)와 직접목적어(emails)의 위치를 바꾸고 간접목적어 앞에 전치사 to를 쓴다.

21 (1) There is/are ~는 '~가 있다'라는 의미를 나타내는 1형식 문장이다. 주어(a lot of people)가 복수이고 시제는 과거이므로 There were ~로 쓴다.
(2) 5형식 문장에 지각동사가 쓰일 때는 목적격보어로 동사원형 또는 현재분사(-ing) 형태를 쓴다.

22 allow(~가 …하는 것을 허락하다)는 5형식 문장에서 목적격보어로 to부정사를 쓴다.

23 지각동사 listen to를 사용한 5형식 문장은 「주어＋listen to＋목적어＋동사원형/-ing」 형태로 쓴다.

24 ⓐ 감각동사 뒤에 명사가 올 때는 전치사 like를 써서 「look like＋명사」(~처럼 보이다) 형태로 나타낸다.
ⓓ 사역동사 let은 목적격보어로 동사원형을 쓴다.

25 동사 ask와 tell은 모두 목적격보어로 to부정사를 쓴다. 대화 속 me는 Justin을 가리키는 대명사 him으로 바꿔 써야 하는 것에 유의한다.

내신만점 Level Up Test p. 20

01 ②　　**02** ②　　**03** ④
04 good, sick, better, went, looked like, smelled
05 (1) to set up the tent　(2) him to prepare the food
　　(3) get some rest

---

01 ⓐ 동사(sang)를 수식하는 부사 beautifully를 쓰는 것이 알맞다. (beautiful → beautifully)
ⓓ 수여동사가 쓰인 4형식 문장에서는 간접목적어 앞에 전치사를 쓰지 않는다. (to 삭제)

02 ⓐ와 ⓔ는 5형식, ⓑ와 ⓒ는 1형식, ⓓ는 3형식 문장이다.

03 ⓑ 동사 get이 '~을 …하게 하다'의 의미로 쓰일 때 목적격보어로 to부정사를 쓴다. (wake up → to wake up)

04 감각동사(look, smell)와 상태·변화동사(get, go) 뒤에는 주격보어로 형용사가 쓰인다. 감각동사 뒤에 명사(구/절)가 오면 「감각동사＋like＋명사(구/절)」 형태로 쓴다.

05 동사 want와 tell은 목적격보어로 to부정사를 쓰고, 사역동사 have는 목적격보어로 동사원형을 쓴다. (2)에는 지호를 가리키는 목적어 him을 쓰는 것에 유의한다.

CHAPTER 02
시제

UNIT 01 현재완료의 쓰임과 형태

개념 QUICK CHECK   p. 22

POINT 01 **1** finished **2** known
  3 has lived **4** made
POINT 02 **1** ○ **2** × **3** × **4** ○

실전 연습   p. 23

1 ⑤ **2** (1) has rained (2) have not(never) driven
3 ③ **4** ④ **5** ④

1 '~ 이래로'라는 의미의 since가 있으므로 과거에서 현재까지 지속되는 상황을 나타내는 현재완료(have(has)+과거분사) 형태가 알맞으며, 주어가 3인칭 단수이므로 has를 쓴다.

2 (1) 현재까지 일정 기간 동안 지속되는 상황을 나타내므로 현재완료로 쓴다.
(2) 현재까지의 경험을 나타내므로 현재완료로 쓰며, 부정문은 have 뒤에 not이나 never를 쓴다. (drive – drove – driven)

3 ③ 과거의 특정 시점을 나타내는 부사 yesterday는 현재완료와 함께 쓰이지 않는다.

4 첫 번째 빈칸에는 현재완료의 의문문이 되도록 Have가 알맞고, 두 번째 빈칸에는 No와 호응하는 현재완료 부정문 형태가 알맞다.

5 ④ When은 특정 시점을 묻는 의문사이므로 현재완료와 함께 쓰이지 않는다. (have you finished → did you finish)

개념 완성 Quiz

1 현재완료 **2** has, 앞 **3** 과거 시점 **4** Have
5 since

UNIT 02 현재완료의 의미

개념 QUICK CHECK   p. 24

POINT 03-(1), (2) **1** △ **2** ○ **3** ○ **4** △
POINT 03-(3), (4) **1** b **2** a **3** b **4** a

실전 연습   p. 25

1 (1) ⓐ (2) ⓒ (3) ⓑ **2** (1) twice (2) yet (3) for
3 ④ **4** lived, has lived **5** ④

1 현재완료를 사용하여 (1)은 '~해 버렸다'라는 결과의 의미, (2)는 '~해 본 적이 없다'라는 경험의 의미, (3)은 '~해 오지 않았다'라는 계속의 의미를 나타낸다.

2 (1) 경험해 본 것을 나타내는 현재완료 문장이므로 횟수를 나타내는 twice가 알맞다.
(2) 아직 완료하지 못함을 나타내는 현재완료 문장이므로 yet이 알맞다.
(3) 계속의 의미를 나타내는 현재완료는 「for+기간」, 「since+과거 시점」과 같은 부사구와 주로 함께 쓰인다.

3 미국에 가서 지금 여기에 없다는 말은 결과의 의미를 나타내는 현재완료 have(has) gone to로 나타낼 수 있다. have(has) been to는 경험의 의미를 나타낸다.

4 seven years ago와 같은 과거 시점을 나타내는 부사구는 과거 시제와 함께 쓰이고, '~ 이래로'를 의미하는 「since+과거 시점」은 계속의 의미를 나타내는 현재완료와 함께 쓰인다.

5 [보기]와 ④는 완료의 의미, ①, ②, ⑤는 경험, ③은 결과의 의미를 나타낸다.

개념 완성 Quiz

1 경험 **2** 과거 시점, 기간 **3** have(has) gone
4 과거시제, 현재완료 **5** 완료

서술형 실전 연습   pp. 26~27

1 (1) has taught (2) visited
2 (1) lately (2) last Sunday (3) five years
3 been
4 Bill has had his smartphone
5 (1) Have you ever seen a shooting star?
  (2) He hasn't(has not) finished his breakfast yet.
6 (1) I haven't(have not/never) visited New Zealand, but Minho has.
  (2) I have flown a kite, but Minho hasn't.
7 (1) hasn't(has not) turned off (2) has closed
  (3) has put
8 (1) have you played (2) played (3) have played

1 (1) 2010년부터(since 2010) 현재까지 계속 '가르쳐 왔다'라는 의미이므로 현재완료 형태가 알맞다.
  (2) 과거의 특정 시점을 나타내는 부사구(three months ago)가 있으므로 과거시제가 알맞다.

2 (1) '최근에' 계속 바빴다는 내용이 적절하다.
  (2), (3) 전치사 since 뒤에는 과거 시점, for 뒤에는 기간이 온다.

3 부산에 가 본 경험이 있는지 묻고 답하는 대화이므로 have been to를 사용하는 것이 알맞다.

4 과거에 사서 지금도 가지고 있으므로 현재완료를 사용해 계속의 의미를 나타낸다. 어떤 시점의 동작을 나타내는 동사 buy는 계속의 의미로 쓸 수 없으므로 동사 has의 과거분사를 사용한다.

5 (1) 경험을 묻는 문장이므로 「Have you ever+과거분사 ~?」로 쓴다.
  (2) 아직 완료되지 않은 상황을 나타내므로 현재완료 부정문으로 표현한다. '아직'의 의미인 yet은 주로 문장 끝에 쓴다.

6 경험해 본 것은 현재완료 긍정문으로, 경험해 보지 못한 것은 현재완료 부정문으로 나타낼 수 있다.

7 과거에 시작한 어떤 일이 방금 전 또는 지금 막 완료되었음을 나타내는 현재완료를 사용하여 문장을 완성한다.

8 (1) 얼마나 오랫동안 연주해 왔냐고 묻는 말이므로 계속의 의미를 나타내는 현재완료 의문문으로 완성한다.
  (2) '5살 때'라는 과거 시점이 있으므로 과거시제를 사용한다.
  (3) 10년간 해 온 일을 나타내므로 계속의 의미를 나타내는 현재완료 형태로 쓴다.

개념 완성 Quiz

1 현재완료, 과거시제   2 since, for
3 gone, been   4 have(has), 과거분사
5 Have, seen, have(has) not finished
6 have(has), not(never)   7 완료   8 현재완료, 과거시제

실전 모의고사   pp. 28~31

01 ③   02 ③   03 ②   04 ①   05 ⑤   06 ④
07 ⑤   08 ②   09 ②   10 ⑤   11 ③   12 ④
13 ⑤   14 ②   15 ①   16 ⑤   17 ③   18 ④
19 has already started
20 Jessica has spent all her money on clothes.
21 Josh has liked Korean dramas since he first saw SKY Palace.

22 has played computer games for
23 (1) have you finished your English essay
   (2) have solved the math problems
24 visited France, has seen, hasn't(has not) seen
25 (A) Have you ever done any volunteer work
   (B) I have done volunteer work several times

01 2년 동안(for two years) '키워 왔다'라는 의미가 자연스러우므로 현재완료를 사용하며, 주어가 3인칭 단수이므로 has raised가 알맞다.

02 현재완료의 부정은 「have+not(never)+과거분사」의 어순으로 나타낸다.

03 첫 번째 문장은 '지난주에' 아팠다는 의미이므로 과거시제(was)가 알맞고, 두 번째 문장은 '지난주부터 계속' 아팠다는 의미이므로 현재완료(has been)가 알맞다.

04 모두 현재완료 문장이고 첫 번째 빈칸 뒤에는 '내가 그녀를 처음 만났을 때(부터)'라는 시작 시점, 두 번째 빈칸 뒤에는 '1년 (동안)' 이라는 기간이 이어지므로 각각 접속사 since와 전치사 for가 알맞다.

05 ⑤ 현재완료는 ~ ago와 같은 과거의 특정 시점을 나타내는 표현과 함께 쓸 수 없다.

06 ④ have gone to는 '~에 가 버려서 지금 여기에 없다'라는 결과의 의미를 나타내므로 1인칭이나 2인칭을 주어로 한 문장에서는 보통 쓰이지 않는다. 가 본 적이 있는지 경험을 물을 때는 Have you (ever) been to ~?를 쓴다.

07 기간을 묻는 How long을 사용해 얼마나 오래 '알고 지내 왔는지' 묻는 말이므로 빈칸에는 현재완료 의문문이 되도록 have와 known이 각각 알맞다.

08 ②의 현재완료는 '~해 본 적이 없다'라는 경험의 의미, 나머지는 모두 '~해 버렸다'라는 결과의 의미를 나타낸다.

09 ②의 현재완료는 '~해 오다'라는 계속의 의미, 나머지는 모두 '(지금 막/이미/아직) ~했다/못했다'라는 완료의 의미를 나타낸다.

10 10년 전에 포항으로 이사를 가서(과거시제) 아직도 그곳에 살고 있다(현재시제)고 했으므로 과거에 일어난 일이 현재에 영향을 미치거나 관련이 있을 때 사용하는 현재완료로 나타낸다. '10년 동안 살아 왔다'의 의미가 되도록 has lived와 기간을 나타내는 전치사 for를 사용한다.

11 ③은 '그곳에 한 번 가 본 적이 있다'라는 경험을 나타내는 말이므로 지금 중국에 있다는 문장에 이어지는 말로는 어색하다.

12 숙제를 다 했는지 묻고 답하는 내용이므로 완료의 의미를 나타내는 현재완료 의문문(ⓐ Have you finished ~?)과 평서문(ⓒ

has finished)이 되는 것이 알맞다. '아직 하지 못했다.'라는 말은 Not yet.으로 하며, I haven't finished it yet.의 의미이다.

13 ⑤ 어제부터 지금까지 치통이 있는 것이므로 계속의 의미를 나타내는 현재완료와 「since+시작 시점」을 사용하여 나타낼 수 있다. (→ I have had a toothache since yesterday.)

14 ⓐ, ⓓ는 계속의 의미, ⓑ는 경험, ⓒ는 완료의 의미를 나타내는 현재완료이다.

15 ① '친구가 캐나다로 가 버려서 그립다'라는 내용이 되어야 자연스러우므로 결과의 의미를 나타내는 has gone to를 사용하는 것이 알맞다. has been to는 '~에 가 본 적이 있다'라는 경험의 의미를 나타낸다. (been → gone)

16 Bill and Joe have not spoken to each other since they argued yesterday.가 완전한 문장이므로 ⓒ에 들어갈 말은 spoken이 알맞다. since 뒤에는 과거 특정 시점이 와야 하므로 과거시제(argued)가 쓰인다.

17 ⓐ When은 특정 시점을 묻는 의문사이므로 현재완료와 함께 쓰일 수 없다. (have you lost → did you lose)
ⓓ 과거 시점을 나타내는 부사구(in 1903)가 있으므로 과거시제로 써야 한다. (have flown → flew)

18 ④ 현재완료는 과거의 특정 시점을 나타내는 말(two years ago)과 함께 쓰이지 않으므로 I've had them for two years. 또는 I bought them two years ago.가 되어야 한다.

19 영화는 이미 시작했는데 친구가 늦은 상황이므로 '이미(already) ~했다'라는 완료 의미를 현재완료로 나타낸다.

20 과거에 일어난 일(spent all her money on clothes)이 현재까지 영향을 미치고 있으므로(has no money now) 결과의 의미를 나타내는 현재완료로 쓴다.

21 계속 '좋아해 왔다'라는 내용이므로 현재완료 has liked를 사용하고, 드라마를 본 시점 이후라고 했으므로 접속사 since를 쓴다.

22 오후 3시부터 밤 8시까지 컴퓨터 게임을 계속 하고 있으므로 '~해 오다'라는 계속의 의미를 나타내는 현재완료를 사용하고, 기간을 나타내는 말 앞에 쓰여 '~ 동안'을 나타내는 전치사 for를 사용한다.

23 (1) 이어지는 부정의 대답으로 보아 영어 에세이를 마쳤는지 묻는 질문이 알맞다. 완료의 의미를 나타내는 현재완료를 사용해 have you ~?로 묻는다.
(2) 현재완료를 사용해서 이미 완료한 일을 나타낸다.

24 특정 시점을 나타내는 부사구 last year가 있으므로 첫 번째 빈칸에는 과거시제가 알맞고, 나머지는 모두 해 본 경험을 나타내는 현재완료가 알맞다.

25 (A) '봉사 활동을 해 본 적 있나요?'라는 의미가 되도록 현재완료를 사용해야 하므로, 주어진 do를 과거분사 형태인 done으로

바꾸어 Have you ever done ~?으로 나타낸다.
(B) 여러 번 해 본 적 있다는 경험을 나타내는 현재완료 문장으로 완성한다.

내신만점 Level Up Test p. 32

01 ⑤ **02** ④ **03** ⑤
04 (1) has eaten insects (before)
(2) have traveled abroad (before)
(3) have not(never) played table tennis (before)
(4) have been on TV (before)
05 ⓑ, were → have
ⓓ, didn't have → hasn't(has not)

01 계속의 의미를 나타내는 현재완료 문장이다. '~ 이래로'의 의미인 접속사 since 다음에는 행위가 시작된 과거의 시점이 이어져야 하므로 과거시제가 쓰여야 한다.

02 ④ Jane을 바꿔 줄 수 없는 상황이 이어져야 하므로 '그녀는 은행에 간 적이 있다'라는 말은 어색하다. (→ has gone to)

03 현재완료는 과거에 일어난 일이 현재에도 영향을 미치는 것을 나타낸다.
① 비가 그친 후 지금도 비가 오지 않는 상태임을 나타낸다.
② has gone to는 엄마가 지금 말하는 곳에 있지 않음을 나타낸다.
③ have forgotten은 지금까지도 잊은 상태를 나타낸다.
④ 지금까지 총 3번 방문했다는 의미이다.
⑤ 다운로드하는 것을 완료한 상태이다.

04 경험의 의미를 나타내는 현재완료(have(has)+과거분사) 문장으로 완성한다.

05 ⓑ 어떻게 지냈는지 물을 때는 How have you been ~?으로 말한다.
ⓓ 지금까지 숙제를 끝내지 못했음을 나타내는 현재완료의 부정문이 알맞다. 주어가 3인칭 단수임에 유의한다.

CHAPTER 03
조동사

UNIT 01 can, may, will

개념 QUICK CHECK　　　　　　　　　　p. 34

POINT 01 -(1), (2)	**1** 능력	**2** 허가	**3** 추측	**4** 요청
POINT 01 -(2), (3)	**1** might		**2** will	
	3 may not		**4** are going to	

실전 연습　　　　　　　　　　p. 35

1 was able to	**2** ②	**3** ②	**4** ④	**5** ⑤

1 can은 be able to로 바꿔 쓸 수 있으며, 과거시제는 was(were) able to로 쓴다.

2 자전거 타는 것이 허용되지 않음을 나타내는 표지판이므로 허가를 나타내는 조동사 can이나 may의 부정형으로 불허의 의미를 나타낼 수 있다.

3 상대방에게 어떤 일을 요청할 때 사용하는 조동사가 알맞다.
② May you ~? 형태의 의문문은 쓰지 않는다.

4 (보기)와 ④의 may는 허가(~해도 된다)의 의미를 나타내고, 나머지는 모두 추측(~일지도 모른다)의 의미를 나타낸다.

5 첫 번째 빈칸에는 요청할 때 사용하는 말이 들어가고, 두 번째 빈칸에는 과거 시점에서 미래의 일을 언급할 때 사용하는 말이 들어가야 하므로 would가 공통으로 알맞다.

개념 완성 Quiz

1 be able to　　**2** can, may
3 can, will, could, would　　**4** 허가　　**5** would

UNIT 02 must, should

개념 QUICK CHECK　　　　　　　　　　p. 36

POINT 02	**1** ~해야 한다	**2** ~하는 것이 좋겠다
	3 ~해야 했다	**4** ~임에 틀림없다
POINT 03	**1** mustn't	**2** shouldn't
	3 didn't have to	**4** cannot

실전 연습　　　　　　　　　　p. 37

1 (1) have　(2) must　(3) had		**2** ①
3 ⑤	**4** ②	**5** ①

1 (1) 현재를 나타내는 부사 now가 있으므로 '~해야 한다'라는 뜻의 「have to+동사원형」이 되어야 알맞다.
(2) 의무를 나타내는 「must+동사원형」이 되어야 알맞다.
(3) 과거를 나타내는 부사구(last week)가 있으므로 「had to+동사원형」이 되어야 알맞다.

2 빈칸 앞에 Harry가 행복해 보인다는 말이 있으므로 문맥상 '~임에 틀림없다'라는 뜻의 강한 추측을 나타내는 조동사 must가 알맞다.

3 '~할 필요가 없다'는 「don't have to+동사원형」으로 나타낸다.

4 학교 축제에 갈 수 없는 이유로 과학 과제를 끝마쳐야 한다는 말이 이어지는 것이 자연스러우므로 의무를 나타내는 have to가 들어가는 것이 알맞다.

5 ①은 강한 추측(~임에 틀림없다), 나머지는 모두 의무(~해야 한다)를 나타낸다.

개념 완성 Quiz

1 had to　　**2** must　　**3** don't have to　　**4** 의무
5 must not, mustn't

UNIT 03 used to, had better

개념 QUICK CHECK　　　　　　　　　　p. 38

POINT 04	**1** used to		**2** are used to	
	3 used to		**4** used to	
POINT 05	**1** a	**2** b	**3** b	**4** a

실전 연습　　　　　　　　　　p. 39

1 ③　　　　　　　**2** had better
3 (1) used　(2) had better not　(3) would　(4) had better
4 (1) take　(2) used to　　　　　　**5** ④

1 '지금은 그렇지 않다'라는 뜻을 포함하여 과거의 습관을 나타내는 것은 used to이다.

2 '~하는 것이 좋겠다'는 「had better+동사원형」으로 나타낸다.

3 (1) 현재는 하지 않는 과거의 습관을 나타내는 「used to+동사원형」이 되는 것이 알맞다.
(2) '~하지 않는 것이 좋겠다'라는 충고의 말은 「had better not

+동사원형」으로 나타낸다.

(3) 과거의 습관을 나타낼 때 사용하는 would가 알맞다.

(4) '~하는 것이 좋겠다'라는 충고의 말은 「had better+동사원형」으로 나타낸다.

4 (1) '~하곤 했다'는 「used to+동사원형」으로 나타낸다.

(2) 과거의 상태를 나타낼 때는 「used to+동사원형」을 사용하며, would는 사용할 수 없다.

5 ①, ③은 '~하지 않는 것이 좋겠다'라는 의미의 「had better not+동사원형」, ②, ⑤는 과거의 습관이나 상태를 나타내는 「used to+동사원형」으로 쓴다. (① → had better not leave, ② → used to live, ③ → had better not go, ⑤ → used to be)

서술형 실전 연습   pp. 40~41

1 (1) may(might) (2) couldn't

2 (1) may (2) must (3) had to

3 don't have to take   **4** used to be

5 you had better not use

6 was used to go → used to go

7 (1) You had better sleep now.

(2) I'll turn off the computer.

8 (1) You had(You'd) better not stay up late at night. /
You should not(shouldn't) stay up late at night.

(2) You had(You'd) better have breakfast. /
You should have breakfast.

1 (1) It is possible that ~.은 '~일 가능성이 있다'라는 의미이므로 '~일지도 모른다'라는 의미의 추측을 나타내는 조동사 may나 might가 알맞다.

(2) be able to는 조동사 can과 바꿔 쓸 수 있다. can의 과거형이면서 부정형인 could not은 couldn't로 줄여 쓸 수 있다.

2 (1) ~해도 된다: may+동사원형

(2) ~임에 틀림없다: must+동사원형

(3) ~해야 했다: had to+동사원형

3 비가 그쳐서 우산을 가져갈 필요가 없다고 말하는 것이 자연스러우므로 '~할 필요가 없다'라는 의미의 「don't have to+동사원형」이 알맞다.

4 '(전에는) ~이었다'라는 의미로 과거의 상태를 나타내는 「used to+동사원형」이 알맞다.

5 ~하지 않는 것이 좋겠다(충고/권고): had better not+동사원형

6 과거에는 주말마다 캠핑을 갔지만 더 이상 가지 않는다는 의미이므로 지금은 하지 않는 과거의 습관을 나타내는 「used to+동사원형」을 사용하는 것이 알맞다.

7 (1) ~하는 것이 좋겠다(강한 충고): had better+동사원형

(2) ~하겠다(주어의 의지): will+동사원형

8 조동사 had better와 should를 사용하여 각각 '밤에 늦게까지 깨어 있지 않는 것이 좋겠다'라는 문장과 '아침 식사를 해야 한다'라는 문장을 쓸 수 있다.

실전 모의고사   pp. 42~45

01 ③	02 ④	03 ③	04 ①	05 ①	06 ④
07 ②	08 ④	09 ④	10 ④	11 ④, ⑤	12 ④
13 ①	14 ④	15 ③	16 ④	17 ③	18 ⑤

19 (1) must (2) used to   **20** must

21 may not be able to run   **22** may

23 You don't have to use them.

24 (1) wasn't able to ride (2) can ride

25 (1) will have to finish (2) doesn't have to finish

(3) had better finish (4) used to finish

01 조동사끼리는 이어서 쓸 수 없지만, 조동사 can과 같은 의미인 be able to는 will, may 등과 함께 쓸 수 있다. (will be able to: ~할 수 있을 것이다)

02 일요일이라서 학교에 갈 필요가 없다는 의미가 자연스러우므로 don't have to가 알맞다.

03 휴대폰 사용 금지 표지판이므로 '~하면 안 된다'라는 금지의 의미를 나타내는 must not이 알맞다.

04 첫 번째 문장은 허락을 구하는 말(Can/May I ~?), 두 번째 문장은 추측하는 말이 되도록 조동사 may가 공통으로 들어가는 것이 알맞다.

05 첫 번째 문장에서는 불가능(~할 수 없다)을 나타내고, 두 번째 문장에서는 강한 부정적 추측(~일 리가 없다)을 나타내는 cannot이 공통으로 알맞다.

06 '~임에 틀림없다'라는 의미의 강한 추측을 나타낼 때는 「must+동사원형」을 사용한다.

07 길을 건널 때에는 조심해서 걸어야 한다는 의미가 자연스러우므로 의무와 충고의 의미를 나타내는 조동사가 알맞으며, would는 적절하지 않다.

08 Jim이 바빠서 오늘 밤 Jane의 생일 파티에 '안 갈지도 모른다(①, ③), 못 간다(②), 못 갈 것이다(⑤)' 등의 의미가 되는 것이 자연스럽다. '~할 수 있음에 틀림없다'를 나타내는 must be able to는 알맞지 않다.

09 ④ 조동사 will과 must는 이어서 쓸 수 없으므로 「will have to+동사원형」으로 '~해야 할 것이다'라는 의미를 나타낸다. (① May → Can(Could)/Will(Would), ② not late → not be late, ③ to 삭제, ⑤ can't → couldn't)

10 첫 번째 빈칸에는 '우산을 가져갈 필요가 없었다'라는 의미로 과거의 불필요를 나타내는 didn't have to, 두 번째 빈칸에는 '~해야 한다'라는 충고의 의미를 나타내는 should가 알맞다.

11 ④ used to와 would는 모두 과거의 습관을 나타낼 때 사용하지만, 과거의 상태를 나타낼 때는 would를 사용할 수 없다. ⑤ 「used to+동사원형」은 '~하곤 했다'라는 의미로 과거의 습관을 나타내고, 「be used to+(동)명사」는 '~에 익숙하다'라는 의미이다.

12 조동사 will은 예정(①, ⑤)이나 요청(②) 또는 주어의 의지(③)를 나타낼 수 있으나 허가를 구하는 표현으로는 쓸 수 없다. ④는 Can(May) I borrow ~?가 되어야 알맞다.

13 [보기]와 ⓑ의 can은 '능력·가능(~할 수 있다)'의 의미를 나타내고, 나머지는 모두 '허가(ⓐ, ⓔ)/요청(ⓒ, ⓓ)'의 의미로 사용되었다.

14 ④ '~하곤 했다'라는 의미는 「used to+동사원형」으로 표현하며, 주어의 인칭에 상관없이 used to로 쓴다.

15 ⓑ 조동사 두 개는 연달아 쓰이지 않으므로 must 대신 have to를 쓴다. (may must → may have to) ⓒ '~하곤 했다'의 의미로 「used to+동사원형」 형태가 쓰이는 것이 알맞다. (was used to have → used to have)

16 ④ 허가를 요청하는 말(May I ~?)에 대해 거절하는 상황이므로 I'm afraid you can't.로 답하는 것이 알맞다.

17 ⓐ에는 '~일지도 모른다'라는 의미를 나타내는 may, ⓑ에는 미래의 일을 나타내는 be going to가 알맞다.

18 ⑤ 프랑스어 실력을 향상시키고 싶어 한다는 내용이므로 '매일 프랑스어를 공부하곤 했다'라는 말이 이어지는 것은 어색하다.

19 (1) '~임에 틀림없다'라는 강한 추측을 나타내는 must가 알맞다. (2) 과거에는 하곤 했으나 지금은 하지 않는다는 의미로 과거의 습관을 나타내는 used to가 알맞다.

20 첫 번째 문장에서는 not과 함께 금지(~해서는 안 된다)를 나타내고, 두 번째 문장에서는 강한 추측(~임에 틀림없다)을 나타내는 조동사 must가 알맞다.

21 부정의 추측은 「may not+동사원형」으로 나타내며, 두 개의 조동사를 연달아 쓸 수 없으므로 may not 뒤에 be able to를 쓴다.

22 '~해도 된다'라는 허가의 의미를 나타내는 조동사 can과 may 둘 다 사용할 수 있다. 다만, 불허의 의미는 cannot 또는 may not을 써서 나타내는데, 두 번째 빈칸 뒤에 not이 있으므로 공통으로 알맞은 조동사는 may이다.

23 '~할 필요가 없다'는 「don't have to+동사원형」으로 나타낸다.

24 작년(과거)에는 탈 수 없었으나 지금은 탈 수 있다는 내용이므로, 주어진 단어 수에 맞춰 (1)은 과거시제로 불가능을 나타내는 「wasn't able to+동사원형」, (2)는 「can+동사원형」으로 완성한다.

25 (1) '~해야 할 것이다'는 「will have to+동사원형」으로 나타낸다. (2) '~할 필요가 없다'는 「don't(doesn't) have to+동사원형」으로 나타낸다. (3) 「had better+동사원형」은 '~하는 게 좋겠다'라는 충고의 의미를 나타낸다. (4) 「used to+동사원형」은 과거의 습관을 나타낸다.

내신만점 Level Up Test   p. 46

01 ②   **02** ④   **03** ④

04 (1) must → had to / [모범 답] 조동사 must는 과거형이 없으므로 had to로 쓴다.
    (2) to go → go / [모범 답] '~하는 게 좋겠다'는 「had better+동사원형」으로 쓴다.

05 (1) Tom has to take her out for a walk every day.
    (2) Tom doesn't have to brush her hair every day.

---

01 (A)는 허가를 요청하는 말이므로 Can으로 바꿔 쓸 수 있고, (B)는 의무를 나타내므로 must, (C)는 '~해서는 안 된다'의 의미를 나타내므로 shouldn't로 바꿔 쓸 수 있다.

02 ⓒ 과거 시점에서 미래를 나타내는 조동사 would를 사용해야 한다. (will → would)

03 ④ used to는 과거에 하곤 했지만 지금은 하지 않는 일을 나타낼 때 사용한다. (→ 우리는 함께 크리스마스트리를 장식하곤 했어.)

05 '~해야 한다'는 「have(has) to+동사원형」, '~할 필요가 없다'는 「don't(doesn't) have to+동사원형」으로 나타낸다.

CHAPTER 04
to부정사

1 (1) with　(2) in　**2** (1) ⓑ　(2) ⓒ　**3** ⑤
4 ②　　　　　**5** ②

1 to부정사의 수식을 받는 명사가 전치사의 목적어일 때는 to부정사 뒤에 전치사를 반드시 써야 한다.

2 (1) more time을 수식하는 형용사 역할의 to부정사구이다.
(2) 감정(sad)의 원인을 나타내는 부사 역할의 to부정사구이다.

3 [보기]와 ⑤는 감정의 원인을 나타내는 부사 역할의 to부정사이고, 나머지는 모두 명사나 대명사를 수식하는 형용사 역할의 to부정사이다.

4 -thing으로 끝나는 대명사를 형용사와 to부정사가 동시에 수식할 때는 「대명사+형용사+to부정사」의 어순으로 쓴다.

5 ② 수식을 받는 many friends가 전치사의 목적어이므로 baseball 뒤에 with가 있어야 한다.

개념 완성 Quiz

1 전치사, 전치사　　**2** 형용사, 뒤　　**3** ~해서
4 대명사, 형용사, to부정사　　**5** 형용사, 부사

UNIT 01　명사 역할을 하는 to부정사

개념 QUICK CHECK　　　　　　　　p. 48

POINT 01　**1** 목적어　**2** 보어　**3** 주어　**4** 주어
POINT 02　**1** a　　**2** c　　**3** e　　**4** d

실전 연습　　　　　　　　　　p. 49

1 to make　　**2** It, to dance　　**3** ④
4 what to do　　**5** ①

1 want와 plan은 모두 to부정사를 목적어로 취하는 동사이다.

2 진주어인 to부정사구를 문장의 뒤로 보내고 그 자리에 가주어 It을 쓴다.

3 '언제 떠나야 할지'라는 의미로 「의문사(when)+to부정사」가 didn't know의 목적어로 쓰이는 것이 알맞다.

4 「의문사+주어+should+동사원형」은 「의문사+to부정사」로 바꿔 쓸 수 있다.

5 첫 번째 빈칸에는 보어 역할을 하는 to부정사구가 되도록 to, 두 번째 빈칸에는 진주어 to go there alone을 대신하는 가주어 It이 알맞다. 세 번째 빈칸에는 '어떻게 사용하는지'의 의미로 문장의 직접목적어 역할을 하는 「의문사(how)+to부정사」가 되도록 how가 알맞다.

개념 완성 Quiz

1 to부정사　**2** It　**3** to부정사　**4** 의문사, to부정사
5 보어

UNIT 03　to부정사의 의미상 주어, too ~ to, enough to

개념 QUICK CHECK　　　　　　　　p. 52

POINT 05　**1** for　**2** of　　**3** for　　**4** of
POINT 06　**1** too　**2** enough　**3** enough　**4** too

실전 연습　　　　　　　　　　p. 53

1 (1) for　(2) of　　**2** too spicy to eat
3 ④　　　　　**4** ②　　　　　**5** ②

1 to부정사의 행위의 주체를 나타내는 의미상 주어로 대부분의 경우 「for+목적격」을 쓰고, 성향이나 성격을 나타내는 careless 등의 형용사 뒤에 쓰인 경우에는 「of+목적격」을 쓴다.

2 '너무 ~해서 …할 수 없다'는 「too+형용사/부사+to부정사」로 나타낸다.

3 「형용사/부사+enough+to부정사」는 「so+형용사/부사+ that+주어+can+동사원형」으로 바꿔 쓸 수 있다.

4 ②는 「의문사+to부정사」의 to부정사이며, 나머지는 모두 부사 역할을 하는 to부정사이다.

5 ② 성향이나 성격을 나타내는 형용사(honest) 뒤에는 to부정사의 의미상 주어로 「of+목적격」을 쓴다. (for him → of him)

UNIT 02　형용사·부사 역할을 하는 to부정사

개념 QUICK CHECK　　　　　　　　p. 50

POINT 03　**1** to buy　　　　**2** to tell
　　　　　3 to write with　**4** cold to drink
POINT 04　**1** a　**2** e　**3** d　**4** c

서술형 실전 연습　　　　　　　　　　pp. 54~55

1 (1) It is impossible to live without water.

　 (2) It is not easy to exercise regularly.

2 go → to go

3 (1) talk about　(2) sit on

4 how to go to Incheon Airport

5 to become a dentist

6 (1) of Jisu not to say hello to her friends

　 (2) for Mike to finish his work on time

7 (1) to borrow　(2) to read　(3) of you

8 These boxes are too heavy for you to carry.

1 진주어인 to부정사구를 뒤로 보내고, 그 자리에 가주어 It을 쓴다.

2 「의문사+to부정사」가 don't know의 목적어로 쓰였으며, which 는 의문형용사로 way를 꾸며 하나의 의문사 역할을 하고 있다.

3 형용사 역할을 하는 to부정사의 수식을 받는 명사가 전치사의 목 적어인 경우, to부정사 뒤에 반드시 알맞은 전치사를 써야 한다. (1)은 talk about something important가 되어야 하므로 about, (2)는 sit on chairs가 되어야 하므로 on이 각각 to부정 사 뒤에 쓰여야 한다.

4 '어떻게 가야 하는지'는 「의문사+to부정사」의 형태(how to go) 로 나타낼 수 있다.

5 '치과 의사가 되고 싶어서' 열심히 공부한다는 내용이므로 '~하기 위해서'라는 의미의 목적을 나타내는 to부정사를 사용하여 표현 할 수 있다.

6 (1) 성향이나 성격을 나타내는 형용사 unfriendly 뒤에 to부정사 의 의미상 주어가 오므로 「of+목적격」을 사용하고, to부정사의 부 정형은 to부정사 앞에 not을 써서 표현한다. (2) 「for+목적격」을 사용해 to부정사 앞에 의미상 주어를 쓴다.

7 (1) 목적(빌리기 위해서)을 나타내는 부사 역할의 to부정사가 알맞다. (2) wanted의 목적어로 쓰이는 명사 역할의 to부정사가 알맞다. (3) 성향을 나타내는 형용사 kind 뒤에 오는 to부정사의 의미상 주어이므로 「of+목적격」으로 쓴다.

8 밑줄 친 부분을 한 문장으로 표현하면 「so+형용사+that+주어+ can't+동사원형」 구문이므로 「too+형용사+to+동사원형」으로

바꿔 쓸 수 있다. 이때, to부정사의 행위의 주체가 you이므로 의미 상 주어 「for+목적격(you)」을 to부정사 앞에 반드시 써야 한다.

실전 모의고사　　　　　　　　　　pp. 56~59

01 ④	02 ②	03 ②	04 ④	05 ④	06 ④
07 ④	08 ④	09 ④	10 ⑤	11 ④	12 ③
13 ⑤	14 ④	15 ③	16 ①	17 ⑤	18 ②

19 (1) important to keep an open mind to others

　 (2) unfair of Mom to give all the cookies to Sam

20 (1) Ms. Green has many children to take care of.

　 (2) The animal is looking for a cave to sleep in.

21 something interesting to read

22 (1) too hot to drink

　 (2) big enough for us

23 (1) was excited to see his favorite singer

　 (2) was disappointed to lose the game

24 (1) how to solve them

　 (2) I need a chair to sit on

25 (1) not to be late for work

　 (2) to drink a cup of milk

01 to부정사의 의미상 주어를 나타낼 때는 「for/of+목적격」을 to 부정사 앞에 쓴다. pleasant는 성향이나 성격을 나타내는 형용사 가 아니므로 for가 알맞다.

02 '너무 ~해서 …할 수 없다'를 의미하는 「too+형용사+to부정사」 형태가 되는 것이 알맞다.

03 주어로 쓰인 to부정사구는 단수 취급하므로 첫 번째 빈칸에는 is 가 알맞고, 두 번째 빈칸에는 to wear의 의미상 주어를 나타내는 「for+목적격」의 for가 알맞다.

04 ④는 날씨를 나타낼 때 사용하는 비인칭 주어 It이고, 나머지는 모 두 진주어인 to부정사구나 that절을 대신하는 가주어 It이다.

05 목적을 나타내는 to부정사를 사용하여 표현할 수 있으며, to부정 사의 부정형은 to 앞에 부정어를 써서 나타낸다.

06 빈칸 뒤에 to부정사의 의미상 주어로 「of+목적격」이 사용되었으므로 성향이나 성격을 나타내는 형용사가 들어가야 한다.

07 각 문장의 보어와 목적어 자리이므로 명사 역할을 하는 to부정사 형태가 알맞다. plan은 to부정사를 목적어로 취하는 동사이므로 동명사는 답이 될 수 없다.

08 ④ '무엇을 가져가야 할지' 정하지 못하겠다는 말이 자연스러우므로 「의문사 what+to부정사」를 사용하는 것이 알맞다.

09 형용사 역할을 하는 to부정사의 수식을 받는 명사가 전치사의 목적어인 경우, 의미에 맞는 전치사를 to부정사 뒤에 반드시 써야 한다. (① → to put books in, ② → to play with, ③ → to write on, ⑤ → for 삭제)

10 ⑤는 '집에 돌아오지 못할 운명이었다'라는 의미로 운명을 나타내는 「be동사+to부정사」에 쓰인 형용사 역할의 to부정사이고, 나머지는 모두 명사 역할을 한다.

11 ④는 문장의 진주어로 쓰인 명사 역할을 하는 to부정사이고, 나머지는 모두 부사 역할을 한다. (① 목적, ② 형용사 수식, ③ 결과, ⑤ 감정의 원인)

12 to부정사의 의미상 주어로 「for+목적격」이 쓰였으므로 성향을 나타내는 형용사 smart, clever는 빈칸에 들어갈 수 없다.

13 ① → to eat with　　② → not to make
③ → of him　　④ → what

14 [보기]와 ④의 to부정사는 결과의 의미를 나타내는 부사 역할을 한다. (① 형용사 수식, ② 감정의 원인, ③ 목적, ⑤ 판단의 근거)

15 [보기]와 ⓑ, ⓒ의 to부정사는 목적어로 쓰여 명사 역할을 한다. (ⓐ 형용사 역할, ⓓ 부사 역할)

16 ① too ~ to 구문은 「so+형용사+that+주어+can't+동사원형」 구문으로 바꿔 쓸 수 있다. (→ I was so tired that I couldn't take a shower.)

17 ⓒ to부정사의 의미상 주어 앞에 있는 말이 성향이나 성격을 나타내는 형용사가 아니므로 「for+목적격」을 사용해야 한다. (of → for)
ⓓ -one으로 끝나는 대명사를 형용사와 to부정사가 동시에 수식할 때는 「-one+형용사+to부정사」의 어순으로 쓴다. (nice someone → someone nice)

18 「의문사+to부정사」가 haven't decided의 목적어가 되는 문장이며 '누구를 초대할지'의 의미가 되는 것이 자연스러우므로 whom(누구)이 알맞다.

19 (1) 주어진 It은 가주어이므로 형용사 important 뒤에 진주어를 to부정사구의 형태로 쓴다. to others는 부사구이다.
(2) 주어진 It은 가주어이므로 형용사 unfair 뒤에 진주어를 to부정사구의 형태로 쓴다. to부정사구의 행동 주체는 Mom이고, unfair는 성향을 나타내는 형용사이므로 의미상 주어로 of

Mom을 to부정사구 앞에 쓴다.

20 두 번째 문장을 앞 문장의 목적어인 명사(구) many children과 a cave를 수식하는 형용사 역할을 하는 to부정사구로 각각 바꿔 쓴다. 두 문장 모두 수식 받는 명사가 전치사의 목적어이므로 반드시 to부정사 뒤에 전치사를 써야 한다.

21 -thing으로 끝나는 대명사를 형용사와 to부정사가 동시에 수식할 때는 「-thing+형용사+to부정사」의 어순으로 쓴다.

22 (1) '너무 ~해서 …할 수 없다'는 「too+형용사/부사+to부정사」로 나타낸다.
(2) '~하기에 충분히 …하다'는 「형용사/부사+enough+to부정사」로 나타내며, to부정사의 의미상 주어는 「for+목적격」 형태로 to부정사 앞에 쓴다.

23 감정의 원인을 나타내는 부사 역할의 to부정사를 써서 문장을 완성한다.

24 (1) 「의문사+주어+should+동사원형」은 「의문사+to부정사」로 바꿔 쓸 수 있다.
(2) 형용사 역할을 하는 to부정사를 사용하여 a chair를 수식한다. sit 다음에는 전치사 on을 반드시 써야 한다.

25 (1) 부사 역할을 하는 to부정사구를 사용해 목적을 나타내며, 부정어 not은 to부정사 앞에 쓴다.
(2) decide는 to부정사를 목적어로 취하는 동사이므로 to부정사구로 쓴다.

내신만점 Level Up Test　　　　　p. 60

01 ②　　　　**02** ③　　　　**03** ②
04 for → of / [모범답] wise와 같이 성향이나 성격을 나타내는 형용사 뒤에는 「of+목적격」으로 to부정사의 의미상 주어를 나타낸다.
05 (1) to catch　(2) not to be　(3) to find

---

01 ② 주어로 쓰인 to부정사구(To fix a car)는 단수 취급하므로 동사 require에 -s를 붙여 사용하였다.

02 빈칸 뒤에 이어지는 to부정사의 의미상 주어의 형태로 빈칸에 들어갈 형용사를 구분할 수 있다. 「of+목적격」은 성향이나 성격을 나타내는 형용사 뒤에 쓰인다.

03 It이 가주어이므로 빈칸에는 진주어인 to부정사구나 의미상 주어가 쓰인 「for+목적격+to부정사구」 형태가 알맞다.

05 (1) '버스를 잡기 위해'라는 목적의 의미를 나타내는 to부정사 형태가 알맞다.
(2) '늦지 않기 위해'가 되도록 to부정사 앞에 not을 붙인다.
(3) 감정의 원인을 나타내는 부사 역할의 to부정사 형태가 알맞다.

CHAPTER 05
동명사

UNIT 01 동명사의 쓰임

개념 QUICK CHECK   p. 62

POINT 01 **1** cleaning   **2** taking
          3 is   **4** going
POINT 02 **1** cooking   **2** listening
          3 going   **4** watching

실전 연습   p. 63

1 ③   2 Skipping, is   3 ②
4 help crying   5 ④

1 ③은 주격보어 역할을 하는 동명사이고, 나머지는 모두 목적어 역할을 하는 동명사이다.

2 '아침 식사를 거르는 것은 건강에 좋지 않다'라는 의미가 되도록 주어진 문장의 동사 skip을 동명사 형태로 주어 자리에 쓰고, 주어로 쓰인 동명사(구)는 단수 취급하므로 be동사는 is를 쓴다.

3 전치사 뒤에는 명사나 동명사가 오며, to부정사는 전치사의 목적어로 쓸 수 없다.

4 ～하지 않을 수 없다: cannot help -ing

5 ④ look forward to -ing: ～하기를 고대하다 (go → going)

개념 완성 Quiz

1 목적어   **2** 단수   **3** to부정사   **4** help -ing
5 동명사

UNIT 02 동명사와 to부정사

개념 QUICK CHECK   p. 64

POINT 03 **1** to be   **2** trying   **3** to see   **4** closing
POINT 04 **1** talking   **2** speaking
          3 to take   **4** learning(to learn)

실전 연습   p. 65

1 (1) hope (2) avoid   2 ④
3 ③   4 ⑤   5 ③

1 avoid는 동명사를 목적어로 취하고, hope는 to부정사를 목적어로 취하는 동사이다.

2 ④ decide는 to부정사를 목적어로 취하는 동사이다.

3 '(과거에 한 일을) 기억하다'의 의미는 「remember+동명사」로 나타낸다.

4 「stop+동명사」: ～하는 것을 멈추다, 「stop+to부정사」: ～하기 위해 멈추다

5 ③ plan은 to부정사를 목적어로 취하는 동사이다. (→ to travel)

개념 완성 Quiz

1 동명사, to부정사   **2** to부정사, 동명사   **3** 동명사
4 동명사, to부정사   **5** continue

UNIT 03 동명사의 특징

개념 QUICK CHECK   p. 66

POINT 05 **1** inviting   **2** getting   **3** by   **4** without
POINT 06 **1** 동   **2** 현   **3** 동   **4** 현

실전 연습   p. 67

1 making, saying   2 am tired of doing
3 ①   4 ④   5 ④

1 전치사의 목적어로 동사가 올 경우 동명사 형태로 쓴다.

2 '～하는 것이 지겹다'는 「be tired of+동명사」로 표현한다.

3 [보기]와 ①은 '～하는'의 의미로 명사를 수식하는 현재분사로 쓰였고, 나머지는 모두 동명사로 쓰였다. (②, ④ 전치사의 목적어, ③ 용도를 나타냄, ⑤ 동사의 목적어)

4 ④는 용도를 나타내는 동명사이고, 나머지는 모두 현재분사이다. (①, ②, ③ 명사 수식, ⑤ 진행형)

5 첫 번째 문장의 빈칸에는 용도(마실 물)를 나타내는 동명사, 두 번째 문장의 빈칸에는 주어 역할을 하는 동명사나 to부정사가 알맞다.

1 동명사   **2** be, of, 동명사   **3** 동명사   **4** 현재분사
5 용도, 동명사

서술형 실전 연습   pp. 68~69

1 make → makes

2 (1) didn't feel like playing soccer
   (2) am used to walking to school

3 (1) cleaning   (2) to get   (3) to turn off

4 (1) On seeing her   (2) busy preparing for the party

5 (1) waiting   (2) washing

6 bringing → to bring

7 (1) to live   (2) to stop, eating

8 (1) am good at speaking   (2) am poor at writing

1 동명사 주어는 '~하는 것은'으로 해석하며 단수 취급한다.

2 (1) ~하고 싶다: feel like -ing
    (2) ~하는 것에 익숙하다: be used to -ing

3 (1) put off는 동명사를 목적어로 취한다.
    (2) wish는 to부정사를 목적어로 취한다.
    (3) '~할 것을 기억하다'라는 의미로 쓸 때는 remember의 목적
    어로 to부정사를 쓴다.

4 (1) ~하자마자: on -ing
    (2) ~하느라 바쁘다: be busy -ing

5 (1) mind는 동명사를 목적어로 취하는 동사이다.
    (2) 명사 앞에 위치하여 용도를 나타내는 동명사 형태가 알맞다.
    (washing machine: 세탁기)

6 (앞으로) ~할 것을 잊다: 「forget+to부정사」

7 (1) ~하려고 노력하다: 「try+to부정사」
    (2) ~하기로 결심하다: 「decide+to부정사」, ~하는 것을 멈추다:
    「stop+동명사」

8 be good at -ing: ~을 잘하다, be poor at -ing: ~을 못하다

개념 완성 Quiz

1 명사   **2** like -ing, be, to -ing
3 동명사, to부정사, to부정사   **4** on -ing, busy -ing
5 동명사, 현재분사   **6** 둘 다, to부정사
7 to부정사, 동명사   **8** good at, poor at

실전 모의고사   pp. 70~73

01 ④	02 ③	03 ③	04 ③	05 ④	06 ⑤
07 ④	08 ④	09 ②	10 ③	11 ③	12 ⑤
13 ③	14 ②	15 ③	16 ④	17 ①	18 ④

19 sleeping, talking

20 (1) I'm sorry for not calling you.
    (2) Her job was taking care of the sleeping children.

21 ⓑ → I'm looking forward to going to Canada.

22 to return

23 (1) arriving   (2) crying(to cry)   (3) to cheer   (4) saying

24 People spend lots of money buying new cell
    phones.

25 (1) 모범답 I enjoy jogging in the park.
    (2) 모범답 I hate solving(to solve) math problems.

01 전치사의 목적어로 동사가 올 경우 동명사 형태로 써야 한다.

02 '~하고 싶다'는 feel like -ing로 동명사를 사용하여 나타낸다.

03 첫 번째 문장의 빈칸에는 주격보어 역할을 하는 동명사 playing
이 알맞고, 두 번째 문장의 빈칸에는 '상영되고 있다'라는 의미의
진행형에 쓰이는 현재분사 playing이 알맞다.

04 ③ enjoy는 동명사를 목적어로 취하는 동사이므로 뒤에 to부정
사가 올 수 없다. plan, hope, promise는 to부정사를 목적어로
취하는 동사이며, love는 to부정사와 동명사 모두 목적어로 취할
수 있다.

05 ④ refuse는 to부정사를 목적어로 취하는 동사이므로 뒤에 동명
사가 올 수 없다. keep과 avoid는 동명사를 목적어로 취하는 동
사이며, start와 continue는 to부정사와 동명사 모두 목적어로
취할 수 있다.

06 decide는 to부정사를 목적어로 취하는 동사이며, '~하기를 고대
하다'는 look forward to -ing로 동명사를 사용하여 표현한다.

07 '~하는 것을 그만두다'는 「stop+동명사」로 나타낸다. 「stop+
to부정사」는 '~하기 위해 멈추다'라는 의미이다.

08 ④의 sleeping은 명사 앞에서 용도를 나타내는 동명사로 쓰였다.
나머지는 모두 현재분사로, ①, ②, ③은 명사를 수식하고, ⑤는 진
행형(be동사+-ing)에 사용되었다.

09 ②의 washing은 '씻고 있다'라는 의미의 진행형(be동사+-ing)
에 사용된 현재분사이다. 나머지는 전치사의 목적어(①), 동사의
목적어(②)로 쓰이거나, 용도(④, ⑤)를 나타내는 동명사이다.

10 ③의 put off는 동명사를 목적어로 취하고, 나머지 hope, want,
need, agree는 모두 to부정사를 목적어로 취하는 동사이다.

11 ③ 전치사의 목적어는 동명사 형태로 써야 하며 to부정사는 쓸 수 없다. start(①)는 to부정사와 동명사 모두 목적어로 취할 수 있고, 문장의 주어(②, ⑤)와 주격보어(④)로 쓰인 동명사는 to부정사로 바꿔 쓸 수 있다.

12 ⑤ '(과거에) ~한 것을 기억하다'는 「remember+동명사」로 나타낸다.
① 전치사의 목적어는 동명사 형태로 쓴다. (→ being)
② promise는 to부정사를 목적어로 취하는 동사이다.
(→ to study)
③ '~할 가치가 있다'는 be worth -ing로 나타낸다.
(→ watching)
④ 현재분사가 다른 어구와 함께 쓰여 길어지는 경우에는 명사를 뒤에서 수식한다. (→ the girl looking at us)

13 ⓐ '~하는 데 어려움을 겪다'는 have difficulty -ing로 표현한다.
ⓑ '(앞으로) ~할 것을 잊다'는 「forget+to부정사」로 나타낸다.
ⓒ mind는 동명사를 목적어로 취하는 동사이다.

14 ① It is no use -ing: ~해 봐야 소용없다 (→ to 삭제)
② be used to -ing: ~하는 것에 익숙하다
③ 주어로 쓰인 동명사(구)는 단수 취급한다. (make → makes)
④ plan은 to부정사를 목적어로 취하는 동사이다.
(cleaning → to clean)
⑤ '~한 것을 기억하다'는 「remember+동명사」로 나타낸다.
(to go → going)

15 ⓒ ~하는 게 어때?: How about+동명사 ~? (→ going)

16 ④ smoking room은 「동명사+명사」의 형태로 '흡연용 방', 즉 '흡연실'을 의미한다.

17 ⓐ 전치사 뒤에는 동명사 형태가 알맞다. (wear → wearing)
ⓒ '~하려고 노력하다'는 「try+to부정사」로 나타낸다.
(being → to be)
ⓓ '~하지 않을 수 없다'는 cannot help -ing로 나타낸다.
(think → thinking)

18 [보기]와 ⓐ, ⓒ, ⓓ는 모두 동사의 목적어로 쓰인 동명사이다. ⓑ의 rolling(구르는)은 명사를 수식하는 현재분사이다.

19 첫 번째 빈칸에는 진행형에 사용되는 현재분사(sleeping), 두 번째 빈칸에는 '~하는 것을 멈추다'라는 의미가 되도록 동명사 (talking)가 쓰여야 알맞다.

20 (1) 전치사 for의 목적어로 동명사(calling)를 사용해야 하며, 동명사 앞에 not을 써서 동명사의 부정을 나타낸다.
(2) 동명사구가 주격보어 역할을 하도록 be동사를 추가하여 문장을 완성한다. 과거시제가 되어야 하므로 was를 쓴다.

21 '~하기를 고대하다'는 look forward to -ing로 나타낸다.

22 '(앞으로) ~할 것을 기억하지 못했다'의 의미로 쓰여야 하므로 「remember+to부정사」 형태가 되는 것이 알맞다.

23 (1) on -ing: ~하자마자
(2) start는 to부정사와 동명사 모두 목적어로 취할 수 있다.
(3) '~하려고 노력하다'는 「try+to부정사」로 나타낸다.
(4) without -ing: ~하지 않고

24 '~하느라 시간(돈)을 쓰다'는 「spend+시간(돈)+-ing」로 나타낸다.

25 (1) enjoy는 동명사를 목적어로 취하는 동사이므로 즐겨 하는 것을 표현할 때는 〈B〉에 주어진 표현을 반드시 동명사(-ing) 형태로 써야 한다.
(2) hate는 동명사와 to부정사를 모두 목적어로 취하는 동사이므로 싫어하는 것을 표현할 때는 -ing/to부정사 어느 형태로 써도 알맞다.

내신만점 Level Up Test		p. 74

01 ③　　　　02 ①　　　　03 ③
04 (1) I plan(am planning) to exercise in the morning.
(2) He is thinking about(of) exercising in the morning.
(3) Do you mind exercising in the morning?
(4) Cathy is used to exercising in the morning.
05 (1) gave up becoming(being) a cook(chef)
(2) decided to become(be)

01 목적어인 telling 이하가 동명사구이므로 모두 동명사를 목적어로 취하는 동사(avoid, mind, put off)를 말한 태민이가 정답이다. plan, expect, want, decide, promise, need는 to부정사를 목적어로 취하고, start와 continue는 둘 다 목적어로 취한다.

02 동사 hope, plan, expect는 to부정사를 목적어로 취하고, enjoy, keep, consider는 동명사를 목적어로 취한다.

03 ③은 문맥상 '~하려고 노력하다'라는 의미가 되도록 to부정사 형태가 되어야 하고, 나머지는 모두 동명사 형태가 알맞다. (① go -ing: ~하러 가다, ② '복싱용'이라는 의미의 동명사 boxing, ④ keep -ing: 계속해서 ~하다, ⑤ 전치사의 목적어로 쓰인 동명사)

04 (1) ~할 계획이다: 「plan+to부정사」
(2) ~에 대해 생각하다: 「think about/of+동명사」
(3) ~하는 것을 꺼리다: 「mind+동명사」
(4) ~하는 것에 익숙하다: be used to -ing

05 '포기하다'는 give up으로 나타내며 동명사를 목적어로 취하고, '결심하다'는 decide로 나타내며 to부정사를 목적어로 취한다.

CHAPTER 06
분사

UNIT 01 분사의 형태와 쓰임

개념 QUICK CHECK   p. 76

POINT 01 **1** hidden   **2** shocking
           3 playing   **4** broken
POINT 02 **1** interested   **2** exciting
           3 surprised   **4** boring

실전 연습   p. 77

1 ③   **2** girl dancing beautifully
3 touching, touched   **4** ②   **5** ⑤

1 '끓고 있는'은 진행·능동의 의미이므로 현재분사 boiling을 사용하며, 명사 water를 앞에서 수식한다.

2 진행·능동의 의미를 가지는 현재분사(dancing)를 쓰며, 뒤에 수식어(beautifully)가 있으므로 명사를 뒤에서 수식한다.

3 첫 번째 빈칸에는 영화가 감동을 '일으키는' 것이므로 현재분사, 두 번째 빈칸에는 사람이 감동을 '느끼는' 것이므로 과거분사 형태가 알맞다.

4 첫 번째 빈칸에는 주어인 Mike가 감정을 '느끼는' 사람이므로 과거분사(shocked)를 쓰며, 두 번째 빈칸에는 능동·진행의 의미(떨리고 있는)로 명사 legs를 수식하는 현재분사(shaking)를 써야 한다.

5 주어가 감정을 느끼게 되는 대상이면 과거분사(①, ④, ⑤), 주어가 감정을 일으키는 주체이면 현재분사(②, ③)를 쓴다. (① surprising → surprised, ② satisfied → satisfying, ③ excited → exciting, ④ worrying → worried)

개념 완성 Quiz

1 현재분사, 과거분사   **2** 뒤   **3** touched, touching
4 현재분사, 과거분사   **5** -ed, -ing

UNIT 02 분사구문

개념 QUICK CHECK   p. 78

POINT 03 **1** Having   **2** Waiting

3 Not knowing   **4** Buying
POINT 04 **1** As   **2** If   **3** After   **4** While

실전 연습   p. 79

1 (Being) Too sleepy   **2** (1) While (2) Because
3 ②   **4** ③   **5** ⑤

1 부사절의 접속사(As)와 주어(he)를 생략한 후 동사원형에 -ing를 붙인다(Being). 분사구문에서 Being은 생략할 수 있다.

2 (1) 나는 공원에서 조깅하면서 5마리 개를 데리고 있는 남자를 보았다.
(2) 아빠는 너무 바쁘시기 때문에 우리와 함께 여행을 가지 못하신다.

3 시간이 거의 없어서 박물관 가는 것을 포기했다는 내용의 이유를 나타내는 분사구문이므로, 접속사 As를 사용하고 주절과 주어 및 시제가 같은 부사절 ②와 바꿔 쓸 수 있다. ④는 주절과 주어가 일치하지 않으므로 바꿔 쓸 수 없다.

4 '~하고 싶지 않아서'라는 의미를 나타내는 부정의 분사구문(Not+분사구문)이 알맞다.

5 ⑤ 분사구문 (When) Arriving at the station, ~. 또는 부사절 When I arrived at the station, ~.이 되어야 한다.

개념 완성 Quiz

1 접속사, 주어, -ing   **2** Being   **3** 주어   **4** not, 앞
5 접속사

서술형 실전 연습   pp. 80~81

1 (1) sitting on the bench (2) made by my dad
2 result was disappointing
3 (1) Waiting outside (2) (Being) Written in French
4 (1) Because she was shocked by the news
    (2) Although I live next door to her
5 satisfying → satisfied
6 depressed, exciting
7 (1) playing badminton (2) written in English
8 Late for the concert

1 (1)은 능동·진행(앉아 있는)의 의미를 나타내는 현재분사 sitting, (2)는 수동(만들어진)의 의미를 나타내는 과거분사 made를 사용하

며, 뒤에 수식어가 있으므로 명사를 뒤에서 수식한다.

2 주어인 the result가 실망스러운 감정을 일으키는 주체이므로 disappoint를 현재분사 형태로 쓴다.

3 분사구문을 만들 때, 주절과 일치하는 주어는 생략하고, 동사가 주절의 시제와 일치하면 「동사원형+-ing」 형태로 바꾼다. 분사구문에서 Being은 생략할 수 있다.

4 (1)은 소식을 듣고 놀라서 아무 말도 할 수 없었다는 내용이므로 이유를 나타내는 접속사 because를 사용하고, (2)는 옆집에 살지만 그녀의 이름을 모른다는 내용이므로 접속사 although를 사용하여 부사절로 나타낸다. 분사구문을 부사절로 나타낼 때는 의미상 자연스러운 접속사를 쓰고, 주어와 시제는 주절과 일치시킨다. 단, (1)의 Shocked 앞에는 Being이 생략되어 있는 점에 유의해야 한다.

5 주어가 감정을 느끼는 사람(She)이므로 과거분사 satisfied를 쓰는 것이 알맞다.

6 첫 번째 빈칸에는 주어가 감정을 느끼는 사람(I)이므로 과거분사 형태가 알맞다. 두 번째 빈칸에는 분사가 수식하는 명사(things)가 감정을 일으키는 주체이므로 현재분사 형태가 알맞다.

7 「분사+목적어/수식어구」가 명사를 뒤에서 수식하는 형태가 되어야 한다. (1)에는 '배드민턴을 치고 있는'의 의미가 되도록 현재분사 playing을 사용하고, (2)에는 '영어로 쓰여 있는'의 의미가 되도록 과거분사 written을 사용하는 것이 알맞다.

8 이유를 나타내는 분사구문으로 Being late for the concert가 알맞다. 이때 Being은 생략 가능하다.

개념 완성 Quiz

1 현재분사, 과거분사   2 현재분사, 과거분사

3 주어, 동사원형-ing   4 주어, 시제

5 satisfying, satisfied   6 느끼게 하는, 느끼게 되는

7 뒤   8 Being, Being

실전 모의고사   pp. 82~85

01 ③	02 ④	03 ③	04 ④	05 ④	06 ③
07 ④	08 ⑤	09 ⑤	10 ②	11 ④	12 ④
13 ③	14 ②	15 ④	16 ④	17 ⑤	18 ①

19 (1) stolen (2) running

20 (1) embarrassing, embarrassed
　　(2) disappointing, disappointed

21 (1) Talking on the phone
　　(2) Not wearing a hat

22 Turning right

23 (1) When she parked her car
　　(2) Although she was very careful

24 ⓑ → Then she heard her name called.

25 ⓑ → Suho washed the dishes, watching TV.
　　ⓒ → The new rules are very confusing to us.

01 '울고 있는'이라는 진행·능동의 의미를 나타내면서 명사 girl을 수식하는 현재분사(crying) 형태가 알맞다.

02 'James에 의해 깨진 창문'이라는 의미가 되도록 수동의 의미를 가지는 과거분사(broken)를 사용하는 것이 알맞다. 분사 뒤에 수식어(by James yesterday)가 있으므로 명사를 뒤에서 수식한다.

03 '내 방을 청소할 때(청소하다가)'라는 의미를 나타내는 분사구문이 되는 것이 알맞다.

04 anything과 같이 -thing으로 끝나는 대명사는 형용사가 뒤에서 수식하는데, anything은 감정을 일으키는 것이므로 첫 번째 빈칸에는 현재분사 interesting이 알맞다. I는 감정을 느끼는 사람이므로 두 번째 빈칸에는 과거분사 bored가 알맞다.

05 ④는 주어(We)가 놀라는 감정을 느꼈다는 내용이므로 amazed, 나머지는 모두 감정을 일으키는 주체를 수식하거나 보충 설명하므로 amazing이 알맞다. ③의 actor는 사람이지만 감정을 느끼는 것이 아니라 '놀라운(놀라게 하는) 배우'라는 뜻으로 쓰였으므로 amazing이 알맞다.

06 현재분사 sleeping이 수식어구(on the chair)와 함께 명사(the cat)를 뒤에서 수식하도록 배열한다.

07 '음악을 들으면서 샤워를 했다'가 가장 자연스러우므로 접속사 While이나 As를 사용하고, 동사는 주절과 시제를 일치시켜 과거시제 또는 과거진행형으로 써야 한다.

08 '그 문제에 대해 알지 못해서 나는 어떤 말도 할 수 없었다'가 가장 자연스러우므로 이유를 나타내는 접속사 Because나 As를 사용하고, 시제는 주절과 같은 과거시제 부정문으로 써야 한다.

09 ⑤는 용도를 나타내는 동명사이고 나머지는 모두 현재분사이다. (① 현재진행형 ② 주격보어 ③ dog를 수식하는 형용사 역할 ④ 분사구문)

10 나머지는 모두 과거분사인 반면 ②는 동사 bore(지루하게 만들다)의 과거형이다. (① 목적격보어 ③ The black car를 수식하는 형용사 역할 ④ books를 수식하는 형용사 역할 ⑤ a princess를 수식하는 형용사 역할)

11 '너를 그렇게 오래 기다리게 해서 미안해.'라는 의미가 되도록 현재분사 waiting을 목적격보어 자리에 사용하는 것이 알맞다.

12 동시동작을 나타내는 분사구문(carrying a big box)을 사용한

문장이 알맞으며, 분사구문은 부사절 while she was carrying a big box로도 나타낼 수 있다.

13 ③ 명사 dogs를 수식하여 '짖고 있는'이라는 진행·능동의 의미를 나타내는 현재분사 barking이 알맞다.

14 ② '긴 우산을 들고 있는 여성'이라는 의미가 되어야 하므로 진행·능동의 의미를 가지는 현재분사(holding)를 사용해야 알맞다.

15 ⓐ 식사는 감정을 일으키는 것이므로 현재분사(satisfying)가 알맞다.
ⓑ '손상된'이라는 수동의 의미를 나타내는 과거분사(damaged)가 알맞다.
ⓒ 의미상 '자전거를 고치고 있는 남자'가 자연스러우므로 진행·능동을 나타내는 현재분사(fixing)가 알맞다.

16 ⓐ 과거진행형(was shouting)이 되어야 알맞다.
ⓑ '파란색으로 칠해진 방'이 되도록 과거분사 painted를 사용하는 것이 알맞다.
ⓓ '가장 흥미로운 사람'이 되도록 능동의 의미를 가지는 현재분사 interesting을 사용하는 것이 알맞다.

17 ① 조건을 나타내는 부사절에서는 미래 상황도 현재시제로 나타낸다. (will 삭제)
② 주절과 일치하도록 과거시제가 되어야 한다. (is → was)
③ '～하는 동안'의 의미인 While이나 As가 쓰여야 알맞다. (Though → While(As))
④ 주절의 주어가 she이므로 부사절의 주어도 she가 되어야 한다. (I → she)

18 ① 낙엽은 '떨어진 잎'이므로 fallen leaves가 알맞다.
② 주어가 혼란스러운 감정을 느끼는 사람이므로 과거분사 confused를 사용하는 것이 알맞다. (confusing → confused)
③ 분사구문의 부정은 분사구문 앞에 not이나 never를 쓴다. (No → Not)
④ 주어가 The woman이므로 단수 동사를 써야 한다. (are → is)
⑤ 책(the book)은 '쓰여진' 것이므로 (Being) Written이 되어야 한다. 부사절로 Because it is written in simple English의 의미이다. (Writing → (Being) Written)

19 (1) '도난당한'이라는 뜻으로 수동·완료의 의미를 나타내는 과거분사 stolen이 알맞다.
(2) '마라톤에서 달리고 있는'이라는 뜻으로 능동·진행의 의미를 나타내는 현재분사 running이 알맞다.

20 (1) 수식하는 명사(mistake)가 감정을 유발하는 주체이므로 첫 번째 빈칸에는 현재분사 embarrassing, 주어가 당황한 감정을 느끼는 사람이므로 두 번째 빈칸에는 과거분사 embarrassed가 알맞다.
(2) 윤 박사의 연설은 실망이라는 감정을 일으키는 주체이므로 첫 번째 빈칸에는 disappointing, 학생들은 실망을 느끼는 대상이므로 두 번째 빈칸에는 과거분사 disappointed를 써야 한다.

21 (1) 부사절의 접속사(As)와 주어(she)를 생략한 후, 동사원형에 -ing를 붙인다(talking).
(2) 부사절의 접속사(Because)와 주어(he)를 생략하고, didn't에서 Not만 남긴 후 동사원형에 -ing를 붙여 Not wearing ~.으로 쓴다.

22 조건을 나타내는 부사절 If you turn right를 분사구문으로 바꾸어 Turning right로 쓸 수 있다.

23 (1)의 분사구문은 '～할 때', (2)는 '～에도 불구하고'의 의미를 나타내므로 각각 접속사 when과 although를 사용하여 주절과 시제가 일치하도록 부사절로 나타낼 수 있다.

24 ⓑ 그녀의 이름이 '불리는' 것을 들은 것이므로 목적격보어 자리에 수동의 의미를 나타내는 과거분사 called가 알맞다.
ⓐ, ⓓ: 과거진행형에 사용되는 현재분사 형태가 알맞다.
ⓒ, ⓔ: 분사구문에 사용되는 현재분사 형태가 알맞다.

25 ⓑ 수호가 'TV를 보면서' 설거지를 했으므로 분사구문인 watching TV로 쓰는 것이 알맞다. 부사절 while he was watching TV의 의미이다.
ⓒ 주어(The new rules)가 혼란스러운 감정을 일으키는 주체이므로 현재분사 형태(confusing)가 알맞다.

내신만점 Level Up Test		p. 86

01 ①   **02** ④   **03** ④
04 (1) ⓑ, ⓒ / ⓐ, ⓓ
    (2) ⓐ broken ⓑ burning ⓒ dancing ⓓ polluted
05 (1) As(Because/Since) he is a big fan of the sport
    (2) Not knowing the rules of the game

01 People playing tennis look excited.가 올바른 문장이다.

02 ⓐ, ⓓ, ⓕ는 분사구문에 쓰인 현재분사이고, ⓑ, ⓒ, ⓔ는 모두 주어로 쓰인 동명사이다.

03 (A)의 pleased는 사람이 감정을 '느끼는' 것을 표현하는 과거분사이다. (B)는 현재시제(has)이며, written in English는 과거분사구로 명사 comic books를 수식한다.

04 ⓐ와 ⓓ는 수동의 의미를 나타내므로 과거분사, ⓑ와 ⓒ는 능동의 의미를 나타내므로 현재분사 형태로 쓰는 것이 알맞다.

05 ⓐ 이유를 나타내는 분사구문이다.
ⓑ 부사절이 부정문이면 분사구문의 분사 앞에 not을 쓴다.

CHAPTER 07
수동태

개념 QUICK CHECK p. 88

POINT **01**-(1) **1** is played **2** read
3 is loved **4** belongs to
POINT **01**-(2) **1** a **2** f **3** c **4** d

실전 연습 p. 89

1 is loved **2** ④ **3** ③
4 ② **5** ③

1 영화가 많은 한국인들에게 '사랑받는' 것이므로 「be동사+과거분사」 형태의 수동태로 써야 한다. 현재시제이고 주어가 3인칭 단수이므로 be동사는 is를 쓴다.

2 주어인 The book이 행위의 대상이 되는 수동태 문장이 되어야 하므로 빈칸에는 「be동사+과거분사」 형태가 알맞다.

3 수학이 Ms. Yoon에 의해 '가르쳐지는' 것이므로 「be동사+과거분사」 형태의 수동태로 써야 한다. teach의 과거분사형은 taught이다.

4 ① be filled with: ~로 가득 차 있다
② be known to: ~에게 알려져 있다
③ be covered with: ~로 덮여 있다
④ be satisfied with: ~에 만족하다
⑤ be pleased with: ~에 기뻐하다

5 ① '경찰에 의해 정지 당했다'의 의미가 되도록 수동태 과거시제를 사용해야 한다. (stopped → was stopped)
② 상태를 나타내는 동사는 수동태로 쓸 수 없다.
(is resembled by → resembles)
④ 목적어를 갖지 않는 자동사는 수동태로 쓸 수 없다. (was 삭제)
⑤ be interested in: ~에 관심이 있다 (by → in)

개념 완성 Quiz

1 be동사+과거분사 **2** ~에 의해 **3** 수동태 **4** by
5 없다

개념 QUICK CHECK p. 90

POINT **02** **1** was not **2** was
3 not watered **4** Who
POINT **03** **1** was written **2** will be painted
3 was put off **4** must be worn

실전 연습 p. 91

1 is not liked **2** ③
3 (1) are, invented (2) will be put off
4 ② **5** ③

1 좋아하지 않는 행위의 대상인 The song이 주어이므로 수동태 부정문(be동사+not+과거분사) 형태가 알맞다. 현재시제이고 주어가 3인칭 단수이므로 be동사는 is를 쓴다.

2 '그것은 Antoni Gaudí에 의해 디자인되었다'라는 의미이므로 「be동사 과거형+과거분사」 형태가 알맞다.

3 (1) 의문사가 있는 수동태 의문문은 「의문사+be동사+주어+과거분사 ~?」로 나타낸다.
(2) 미래시제 수동태는 「will be+과거분사」로 나타내며, put off와 같은 동사구는 하나의 단어처럼 취급하여 수동태로 쓴다.

4 '재활용되어야 한다'라는 의미가 자연스러우므로 조동사를 포함하는 수동태인 「조동사+be+과거분사」의 형태가 알맞다.

5 ③ '그 소년은 경찰에 의해 어디서 발견되었니?'라는 수동의 의미이므로 Where was the boy found by the police?가 되어야 알맞다.

개념 완성 Quiz

1 be동사+not **2** be동사 **3** Are
4 조동사, be **5** 하나의 단어로 취급하여

서술형 실전 연습 pp. 92~93

1 (1) is respected by the teacher
(2) will be sent by him
2 were covered with
3 (1) His name was not(wasn't) written on the list.
(2) Were the walls painted by Susan?

4 (1) were laughed at (2) was turned on

(3) was put off

5 was the picnic canceled

6 (1) painted it (2) was painted by Vincent van Gogh

7 (1) must fixed → must be fixed

(2) should place → should be placed

8 (1) The safety rules were not followed.

(2) Your pets should be taken good care of by you.

1 (1) 주어가 단수이고 현재시제이므로 「is+과거분사+by+행위자」 형태의 수동태로 쓴다.

(2) 미래시제 수동태이므로 「will be+과거분사+by+행위자」 형태로 쓴다. 행위자는 목적격(him)으로 쓴다.

2 주어(The apples)가 행위의 대상이고 과거시제이므로 were covered로 써야 하며, cover는 수동태 문장에서 행위자 앞에 전치사 by가 아닌 with를 쓰는 동사이다. (be covered with: ~로 덮여 있다)

3 (1) 과거시제 수동태 문장이고 주어가 3인칭 단수이므로 did를 was로 바꿔야 한다.

(2) 주어가 복수이고 과거시제 수동태 의문문이므로 「Were+주어+과거분사 ~?」 형태가 알맞다.

4 동사가 부사 또는 전치사와 결합하여 하나의 동사 역할을 하는 동사구는 하나의 단어처럼 취급하여 수동태로 쓴다.

(1) laugh at: ~을 비웃다 (2) turn on: ~을 켜다

(3) put off: ~을 연기하다

5 대화의 흐름상 '소풍이 왜 취소되었니?'라고 묻는 것이 알맞다. 의문사가 있는 수동태 의문문은 「의문사+be동사+주어+과거분사 ~?」의 형태이다.

6 (1) 질문의 시제에 맞게 「주어+동사의 과거형 ~.」 형태의 능동태 문장을 쓴다.

(2) 「주어+be동사의 과거형+과거분사+by+행위자.」 형태의 수동태 문장으로 완성한다.

7 두 개의 책상이 '고쳐져야 한다'는 의미이므로 must be fixed가 되어야 하며, 책이 알맞은 책꽂이에 '놓여야 한다'는 의미이므로 should be placed가 되어야 알맞다.

8 (1) 행위의 대상인 The safety rules가 주어인 과거시제 수동태 부정문으로 쓴다. 단, 행위자가 막연한 일반인이므로 by people은 생략할 수 있다.

(2) 조동사가 포함된 수동태는 「조동사+be+과거분사」 형태로 쓰며, 동사구는 하나의 단어처럼 취급하여 수동태로 쓴다.

실전 모의고사　　　pp. 94~97

01 ④	02 ⑤	03 ②	04 ③	05 ⑤	06 ④
07 ②	08 ⑤	09 ④	10 ②	11 ④	12 ①
13 ①	14 ⑤	15 ③	16 ②	17 ④	18 ④

19 (1) is satisfied with (2) was turned on

20 (1) were built by (2) is covered with

(3) are used by

21 Was this snowman built by Anna?

22 (1) should not be kept (2) can be ordered

23 The broken laptop will be repaired

24 ⓒ → The boxes in the garden were carried by him.

25 (1) was written by (2) are known

(3) was published

01 자전거는 '수리되는' 것이므로 수동태(be동사+과거분사)를 사용하며, 주어가 3인칭 단수(The bike)이고 과거를 나타내는 부사(yesterday)가 있으므로 was repaired가 알맞다.

02 조동사가 있는 문장의 수동태는 「조동사+(not) be+과거분사」의 형태로 쓴다.

03 동사에 따라 수동태일 때 행위자 앞에 전치사 by가 아닌 다른 전치사를 쓰기도 한다. (be filled with: ~로 가득 차 있다)

04 ③ invite는 '~를 초대하다'라는 의미의 타동사이므로 뒤에 목적어가 없다면 '초대 받다'라는 의미의 수동태로 쓰이는 것이 알맞다. 조동사 will이 있으므로 「will be+과거분사」 형태가 되어야 한다. (→ be invited)

05 ⑤ 목적어를 갖지 않는 자동사 stay는 수동태로 쓸 수 없다.

06 be made from: ~로 만들어지다, be satisfied with: ~에 만족하다

07 첫 번째 문장은 주어가 복수(The cookies)이고 과거 시점(last night)이므로 were baked가 알맞다. 두 번째 문장은 미래시제 수동태(will be+과거분사)로 나타내며, 동사구(take care of)는 한 단어처럼 취급하여 수동태로 쓴다.

08 「조동사+be+과거분사」의 형태(can be done)로 써야 하며, 행위자는 「by+행위자」로 나타낸다.

09 의문사가 있는 수동태 의문문은 「의문사+be동사+주어+과거분사+by+행위자?」의 순서로 쓴다. 주어가 the telephone이고 시제는 과거이므로 be동사 was를 쓴다.

10 행위자를 밝힐 필요가 없거나(①, ④) 일반인이거나(③) 누구인지 알 수 없을 때(⑤) 「by+행위자」는 생략할 수 있다. ②의 행위자인 Pablo Picasso는 중요한 정보이므로 생략 시 문장이 어색해진다.

11 The rules가 주어인 수동태 문장이며 조동사 must(~해야 한다)가 사용되어야 하므로 「주어+조동사+be+과거분사+by+행위자」 형태가 되어야 한다.

12 의문사로 시작하는 과거시제 수동태 의문문이므로 Where was this fish caught?가 알맞다.

13 ① 소유를 나타내는 belong to(~에 속하다)는 수동태로 쓸 수 없다. (is belonged to → belongs to)

14 ⑤ 조동사를 포함하는 수동태 의문문은 「(의문사+)조동사+주어+be+과거분사 ~?」의 형태이다. (① by → in, ② didn't be → wasn't(was not), ③ 소유를 나타내는 동사 have는 수동태로 쓸 수 없음, ④ is → was)

15 ⓐ 행위자인 many people 앞에 전치사 by가 있어야 한다.
ⓒ 주어가 복수이므로 be동사 were가 쓰여야 한다. (was → were)

16 ⓐ 뒤에 목적어(vegetables and fruit)가 있으므로 '채소와 과일을 판매한다'라는 의미가 되도록 능동태 sells를 사용해야 한다.
ⓑ '농작물이 심하게 피해를 입었다'라는 의미가 되도록 수동태를 사용하여 were seriously damaged로 표현하는 것이 알맞다.
ⓒ the hospital은 행위자가 아니므로 '병원으로' 데려가졌다는 표현이 되도록 전치사 to를 사용해야 한다.

17 ④ 사진을 찍은 진수가 주어가 되는 능동태 문장(Jinsu took the picture.)이나 행위의 대상인 The picture(It)가 주어가 되는 과거시제 수동태 문장(It was taken by Jinsu.)이 되어야 한다.

18 ④ '만들어지고 있다'라는 의미의 진행형 수동태가 알맞다.
(→ are being made)

19 (1) '~에 만족하다'는 be satisfied with로 나타내며, 주어가 3인칭 단수이고 현재시제이므로 be동사 is를 사용한다.
(2) 동사구 turn on(~을 켜다)을 사용해 수동태 과거시제로 '켜졌다'라는 의미를 나타낸다. 주어가 단수이므로 was를 사용한다.

20 (1) 문맥상 과거시제 수동태로 나타내며 주어가 복수이므로 be동사 were를 사용한다.
(2) '~로 덮여 있다'는 be covered with로 나타내며, 주어가 3인칭 단수이고 문맥상 현재시제이므로 be동사 is를 사용한다.
(3) 문맥상 현재시제 수동태로 나타내며 주어가 복수이므로 be동사 are를 사용한다.

21 수동태 의문문: Be동사+주어+과거분사+by+행위자 ~?

22 조동사를 포함하는 수동태는 「조동사+(not) be+과거분사」의 형태로 쓴다.

23 미래시제 수동태는 「will be+과거분사」로 나타내며, repair를 과거분사형(repaired)으로 바꿔 써야 한다.

24 ⓒ 주어가 the garden이 아닌 The boxes이므로 수동태의 be동사는 were를 사용해야 한다.

25 (1) 주어가 It이고 흐름상 과거시제 수동태로 써야 하므로 was written by가 알맞다.
(2) 주어(His stories)가 복수이고 일반적인 사실을 나타내는 현재시제 수동태이므로 are known이 알맞다. (be known for: ~로 알려져 있다, 유명하다)
(3) 주어가 It이고 흐름상 과거시제 수동태로 써야 하므로 was published가 알맞다.

내신만점 Level Up Test   p. 98

01 ④　　　　**02** ③　　　　**03** ③

04 (1) Jane's cat was run over by a bike.
(2) It will be taken care of at the animal center.

05 (1) to → for / **모범 답** '~로 유명하다'는 be known for로 나타낸다.
(2) was appeared → appeared / **모범 답** 목적어를 갖지 않는 자동사는 수동태로 쓸 수 없다.
(3) was laughed → was laughed at / **모범 답** 의미상 '비웃음을 당했다'이므로 laugh at을 수동태로 써야 한다.

01 ⓑ, ⓓ 내용상 과거시제 수동태(was seen)가 쓰이는 것이 알맞다.
ⓐ 조동사를 포함한 수동태이므로 「be+과거분사」 형태가 알맞다.
ⓒ 주어가 행위의 주체이므로 능동태 과거시제가 알맞다.

02 ⓑ 과거시제 수동태 부정문이므로 wasn't(was not) invited가 알맞다.
ⓒ 프랑스어를 말하는 주체는 일반 사람들이므로 by people은 생략하고, '몇몇 나라에서'라는 의미로 in some countries를 써야 한다.

03 ① (A), (B) 모두 수동태 문장이다.
② be filled with: ~로 가득 차 있다
④ 현재진행형 수동태 문장이다.
⑤ should be로 바꿔야 한다.

04 (1)은 과거시제 수동태, (2)는 미래시제 수동태로 표현하며, 동사구 run over와 take care of는 한 단어처럼 취급하여 수동태로 쓴다.

UNIT 01 부정대명사 (1)

개념 QUICK CHECK　　　　　　　　　　p.100

POINT 01	**1** one	**2** another	**3** it	**4** other
POINT 02	**1** c	**2** d	**3** f	**4** a

실전 연습　　　　　　　　　　p.101

1 (1) one (2) it (3) the other　　　**2** another

3 Some, others　**4** ③　　　　　**5** ⑤

1 (1) 앞에서 언급된 것과 같은 종류의 불특정한 하나를 가리키는 one이 알맞다.
(2) 앞에서 언급된 특정한 단수명사를 가리킬 때는 it을 사용한다.
(3) 둘 중 나머지 하나는 the other로 나타낸다.

2 '또 다른 하나'를 나타낼 때 부정대명사 another를 쓰며, another는 형용사로도 쓰일 수 있다.

3 불특정한 다수를 가리킬 때는 some과 others를 사용한다.

4 셋 중 하나는 one, 다른 하나는 another, 나머지 하나는 the other로 나타낸다.

5 ⑤ 여럿 중에서 하나를 제외한 나머지 모두를 가리킬 때는 the others를 사용한다.

개념 완성 Quiz

1 one, the other　　　**2** another　　　**3** some, others

4 another, the other　　　**5** the others

UNIT 02 부정대명사 (2)

개념 QUICK CHECK　　　　　　　　　　p.102

POINT 03	**1** any	**2** some	**3** some	**4** any
POINT 04	**1** Each	**2** All	**3** Every	**4** Both

실전 연습　　　　　　　　　　p.103

1 some, any　　**2** ③　　　　**3** ④

4 (1) is (2) is (3) are　　　**5** ①

1 첫 번째 빈칸에는 긍정문에서 '약간의'라는 의미로 쓰이는 형용사 some이 알맞고, 두 번째 빈칸에는 부정문에 쓰이는 대명사 any가 알맞다.

2 be동사 are가 쓰였으므로 '둘 다'를 의미하는 Both가 알맞다.

3 ④는 부정문이므로 any가 알맞다. ①, ③은 제안을 나타내는 의문문, ②, ⑤는 긍정의 평서문이므로 some이 알맞다.

4 (1) all 뒤에 셀 수 없는 명사가 쓰였으므로 단수 취급한다.
(2) each는 단수 취급한다.
(3) 「all of+복수명사」는 복수 취급한다.

5 ② every 뒤에는 셀 수 있는 명사의 단수형이 온다.
(students → student)
③ 부정문이므로 '아무(것) ~도 (… 않다)'의 의미를 나타내는 any를 사용한다. (some → any)
④ all 뒤에 복수명사가 쓰였으므로 복수 취급한다. (is → are)
⑤ 「both (of)+복수명사」는 복수 취급한다. (doesn't → don't)

개념 완성 Quiz

1 some, any　　**2** both　　**3** some　　**4** all

5 단수, 복수

UNIT 03 재귀대명사

개념 QUICK CHECK　　　　　　　　　　p.104

POINT 05	**1** ○	**2** ×	**3** ○	**4** ×
POINT 06	**1** enjoyed themselves		**2** beside herself	
	3 help yourself(yourselves)		**4** cut himself	

실전 연습　　　　　　　　　　p.105

1 ③

2 (1) talk to themselves (2) enjoyed ourselves

3 ①　　　　**4** make yourself at home　　　**5** ⑤

1 ③은 주어를 강조하기 위해 쓰인 재귀대명사이므로 생략할 수 있다. 동사나 전치사의 목적어로 사용된 재귀대명사는 생략할 수 없다.

2 (1) talk to oneself: 혼잣말하다

(2) enjoy oneself: 즐거운 시간을 보내다

3 〈보기〉와 ①은 주어를 강조하는 역할을 하는 재귀대명사이고, 나머지는 모두 동사나 전치사의 목적어로 사용된 재귀대명사이다.

4 make oneself at home: (집에서처럼) 편안히 있다

5 ⑤ talk to oneself는 '혼잣말하다'를 의미하며, 이때 목적어로 쓰인 재귀대명사는 주어와 같아야 한다. (myself → himself)

개념 완성 **Quiz**

1 없다 　**2** talk to, enjoy 　**3** 있다
4 make, at home 　**5** 동일한

서술형 실전 연습　　　　　　　pp. 106~107

1 one(One)
2 (1) others 　(2) One, another, the other
3 has
4 (1) introduce yourself 　(2) herself fixed
5 Both (of) the girls are wearing sunglasses.
6 (1) were → was 　(2) needs → need
7 (1) I don't have any sandwiches in my bag.
　(2) Every student loves the school garden.
8 (1) between ourselves 　(2) enjoyed myself

1 첫 번째 빈칸에는 앞서 언급된 노트북 컴퓨터와 같은 종류의 불특정한 하나를 가리키는 one, 두 번째 빈칸에는 셋 중에 '하나'를 나타내는 One이 알맞다.

2 (1) (여럿 중) 몇몇은 ~, 다른 몇몇은 …: some ~, others …
　(2) (셋 중) 하나는 ~, 또 다른 하나는 …, 나머지 하나는 –: one ~, another …, the other –

3 「each+단수명사+단수동사」, 「every+단수명사+단수동사」 형태가 알맞다.

4 (1) 명령문은 주어 You가 생략된 문장이므로 목적어로 재귀대명사 yourself를 쓴다.
　(2) '직접'의 뜻으로 주어를 강조하는 재귀대명사는 주어 바로 뒤나 문장 끝에 쓴다.

5 '~ 둘 다 …하다'는 「Both (of)+복수명사+복수동사」의 형태로 나타낸다.

6 (1) all 다음에 셀 수 없는 명사가 오면 단수 취급한다.
　(2) 「All of+복수명사」가 주어이므로 복수 취급한다.

7 (1) 부정문에서는 any가 쓰여 '아무(것) ~도 (…않다)'라는 의미를 나타낸다.
　(2) 「every+단수명사+단수동사」 형태로 쓴다.

8 (1) between ourselves: 우리끼리 얘기지만
　(2) enjoy oneself: 즐거운 시간을 보내다

개념 완성 **Quiz**

1 one 　**2** others, the others 　**3** every, each
4 불가능, 가능 　**5** 복수 　**6** 복수, 셀 수 없는
7 any, every 　**8** by, enjoy, between ourselves

실전 모의고사　　　　　　　pp. 108~111

01 ② 　**02** ④ 　**03** ②, ⑤ 　**04** ② 　**05** ⑤ 　**06** ⑤
07 ② 　**08** ④ 　**09** ① 　**10** ③ 　**11** ④ 　**12** ③
13 ⑤ 　**14** ④ 　**15** ② 　**16** ④ 　**17** ② 　**18** ⑤
19 (1) another, the other 　(2) Some, others 　(3) It, one
20 any
21 (1) enjoyed ourselves 　(2) by himself
22 They are beside themselves with excitement.
23 Each member of our club is practicing hard
24 One, another, the others
25 ⓑ → The boys cleaned the park themselves.
　ⓓ → Jason visited two cities: one was Seattle, and the other was Vancouver.

01 앞에 언급된 명사(camera)와 종류는 같지만 정해지지 않은 하나를 가리키는 부정대명사 one이 알맞다.

02 같은 종류의 정해지지 않은 '또 다른 하나'를 가리킬 때 사용하는 부정대명사 another가 알맞다.

03 ②, ⑤ 주어를 강조하기 위해 사용된 재귀대명사이므로 생략할 수 있다.

04 another glass of milk: 우유 한 잔 더 / one ~, another …, the other –: (셋 중) 하나는 ~, 또 다른 하나는 …, 나머지 하나는 –

05 정해진 대상 중 '나머지 모두'를 가리킬 때는 the others를 쓴다.

06 ① every는 '모든'의 의미이며 「every+단수명사+단수동사」의 형태로 쓴다. (play → plays)
　② each는 '각각(의)'의 의미이며 「each+단수명사+단수동사」의 형태로 쓴다. (have → has)
　③ both는 '둘 다'의 의미이며 「both (of)+복수명사+복수동사」의 형태로 쓴다. (stops → stop)

④ some은 '약간(의), 몇몇(의)'의 의미이며 「some (of)+복수명사+복수동사」의 형태로 쓴다. (was → were)

07 주어에 맞는 재귀대명사를 써야 한다. (① myself → himself, ③ himself → themselves, ④ ourselves → themselves, ⑤ itself → yourself(yourselves))

08 [보기]와 ④는 주어를 강조하기 위해 사용된 재귀대명사이며 생략 가능하다. 나머지는 모두 동사나 전치사의 목적어로 사용된 재귀대명사이며 생략할 수 없다.

09 ① '(정해진 여러 개 중) 나머지 모두'를 가리킬 때는 the others를 사용한다. (others → the others)

10 ③ 부정문이므로 '아무 ~도 (…않다)'라는 의미의 any를 써야 한다. (some → any)

11 help oneself to: ~을 마음껏 먹다 / of itself: 저절로 / by oneself: 혼자서, 홀로(= alone)

12 첫 번째 빈칸에는 뒤에 us가 있으므로 All, Some 또는 Both가 알맞다. 두 번째 빈칸에는 뒤에 단수명사 year가 있으므로 every가 알맞다. 세 번째 빈칸에는 '우리끼리 얘기지만'이라는 의미가 되도록 between이 들어가는 것이 알맞다.

13 ⑤ 마음에 들지 않으니 다른 것으로 보여 달라는 말이 문맥상 자연스러우므로, 같은 종류의 정해지지 않은 '또 다른 하나'를 가리키는 another가 사용되어야 한다. (one → another one)

14 one은 앞에 나온 명사와 같은 종류의 정해지지 않은 하나를 가리킬 때 사용하며, 복수명사일 경우에는 ones를 쓴다. 앞에 나온 특정한 단수명사를 가리킬 때는 it을, 복수명사이면 them을 쓴다. (① → one, ② → ones, ③ → it, ⑤ → ones)

15 some은 '약간(의), 몇몇(의)'라는 의미로 긍정의 평서문, 제안이나 권유, 요청의 의문문에 주로 사용된다. any는 '아무(것) ~도 (…않다)'의 의미이며 부정문과 의문문에 주로 사용된다.

16 ① by oneself: 혼자서
② make oneself at home: (집에서처럼) 편안히 있다
③ 주어를 강조하는 yourself
④ of itself: 저절로
⑤ enjoy oneself: 즐거운 시간을 보내다

17 ⓐ Both로 시작하는 주어가 복수이므로 복수동사를 써야 한다.
(enjoys → enjoy)
ⓓ 둘 중 나머지 하나는 the other로 나타낸다.
(another → the other)

18 (A) 주어가 All the members이므로 are가 알맞다.
(B), (C) each와 every 다음에는 단수명사가 온다.

19 (1) (셋 중) 하나는 ~, 또 다른 하나는 …, 나머지 하나는 -: one ~, another …, the other -

(2) (여럿 중) 몇몇은 ~, 다른 몇몇은 …: some ~, others …
(3) 앞에 언급된 특정한 단수명사를 가리킬 때는 it, 같은 종류의 불특정한 단수명사를 가리킬 때는 one을 쓴다.

20 첫 번째 빈칸에는 부정문에서 '아무 ~도 (…않다)'라는 뜻을 나타내는 형용사 any가 알맞고, 두 번째 빈칸에는 의문문에 쓰이는 대명사 any가 알맞다.

21 (1) enjoy oneself: 즐거운 시간을 보내다
(2) by oneself: 혼자서, 홀로(= alone)

22 '제정신이 아닌'은 beside oneself로 나타낸다.

23 주어가 Each member of our club이고 동사는 is practicing이다.

24 다섯 마리 중 '한 마리는 ~, 다른 한 마리는 …, 나머지는 -'의 의미이므로 one, another, the others가 알맞다.

25 ⓑ 주어가 The boys이므로 재귀대명사 themselves를 써야 한다.
ⓓ 둘 중 나머지 하나는 the other로 나타낸다.

내신만점 Level Up Test   p.112

01 ①   **02** ⑤   **03** ③
04 (1) others (2) another (3) the other (4) the other
      (5) the others
05 (1) Some like to play (2) Others like to watch

---

01 ② '다른'의 뜻으로 other가 쓰이는 것이 알맞다.
③ '다른 몇몇 사람들'이라는 의미로 Others나 '나머지 모두'라는 의미로 The others가 알맞다.
④ '나머지 모두'를 의미하는 the others가 알맞다.
⑤ 두 개 중 나머지 하나는 the other로 나타낸다.

02 ⑤ 같은 종류의 또 다른 것을 가리키므로 another가 알맞다.

03 ⓐ both 뒤에는 복수명사와 복수동사가 온다. (is → are)
ⓒ every 뒤에는 단수명사와 단수동사가 온다.
(children like → child likes)
ⓔ each 뒤에는 단수명사와 단수동사가 온다.
(students have → student has)

04 (1) some ~, others …: (여럿 중) 몇몇은 ~, 다른 몇몇은 …
(2) '또 다른'의 의미를 나타내는 another가 알맞다.
(3), (4) one ~, the other …: (둘 중) 하나는 ~, 나머지 하나는 …
(5) the others: 나머지 모두

05 전체에서 일부는 some, 나머지 중에서 일부는 others로 표현한다.

CHAPTER 09
비교 표현

UNIT 01 원급·비교급·최상급

개념 QUICK CHECK　　　　　　　　p.114

POINT 01	**1** well	**2** yours	**3** fast	**4** not as
POINT 02	**1** better	**2** tallest	**3** much	**4** in

실전 연습　　　　　　　　　　　　p.115

1 is as smart as her sister	**2** ④
3 more creative than	**4** ③　　　**5** ②

1 비교되는 두 대상의 정도가 같을 때 「as+형용사/부사의 원급+as」로 나타낸다.

2 비교급을 강조하는 부사: much, far, still, a lot, even 등

3 원급 비교의 부정문은 비교 대상의 순서를 바꿔 비교급 구문으로 나타낼 수 있다. creative와 같이 -ive로 끝나는 형용사는 more를 붙여 비교급으로 만든다.

4 ③ 비교되는 두 대상의 정도가 같음을 나타낼 때는 「as+형용사/부사의 원급+as」의 형태로 쓴다. (→ as light as)

5 첫 번째 빈칸에는 '~만큼 많이'라는 의미가 되도록 부사 much가, 두 번째 빈칸에는 '훨씬'이라는 의미로 비교급을 강조하는 부사 중 하나인 much가 알맞다. 세 번째 빈칸에는 최상급 뒤에 복수명사와 함께 쓰이는 전치사 of가 알맞다.

개념 완성 Quiz

1 원급	**2** much	**3** 비교급	**4** less	**5** of, in

UNIT 02 여러 가지 비교 표현

개념 QUICK CHECK　　　　　　　　p.116

POINT 03 -(1), (2)	**1** possible	**2** four times
	3 better	**4** better
POINT 03 -(2), (3)	**1** colder, colder	**2** The higher
	3 have, seen	
	4 the most popular boys	

실전 연습　　　　　　　　　　　　p.117

1 ②

2 (1) shorter and shorter (2) three times as much as

3 ④　　　　　　**4** ①　　　　　　**5** ③

1 '가능한 한 ~하게'는 「as+부사의 원급+as possible」 또는 「as+부사의 원급+as+주어+can(could)」으로 나타낸다. 시제가 과거이므로 could가 들어가야 한다.

2 (1) '점점 더 ~한'은 「비교급+and+비교급」으로 나타낸다.
(2) '~보다 몇 배 …하게'는 「배수사+as+부사의 원급+as」로 나타낸다.

3 ④ '가장 ~한 … 중 하나'는 「one of the+최상급+복수명사」로 나타낸다. (→ sports)

4 '가능한 한 ~하게'는 「as+부사의 원급+as possible」, '점점 더 ~한'은 「비교급+and+비교급」, '~하면 할수록 더 …하다'는 「The+비교급 ~, the+비교급 …」으로 나타낸다.

5 ① 「half+as+형용사의 원급+as」 (larger → large)
② 「as+부사의 원급+as+possible(주어+can)」 (you possible → possible 또는 you can)
④ 「one of the+최상급+복수명사」 (funniest → the funniest)
⑤ 「The+비교급 ~, the 비교급 …」 (healthier → the healthier)

개념 완성 Quiz

1 possible	**2** 비교급, 원급	**3** 최상급, 복수명사
4 more and more+형용사	**5** 현재완료	

서술형 실전 연습　　　　　　　　pp.118~119

1 as old as

2 (1) cheaper than (2) the most expensive

3 (1) half as big as (2) worse and worse

4 (1) healthy → healthier (2) architect → architects

5 (1) as(so) big as (2) shorter than

6 (1) the best movie (that) I have(I've) (ever) seen
(2) as soon as possible

7 (1) Brian slept twice as long as Tom.
(2) The hotter the soup is, the more delicious it tastes.

8 (1) is as tall as (2) is the heaviest boy of

1 미나와 Jane은 나이가 같으므로 비교되는 두 대상의 정도가 같음을 나타내는 「as+형용사의 원급+as」의 형태로 쓴다.

2 '~보다 더 …한'은 「비교급+than」, '가장 ~한'은 「the+최상급」으로 나타낸다.

3 '~의 절반 정도인'은 「half+as+형용사의 원급+as」로 나타내고, '점점 더 ~한'은 「비교급+and+비교급」으로 나타낸다.

4 (1) ~하면 할수록 더 …하다: 「the+비교급(+주어+동사), the+비교급(+주어+동사)」
(2) 가장 ~한 … 중 하나: 「one of the+최상급+복수명사」

5 (1) '~만큼 …하지 않은'은 「not as(so)+형용사의 원급+as」로 나타낸다.
(2) 「비교급+than」 형태로 꼬리가 더 짧음을 나타낸다.

6 (1) '지금껏 ~한 것 중에서 가장 …한'은 「the+최상급+명사(+that)+주어+현재완료」의 형태로 나타낸다.
(2) '가능한 한 ~하게'는 「as+원급+as possible」을 사용해서 나타낼 수 있다.

7 (1) 「배수사+as+원급+as」: ~보다 몇 배 …한/하게
(2) 「the+비교급(+주어+동사), the+비교급(+주어+동사)」: ~하면 할수록 더 …하다

8 (1) 「as+형용사의 원급+as」를 사용하여 키가 같음을 나타낸다.
(2) '셋 중 가장 몸무게가 많이 나가는 소년'을 나타내는 the heaviest boy of the three를 사용한다.

개념 완성 Quiz

1 형용사/부사의 원급, as   **2** 비교급, the, 최상급
3 half, as, as, 비교급, and, 비교급
4 the, 비교급, the, 비교급, 최상급, 복수명사
5 not as(so), as
6 the, 최상급, 현재완료, as, as possible
7 twice as, 원급, as   **8** the, 최상급, of

실전 모의고사   pp. 120~123

01 ①	02 ③	03 ⑤	04 ④	05 ④	06 ⑤
07 ③	08 ③	09 ①	10 ④	11 ②	12 ③
13 ①	14 ①	15 ④	16 ②	17 ⑤	18 ②

19 (1) as cold as (2) not as(so) cold as
(3) the warmest city of

20 (1) August is the hottest month of the year in Korea.
(2) These cookies taste much better than yours.

21 (1) more beautiful than (2) the most beautiful

22 one of the most scientific writing systems

23 times more money than

24 (1) is not as(so) tall as
(2) is a lot taller than

25 more, better

01 「as+원급+as+주어+can」은 '가능한 한 ~한/하게'의 뜻이다. highly는 부사지만 '매우'의 뜻이므로 의미상 알맞지 않다.

02 「비교급+than」은 '~보다 더 …한/하게'의 뜻으로, 이때 비교급 앞에는 the를 쓰지 않는다.

03 「the+최상급+of all」(모든 것 중에서 가장 ~한)이 되는 것이 자연스럽다.

04 ④ heavy의 비교급은 heavier이다. 비교급은 보통 「형용사/부사+-er」로 나타내지만, -ous, -ful, -ive 등으로 끝나는 2음절 단어와 3음절 이상의 단어는 「more+형용사/부사」의 형태로 쓴다.

05 첫 번째 빈칸에는 「비교급+than」이 되도록 부사 well의 비교급 better가 알맞고, 두 번째 빈칸에는 「the+최상급+명사(+that)+주어+현재완료」가 되도록 형용사 bad의 최상급 worst가 알맞다.

06 '훨씬 더 ~한/하게'의 의미로 비교급을 강조할 때는 비교급 앞에 much, far, still, a lot, even 등을 쓴다.

07 「A ~ not as(so)+원급+as+B」는 「B ~ 비교급+than+A」로 바꿔 쓸 수 있다.

08 '~하면 할수록 더 …하다'는 「the+비교급(+주어+동사), the+비교급(+주어+동사)」 구문으로 나타낸다.

09 ①은 「as+원급+as+주어+can」 구문이므로 '많이'라는 의미의 부사 much가 알맞고, 나머지는 모두 more가 알맞다.
(② many의 비교급 more, ③ comfortable의 비교급 more comfortable, ④ 「the+비교급, the+비교급」, ⑤ 「비교급+and+비교급」)

10 ④ '~ 번째로 가장 …한'은 「the+서수+최상급」으로 표현한다. (large → largest)

11 ② LZ V100과 Space S는 둘 다 800달러이므로 비교 대상의 정도가 같음을 나타내는 「as+원급+as」를 사용하는 것이 알맞다.
(① lighter → heavier, ③ less → more, ④ more → less, ⑤ not as expensive as → more expensive than)

12 ① Yuna can skate well과 I can skate well을 비교하는 문장이므로 I 뒤에 can이 쓰여야 한다. (am → can)
② 주어 you가 생략된 명령문이므로 '네가 할 수 있는 한 빨리'가

되어야 한다. (he → you)

④ My brother's feet과 my feet을 비교해야 한다. (me → mine)

⑤ Paul caught fish와 his father caught fish를 비교해야 하므로 caught을 대신하는 동사 did가 쓰여야 한다. (was → did)

13 ① 최상급 뒤에는 보통 「of+복수명사」나 「in+장소·집단」의 표현이 이어진다. (in → of)

14 ① 「as+원급+as」는 '~만큼 …한/하게'의 뜻으로, 비교되는 두 대상의 정도가 같음을 나타낸다.

15 '~보다 몇 배 …한'은 「배수사+as+원급+as」로 나타내므로 빈칸에는 four times as expensive as가 알맞다.

16 ⓐ big의 비교급은 bigger이다. (more big → bigger)
ⓑ 「비교급+and+비교급」에서 warm의 비교급인 warmer를 사용해야 한다. (more and more warm → warmer and warmer)
ⓓ '가장 ~한 … 중 하나'는 「one of the+최상급+복수명사」이므로 museums가 되어야 한다. (museum → museums)

17 ⑤ '가장 ~한'이라는 의미의 최상급은 「the+최상급」으로 나타낸다. (most powerful hero → the most powerful hero)

18 ①은 ⓐ, ③은 ⓑ, ④는 ⓒ, ⑤는 ⓔ에 들어가는 것이 알맞고, ②가 들어가서 자연스러운 문장은 없다. ⓓ에는 better나 worse 등이 알맞다.

19 (1) 「as+원급+as」: ~만큼 …한
(2) 「not as(so)+원급+as」: ~만큼 …하지 않은
(3) 「the+최상급+of+복수명사」: ~ 중에서 가장 …한

20 (1) '가장 ~한'은 「the+최상급」으로 나타낸다.
(2) '~보다 더 …한/하게'는 「비교급+than」으로 나타내므로 better가 알맞다.

21 (1) '~보다 더 아름답다'라는 내용이 자연스러우므로 「비교급+than」이 알맞다.
(2) '세상에서 가장 아름다운 여인'의 의미가 되도록 「the+최상급」을 사용하는 것이 알맞다.

22 '가장 ~한 … 중 하나'는 「one of the+최상급+복수명사」로 나타낸다.

23 언니가 자신보다 다섯 배 많은 돈을 저축하고 있으므로 배수사를 사용하여 five times as much money as 또는 five times more money than으로 나타낼 수 있다. 주어진 much의 형태를 바꾸고(→ more) 단어 2개를 추가(times, than)한 표현은 five times more money than이다.

24 (1) Tower B는 Tower A보다 높지 않으므로 「not as(so)+원급+as」를 사용한다.
(2) 비교급 강조를 나타내는 a lot을 비교급 앞에 써서 Tower A

가 Tower B보다 훨씬 높음을 나타낸다.

25 첫 번째 상황의 빈칸은 more and more, 두 번째 상황의 빈칸은 much better가 알맞다. 기호에 따라 완성된 문장은 '많을수록 좋다.(다다익선)'라는 의미의 The more, the better.가 된다.

내신만점 Level Up Test   p.124

01 ⑤   **02** ③   **03** ④

04 These shoes are not as(so) comfortable as my old ones(shoes).

05 (1) ③ → The Tower of London is one of the most famous London attractions.
(2) the largest, the oldest, the tallest

---

01 We got up as early as possible. 또는 We got up as early as we could.가 올바른 문장이다.

02 최상급 뒤에는 「of+복수명사」 또는 「in+장소·집단」의 표현이 이어진다. ⓒ에는 전치사 of가 알맞다.

03 ④ ⓐ '~하면 할수록 더 …하다'는 「the+비교급, the+비교급」의 형태로 쓴다. (most → more)
ⓑ 비교하는 대상은 문법적으로 형태가 같아야 하므로 him은 소유대명사 his가 되어야 한다. (him → his)
(② ⓐ: more 삭제, ③ ⓑ: more → as)

04 '내 낡은 신발이 이 신발보다 더 편하다'는 원급 비교 부정문(이 신발이 내 낡은 신발만큼 편하지 않다)으로 나타낼 수 있다.

05 (1) '가장 ~한 … 중 하나'는 「one of the+최상급+복수명사」의 형태로 쓴다.
(2) 「the+최상급」 뒤에 「in+장소·집단」의 표현이 이어진다.

CHAPTER 10
관계사

UNIT 01 주격·목적격 관계대명사

개념 QUICK CHECK   p. 126

POINT 01   **1** who   **2** which   **3** that   **4** that

POINT 02   **1** who, whom   **2** which, that
            3 who, that   **4** whom

실전 연습   p. 127

1 (1) who(that) paints landscapes
    (2) which(that) goes to the airport runs
2 ③   **3** that   **4** ③   **5** ②

1 (1) 선행사가 사람이므로 주격 관계대명사 who나 that을 사용한다.
    (2) 선행사가 사물이므로 주격 관계대명사 which나 that을 사용한다.

2 주격 관계대명사 다음에 오는 동사는 선행사의 인칭과 수에 일치시켜야 한다.

3 첫 번째 빈칸에는 선행사가 사람(a girl)이고 주격 관계대명사가 들어가야 하므로 who나 that이 알맞다. 두 번째 빈칸에는 선행사가 동물(the dog)이고 목적격 관계대명사가 들어가야 하므로 which나 that이 알맞다. 따라서 공통으로 알맞은 것은 that이다.

4 ① 선행사가 사람이므로 목적격 관계대명사 who(m) 또는 that이 알맞다. (which → who(m)(that))
② 주격 관계대명사 다음에 오는 동사는 선행사(a cat)의 인칭과 수에 일치시킨다. (have → has)
④ 전치사가 관계대명사 앞에 올 때 선행사가 사람인 경우, 관계대명사로는 whom만 쓸 수 있다. (that → whom)
⑤ 관계대명사절에는 선행사에 해당하는 (대)명사를 쓰지 않는다. (it 삭제)

5 ②는 뒤의 명사를 수식하는 의문형용사로 사용되었고, 나머지는 모두 관계대명사로 사용되었다. (①, ③ 목적격 관계대명사, ④, ⑤ 주격 관계대명사)

개념 완성 Quiz

1 who, which   **2** 선행사   **3** that   **4** whom
5 관계대명사

UNIT 02 소유격 관계대명사, 관계대명사 that

개념 QUICK CHECK   p. 128

POINT 03   **1** whose   **2** whose   **3** whose
POINT 04   **1** that   **2** that   **3** that
            4 whom   **5** 접속사 that

실전 연습   p. 129

1 (1) whose birthday is next Sunday
    (2) whose stories were similar
2 ②   **3** ④   **4** ②   **5** ②

1 선행사에 상관 없이 소유격 관계대명사는 whose를 사용한다.

2 선행사에 all이나 「the+서수」가 포함된 경우에는 관계대명사 that을 주로 쓴다.

3 ④는 문장의 보어 역할을 하는 명사절을 이끄는 접속사이고, 나머지는 모두 관계대명사이다. (① 목적격 관계대명사, ②, ③, ⑤ 주격 관계대명사)

4 ② 소유격 관계대명사 자리에는 관계대명사 that이 쓰일 수 없다. (→ whose)

5 ①, ②, ⑤ 선행사에 최상급이나 the last가 포함되어 있을 때, 선행사가 -thing으로 끝나는 대명사일 때는 주로 관계대명사 that을 쓴다.
③ that은 소유격 관계대명사로 쓰일 수 없다. (→ whose)
④ 전치사 바로 뒤에는 관계대명사로 that을 쓰지 않는다. (→ which)

개념 완성 Quiz

1 whose   **2** that   **3** 뒤, 「주어+동사」
4 소유격 자리일 때   **5** 선행사가 -thing으로 끝날 때

UNIT 03 관계대명사 what, 관계대명사의 생략

개념 QUICK CHECK   p. 130

POINT 05   **1** that   **2** what   **3** what
            4 의문사 what
POINT 06   **1** whom   **3** that

1 what   **2** ⑤

3 (1) The student who(m)(that) Ms. Yoon met yesterday was Lisa.

   (2) The girl who(that) is wearing glasses is my best friend.

4 ④   **5** ③

1 선행사(the thing)를 포함하는 관계대명사 what을 사용한다.

2 〈보기〉와 ⑤의 what은 선행사를 포함하는 관계대명사이고, 나머지는 모두 의문사이다.

3 (1) 선행사(The student) 뒤에 목적격 관계대명사가 생략된 문장이다.

   (2) 선행사(The girl) 뒤에 「주격 관계대명사+be동사」가 생략된 문장이다.

4 ④ 관계대명사 what은 선행사를 포함하는 관계대명사이다.
(The thing what → What 또는 The thing that(which))

5 ③ 주어 역할을 하는 명사절을 이끄는 관계대명사 what이 알맞다.

개념 완성 Quiz

1 what   **2** 관계대명사, 의문사

3 목적격, 주격 관계대명사+be동사   **4** 없다   **5** 명사

UNIT 04 관계부사

개념 QUICK CHECK   p. 132

POINT **07**-(1)   **1** which   **2** where   **3** which   **4** where

POINT **07**-(2)   **1** how   **2** where   **3** when   **4** why

실전 연습   p. 133

1 (1) which (2) where   **2** (1) which (2) why

3 ⑤   **4** ②   **5** ④

1 (1) 앞에 전치사가 있으므로 관계대명사 which가 알맞다.
   (2) 장소를 나타내는 선행사 뒤에 「전치사+관계대명사」(at which)를 대신해 쓸 수 있는 관계부사 where가 알맞다.

2 (1) 앞에 전치사 for가 있으므로 관계대명사 which가 알맞다.
   (2) 이유를 나타내는 관계부사 why가 알맞으며, 관계부사의 선행사가 the reason일 때는 선행사를 생략할 수 있다.

3 ⑤의 빈칸에는 시간을 나타내는 선행사 뒤에 쓰이는 관계부사 when이 알맞고, 나머지는 모두 장소를 나타내는 선행사 뒤에 쓰이는 관계부사 where가 알맞다.

4 ② 방법을 나타내는 경우에는 선행사 the way나 관계부사 how 중 하나만 쓴다. (① how → where, ③ what → why, ④ where → when, ⑤ when → why)

5 첫 번째 문장에서는 선행사인 a theater가 이어지는 관계사절에서 주어 역할을 하므로 주격 관계대명사 which나 that이 알맞고, 두 번째 문장에서는 장소를 나타내는 선행사 the place가 관계사절에서 부사 역할(at the place)을 하므로 관계부사 where가 알맞다.

개념 완성 Quiz

1 부사   **2** why, for which   **3** when, where

4 how   **5** 불완전한, 완전한

서술형 실전 연습   pp. 134~135

1 (1) who(m)(that) I met on the bus

   (2) went to the bookstore which(that) had many different magazines

2 who → whose

3 Mozart is the composer that the professor is writing about.

4 (1) what you said   (2) What I want is

5 (1) where Sumi was born (in 2006)

   (2) when Sumi moved to Seoul

   (3) why Sumi went back to Jeju-do (in 2018)

6 (1) Look at the mountain which is covered with snow.

   (2) The boy who is wearing red sneakers is my cousin.

   (3) Do you like the present that you got from your dad?

7 What I want for my birthday is a new camera.

8 which, why, where

1 (1) 선행사가 사람이고 관계사절에서 목적어 역할을 하므로 목적격 관계대명사 who(m)나 that을 사용한다.
   (2) 선행사가 사물이고 관계사절에서 주어 역할을 하므로 주격 관계대명사 which나 that을 사용한다.

2 선행사(the boy band)가 관계사절에서 소유격으로 쓰였으므로 소유격 관계대명사를 사용해야 한다.

3 관계대명사 that은 전치사 바로 뒤에는 쓸 수 없으므로 전치사를 관계대명사절 끝으로 보내야 한다.

4 (1) 선행사를 포함하면서 '~하는 것'이라는 뜻을 나타내는 관계대명사 what을 사용한다. 관계대명사절이 목적어로 쓰였다.
(2) 관계대명사 what이 이끄는 명사절이 주어로 쓰이면 단수 취급한다.

5 (1) 선행사가 the place로 장소이므로 관계부사 where를 쓴다.
(2) 선행사가 the year로 시간이므로 관계부사 when을 쓴다.
(3) 선행사가 the reason으로 이유를 나타내므로 관계부사 why를 사용한다.

6 (1), (2) 과거분사와 현재분사가 각각 선행사를 뒤에서 수식하고 있으므로 선행사 뒤에 「주격 관계대명사+be동사」가 생략된 문장으로 볼 수 있다.
(3) 목적격 관계대명사가 생략된 문장으로, 선행사(the present)가 사물이므로 which나 that이 선행사 뒤에 들어가야 한다.

7 선행사를 포함하는 관계대명사 what이 이끄는 절이 문장의 주어가 되고, what이 이끄는 명사절은 단수 취급하므로 be동사 is를 사용한다.

8 관계사절에서 주어 역할을 하는 주격 관계대명사 which, 이유를 나타내는 관계부사 why, 장소를 나타내는 관계부사 where가 순서대로 들어간다.

개념 완성 Quiz

1 형용사절　　**2** 주격, 소유격　　**3** whom, which

4 what, 명사절　　**5** when, where, why, how

6 전치사, be동사　　**7** 없음, 단수형　　**8** 불완전한, 완전한

실전 모의고사　　pp. 136~139

01 ①　　**02** ⑤　　**03** ④, ⑤　**04** ④　　**05** ⑤　　**06** ⑤

07 ②　　**08** ③　　**09** ③　　**10** ⑤　　**11** ③, ④　**12** ⑤

13 ②　　**14** ①　　**15** ④　　**16** ③　　**17** ④　　**18** ③

19 (1) the bag that Grandma bought for me
(2) last winter when I was traveling with Dad

20 who(that), walking

21 (1) I like the way she talks.
(2) What happened to her is not your fault.

22 (1) Choose what you want.
(2) This is how I make friends.

23 What Minsu wants is to enter the race.

24 (1) whose → who(that)　(2) which → where

25 (1) whom I took this picture
(2) when we first met

01 목적격 관계대명사 who(m)나 that을 쓸 수 있는데, 선행사에 the only가 포함되어 있으면 that을 주로 사용한다.

02 관계사절에서 부사 역할을 하는 관계부사 자리이고 선행사(the movie theater)가 장소이므로 where가 알맞다.

03 선행사가 사람(the P.E. teacher)이고 관계대명사절에서 전치사의 목적어로 쓰이므로 목적격 관계대명사 who, whom이나 that이 들어갈 수 있으며, 목적격 관계대명사는 생략할 수 있다.

04 '역사에 관심 있는 사람들'은 선행사 people 뒤에 주격 관계대명사 who나 that을 사용하여 나타낼 수 있다.

05 ⑤ 관계대명사절(who ~ my parents)은 선행사를 수식하는 역할을 하므로 문장의 동사는 선행사이자 주어인 The boy의 인칭과 수에 일치시켜야 한다. (→ is)

06 첫 번째 문장에는 주격 관계대명사 which나 that이 알맞고, 두 번째 문장에는 소유격 관계대명사 whose가 알맞다.

07 첫 번째 빈칸에는 forget의 목적어인 명사절을 이끄는 관계대명사 what이 알맞고, 두 번째 빈칸에는 시간을 나타내는 선행사 뒤에 쓰이는 관계부사 when이 알맞다.

08 ③의 What은 의문사이고, 나머지는 모두 선행사를 포함하는 관계대명사이며 명사절을 이끈다.

09 ③은 소유격 관계대명사 whose가 알맞고, 나머지는 모두 주격 관계대명사 who나 that이 알맞다. 소유격 관계대명사 자리에 that은 쓰이지 않는다.

10 ⑤는 목적격 관계대명사 which나 that이 알맞고, 나머지는 모두 선행사를 포함하는 관계대명사 what이 알맞다.

11 목적격 관계대명사는 생략할 수 있지만, ③, ④는 주격 관계대명사이므로 생략할 수 없다.

12 ⑤는 주격 관계대명사 which나 that이 알맞고, 나머지는 모두 장소를 나타내는 선행사 뒤에 쓰이는 관계부사 where가 알맞다.

13 ⓐ에는 시간을 나타내는 선행사 뒤에 쓰이는 관계부사 when, ⓑ에는 선행사를 포함하는 관계대명사 what, ⓒ에는 이유를 나타내는 선행사 the reason 뒤에 쓰이는 관계부사 why가 들어가야 한다.

14 ① 선행사가 장소(the city)이고 뒤에 완전한 문장이 이어지므로

관계부사 where를 쓰는 것이 알맞다. 혹은 which 바로 앞이나 문장 끝에 전치사 in을 함께 쓸 수도 있다.

15 ⓑ에는 선행사에 all이 있으므로 관계대명사 that을 쓰고, ⓓ에는 선행사가 「사람＋동물」이므로 that을 쓴다. ⓐ에는 선행사를 포함하는 관계대명사 what이 알맞고, ⓒ에는 시간을 나타내는 선행사 뒤에 쓰이는 관계부사 when이 알맞다.

16 〔보기〕와 ⓐ, ⓒ, ⓔ의 that은 관계대명사이고, ⓑ와 ⓓ는 명사절을 이끄는 접속사 that이다.

17 ④ 관계대명사 that은 선행사의 종류에 상관 없이 주격과 목적격 관계대명사를 대신하여 사용할 수 있지만, 전치사 바로 뒤에는 쓸 수 없다. that을 사용하려면 that everyone wants to work with의 형태가 되어야 한다.

18 ⓐ 선행사(the girl) 뒤에 주격 관계대명사 who나 that이 필요하며, 주격 관계대명사는 생략할 수 없다.
ⓓ 선행사(pop songs)가 관계사절에서 소유격으로 사용되므로 소유격 관계대명사 whose가 쓰여야 한다.

19 (1) 선행사(the bag)가 관계사절에서 목적어 역할을 하므로 목적격 관계대명사 which나 that을 사용하며, 관계대명사절에는 선행사를 대신하는 (대)명사(it)를 쓰지 않는다.
(2) 시간을 나타내는 선행사(last winter)가 관계사절에서 부사 역할을 하므로 관계부사 when을 사용하여 문장을 완성한다.

20 선행사(The woman)가 이어지는 관계사절에서 주어 역할을 하므로 주격 관계대명사 who나 that을 사용하며, 「주격 관계대명사＋be동사」는 생략할 수 있다.

21 (1) 문장의 동사(like) 뒤에 목적어이자 방법을 나타내는 선행사인 the way를 사용하고 관계부사절의 주어와 동사가 이어지도록 한다. the way와 관계부사 how는 둘 중 하나만 써야 한다.
(2) 선행사를 포함하는 관계대명사 what을 주어로 사용하고, what이 이끄는 명사절은 단수 취급하므로 be동사 is를 쓴다.

22 (1) 선행사를 포함하는 관계대명사 what을 사용하여 문장의 목적어인 '당신이 원하는 것'을 나타낸다.
(2) 방법을 나타내는 관계부사의 경우, 선행사 the way와 관계부사 how를 함께 쓰지 않고 둘 중 하나만 쓴다. 6단어로 써야 하므로 how를 사용한다.

23 '민수가 원하는 것은 경주에 나가는 것이다.'라는 내용이 되는 것이 알맞다. 주어인 '민수가 원하는 것'은 관계대명사 which나 that을 사용한 the thing which(that) 또는 what을 사용하여 나타낼 수 있는데, 8단어로 써야 하므로 what을 쓴다. what이 이끄는 명사절은 단수 취급하므로 be동사 is를 사용하고, '경주에 나가는 것'은 to부정사를 사용하여 쓴다.

24 (1) 선행사(a man)가 관계사절에서 주어 역할을 하므로 주격 관계대명사 who나 that을 쓰는 것이 알맞다.
(2) 선행사(the Earth)가 장소이고 뒤에 완전한 문장(his wife ~

for him)이 이어지므로 관계부사 where를 쓰는 것이 알맞다.

25 (1) 전치사(with) 뒤에는 관계대명사 who나 that을 쓸 수 없고 whom을 써야 한다.
(2) 시간을 나타내는 선행사(the day) 다음에 관계부사 when을 쓰고 그 뒤에 주어와 동사를 갖춘 문장을 쓴다.

내신만점 Level Up Test　　　　　　　　　　p.140

01 ①　　　　　　　　**02** ②
03 (1) 청소를 마친, who(that) finished cleaning went home
　　(2) 그들이 늦은, the reason why they were late
04 (1) hit → which(that) hit　(2) who → whose
　　(3) go → goes　　　　(4) it → 삭제

01 ① 방법을 나타내는 관계부사 how는 선행사인 the way와 함께 쓸 수 없으므로 how와 the way 둘 중 하나만 써야 한다.

02 ⓑ의 when은 관계부사이므로 「전치사＋관계대명사」 형태로 바꿔 쓸 수 있다. 선행사가 The day로 시간을 나타내므로 on which가 알맞다.

03 (1) 관계대명사절이 주어를 수식하는 형태로, 주어인 선행사가 사람이므로 주격 관계대명사 who나 that을 사용하고, 동사는 시제에 맞게 과거시제로 쓴다.
(2) 주어진 the reason을 선행사로 하여 뒤에 이유를 나타내는 관계부사 why 다음에 주어와 동사를 갖춘 문장을 써서 완성한다.

04 (1) hit the town이 tornado를 수식하는 말인데 주격 관계대명사가 쓰이지 않았다. 주격 관계대명사는 생략할 수 없으므로 동사 hit 앞에 which나 that이 들어가야 한다.
(2) 선행사가 관계대명사절에서 뒤의 명사 hair를 수식하는 소유격으로 쓰이므로 소유격 관계대명사 whose를 써야 한다.
(3) 선행사 the only bridge가 3인칭 단수이므로 관계사절의 동사 go를 goes로 써야 한다.
(4) which는 선행사 a scarf 대신 쓰인 말이므로 관계대명사절에서는 선행사를 대신하는 (대)명사를 쓰지 않는다. 따라서 received 뒤의 it은 삭제해야 한다.

UNIT 01 시간·이유를 나타내는 접속사

개념 QUICK CHECK p.142

POINT 01 **1** d **2** f **3** a **4** b
POINT 02 **1** because **2** As
3 since **4** Because

실전 연습 p.143

1 (1) before (2) while (3) since **2** ⑤
3 will get → get **4** ① **5** ③

1 (1) 식사를 하기 전에 손을 씻어라.
(2) 나는 공원에서 산책하는 동안 Eric을 보았다.
(3) 우리는 어렸을 때부터 서로 알고 지낸 사이다.

2 규칙적으로 운동을 하기 때문에 건강하다는 의미이므로 이유를 나타내는 접속사 Since가 알맞다.

3 시간을 나타내는 접속사가 쓰인 부사절에서는 미래 상황을 현재시제로 나타낸다.

4 첫 번째 빈칸에는 '~할 때까지'라는 의미의 접속사 until이, 두 번째 빈칸에는 이유를 나타내는 접속사 As나 Since, Because가 알맞다.

5 〈보기〉와 ③의 as는 '~할 때, ~하면서'의 의미이다.
(①, ⑤ ~ 때문에, ② ~하는 대로, ④ ~하듯이)

개념 완성 Quiz

1 since, while, before **2** since **3** 현재시제
4 as **5** because, since, when

UNIT 02 조건·양보를 나타내는 접속사, 명령문, and/or ~

개념 QUICK CHECK p.144

POINT 03 04 **1** unless **2** even though
3 invite **4** Although
POINT 05 **1** or **2** and **3** and **4** or

실전 연습 p.145

1 ④ **2** ④
3 (1) and (2) Turn down, or **4** ② **5** ⑤

1 접속사 unless는 '(만약) ~하지 않으면'의 뜻으로, if ~ not으로 바꿔 쓸 수 있다.

2 서로 상반되는 내용의 문장을 연결할 때는 '비록 ~이지만'을 나타내는 접속사 although나 even though를 사용할 수 있다.

3 조건을 나타내는 if절은 「명령문, and/or ~」로 바꿔 쓸 수 있다. '~해라, 그러면 …할 것이다'는 「명령문, and ~」로, '~해라, 그렇지 않으면 …할 것이다'는 「명령문, or ~」로 쓴다.

4 첫 번째 빈칸에는 조건을 나타내는 접속사 if, 두 번째 빈칸에는 '비록 ~이지만'을 나타내는 접속사 Although 또는 Even though가 알맞다.

5 ⑤ even though는 '~에도 불구하고'라는 의미로 서로 상반되는 내용을 연결한다. (① or → and, ② aren't → are 또는 Unless → If, ③ will be → is, ④ and → or)

개념 완성 Quiz

1 if ~ not **2** although **3** and, or
4 조건, 결과 **5** 없다

UNIT 03 접속사 that, 상관 접속사

개념 QUICK CHECK p.146

POINT 06 **1** b **2** a **3** b **4** c
POINT 07 **1** or **2** and **3** nor **4** but also

실전 연습 p.147

1 It, that **2** (1) neither, nor (2) as well as
3 ② **4** ② **5** ④

1 가주어 It을 주어 자리에 쓰고 진주어 that절을 문장의 뒤로 보낸다.

2 (1) A도 B도 아닌 상황을 표현할 때는 neither A nor B로 쓴다.
(2) not only A but also B는 B as well as A로 바꿔 쓸 수 있다.

3 that이 이끄는 명사절이 ②에서는 보어 역할을 하고, 나머지는 모두 목적어 역할을 한다. 목적어 역할을 하는 명사절을 이끄는 that은 생략할 수 있다.

4 either A or B(A와 B 둘 중 하나)는 주어로 쓰일 경우 B에 수를 일치시킨다. both A and B는 복수 취급하므로 빈칸에 알맞지 않다.

5 ①, ⑤ 상관 접속사에서 *A*와 *B*는 문법적으로 형태가 같아야 한다. ② that절이 주어인 경우, 주로 「It ~ that …」 형태로 쓴다. ③ 상관 접속사가 주어로 쓰인 경우, both *A* and *B*는 복수 취급하고 나머지는 모두 *B*에 수를 일치시킨다.
(① sadly → sad, ② That → It, ③ am → are, ⑤ go → going)

서술형 실전 연습   pp. 148~149

1 (1) Since I was exhausted, I took a nap under the tree.

   (2) After I go shopping, I'll go to see an exhibition.

   (3) While Dad was cooking dinner, I did my homework.

2 (1) Unless, take (2) you won't be late

   (3) you will be late

3 is that Chris doesn't know it

4 (1) It is not only delicious but also good for your health.

   (2) It is good for your health as well as delicious.

5 (1) since she was four years old

   (2) until the storm passes by

   (3) Although(Even though) she didn't have enough time

6 Neither Sam nor I am interested in music.

7 before, goes, will play, after, until, picks

1 (1)은 이유를 나타내는 접속사 since, (2)는 시간의 순서를 나타내는 after, (3)은 '~하는 동안'을 나타내는 while을 사용한다. 시간 부사절에서는 미래 상황을 현재시제로 나타낸다.

2 if ~ not은 unless로 바꿔 쓸 수 있는데 unless에는 부정의 의미가 있으므로 not과 함께 쓰지 않는다. 조건을 나타내는 접속사 if가 쓰인 문장은 「명령문, and ~」나 「명령문, or ~」로 바꿔 쓸 수 있다.

3 접속사 that이 이끄는 명사절을 보어로 사용해 '문제는 Chris가 그것을 모른다는 거야.'라는 말을 완성한다.

4 not only *A* but also *B*는 '*A*뿐만 아니라 *B*도'라는 의미의 상관 접속사이며 *B* as well as *A*로 바꿔 쓸 수 있다.

5 (1) '~한 이후로'를 나타내는 접속사 since를 사용한다.

   (2) '~할 때까지'를 나타내는 접속사 until을 사용하며, 시간을 나타내는 부사절에서는 미래 상황을 현재시제로 나타낸다.

(3) 상반되는 상황을 나타내는 접속사 Although나 Even though를 사용한다.

6 neither *A* nor *B*(*A*도 *B*도 아닌)를 사용하며, 동사는 *B*에 일치시킨다.

7 일정에 따르면 쇼핑을 가기 전에(before) 피아노 수업이 있고, 쇼핑 후에는(after) 축구를 할 예정이며, 아빠가 데리러 올 때까지(until) 축구를 할 것이다. 시간이나 조건을 나타내는 접속사가 쓰인 부사절에서는 미래 상황을 현재시제로 나타내는 것에 유의한다.

실전 모의고사   pp. 150~153

01 ④	02 ④	03 ③	04 ④	05 ②	06 ②
07 ②	08 ⑤	09 ④	10 ③	11 ③	12 ②
13 ②	14 ⑤	15 ②	16 ①	17 ③	18 ④

19 It's clear that he is an honest man.

20 (1) Work out regularly, and you will be much healthier.

   (2) I want to either watch TV or read books.

   (3) We couldn't go camping because it snowed a lot.

21 Neither, likes reading books

22 Work hard, or you'll regret it.   **23** ⓓ → either

24 (1) If it's(it is) sunny (tomorrow), Cathy will go to an amusement park.

   (2) If it rains (tomorrow), Cathy will go to an aquarium.

25 (1) This salad is not only tasty but (also) healthy.

   (2) Alice is not in New York but in London.

01 「명령문, and ~」(~해라, 그러면 …할 것이다) 형태가 알맞다.

02 not only *A* but also *B*(*A*뿐만 아니라 *B*도) 형태가 알맞다.

03 it이 대명사가 아닌 가주어로 쓰였으므로 진주어인 명사절을 이끄는 접속사 that이 들어가야 한다.

04 접속사 since는 시간(~한 이후로 계속)과 이유(~하기 때문에, ~이므로)를 모두 나타낼 수 있다.

05 접속사 while은 시간(~하는 동안)을 나타내거나 대조(~하는 반면에, 그런데)를 나타낼 수 있다.

06 시간을 나타내는 부사절에서는 미래 상황을 현재시제로 나타내므로 부사절은 현재시제, 주절은 미래시제로 써야 알맞다.

07 ⓐ에는 조건(만약 ~하면)을 나타내는 접속사 If, ⓑ에는 양보(비록 ~이지만)를 나타내는 Although, ⓒ에는 시간(~할 때)을 나타내는 When이 들어가야 자연스러운 의미가 된다.

08 [보기]와 ⑤의 As는 모두 '~ 때문에'라는 의미로 사용되었다.
(① ~하듯이, ② ~할수록, ③, ④ ~하면서)

09 ④ 목적어로 쓰인 명사절을 이끄는 접속사 that은 생략할 수 있다.
(①, ②, ③ 주어로 쓰인 명사절을 이끄는 that, ⑤ 보어로 쓰인 명사절을 이끄는 that)

10 우유와 치즈를 둘 다 좋아하지 않는 상황이므로 'A도 B도 아닌'이라는 의미의 neither A nor B를 써야 알맞다. neither A nor B는 부정어(not)와는 함께 사용할 수 없다.

11 나머지는 모두 서둘러서 기차를 타라는 의미인 반면, ③은 서두르면 기차를 탈 수 없다는 의미이다.

12 ②는 빈칸 뒤에 절(주어+동사)이 아닌 동사원형이 이어지므로 to부정사구가 진주어로 쓰였음을 알 수 있다. 나머지 빈칸에는 모두 명사절을 이끄는 접속사 that이 알맞다.

13 ② not only A but also B는 'A뿐만 아니라 B도'라는 뜻이고 not A but B는 'A가 아니라 B'라는 뜻으로 서로 의미가 전혀 다르다.

14 ① '~인지 아닌지'의 의미로 쓰이는 접속사 if가 쓰여야 한다.
② neither A nor B는 부정어와 함께 쓰이지 않는다.
③ 조건을 나타내는 부사절에서는 미래 상황을 현재시제로 나타낸다.
④ not A but B가 주어로 쓰이면 B에 수를 일치시킨다.

15 ⓐ, ⓓ, ⓔ는 모두 명사절을 이끄는 접속사로 쓰인 that이고, ⓑ는 지시형용사, ⓒ는 관계대명사 that이다.

16 조건이나 시간을 나타내는 부사절에서는 미래 상황을 현재시제로 나타내지만 ①과 같이 if가 '~인지 (아닌지)'의 의미로 명사절을 이끌 때는 if절에서 미래 상황을 미래시제로 쓴다.

17 ⓑ 접속사 when 다음에는 절(주어+동사)이 와야 한다.
(When his childhood → When he was a child 또는 In his childhood)
ⓒ 부사절과 주절의 시제에 주의해야 한다. (take → took)

18 ⓐ has → have
ⓑ be → is
ⓒ Because of he ate → Because he ate

19 가주어 It이 사용된 문장이므로 접속사 that을 사용하여 진주어 역할을 하는 명사절을 완성하고 문장 뒤에 위치하게 쓴다.

20 (1) 규칙적으로 운동해라, 그러면 너는 훨씬 더 건강해질 것이다.
(2) 나는 TV를 보거나 책을 읽고 싶어.
(3) 눈이 많이 와서 우리는 캠핑을 갈 수 없었다.

21 둘 다 책 읽기를 싫어한다는 내용이므로 neither A nor B로 나타낼 수 있다. 이때 동사의 수는 B에 맞추어야 하므로 likes를 쓴다.

22 '~해라, 그렇지 않으면 …할 것이다'라는 의미의 「명령문, or ~」를 사용한다.

23 ⓓ 문맥상 'Pizza Place와 Pasta World 둘 중 하나'라는 의미가 자연스러우므로 either A or B가 알맞다.

24 If가 이끄는 조건의 부사절에서는 미래 상황을 현재시제로 나타내고, 주절에서는 미래시제(will)를 사용하여 미래 계획을 나타낸다.

25 (1) not only A but also B: A뿐만 아니라 B도
(2) not A but B: A가 아니라 B

내신만점 Level Up Test		p.154

01 ④ **02** ⑤ **03** ①

04 (1) Although she is rich, she doesn't waste money.
(2) If you mix red and white, you'll get pink.
(3) Unless Tony is busy this weekend, he'll go to the movies with Emma.

05 (1) while you're driving
(2) before you come into the house
(3) until she comes back
(4) since I fought with him

01 ⓑ either A or B는 동사의 수를 B에 일치시켜야 한다. (are → is)
ⓓ not only A but also B에서 A와 B의 문법적 형태는 같아야 한다.
ⓔ 시간을 나타내는 부사절에서는 미래 상황을 현재시제로 나타낸다. (will 삭제)

02 (A) 가주어 It이 주어를 대신하는 문장이므로 주어 역할을 하는 명사절을 이끄는 접속사 that이 알맞다.
(B) '~하지 않으면'이라는 뜻의 unless가 알맞다.
(C) 빈칸 뒤에 주어와 동사가 이어지므로 이유를 나타내는 접속사 because가 알맞다.

03 Although she sometimes lies, I trust her.가 되어야 한다.

04 (1) 그녀는 비록 부자이지만, 돈을 낭비하지 않는다.
(2) 빨간색과 흰색을 섞으면, 분홍색이 될 것이다.
(3) 이번 주말에 바쁘지 않으면 Tony는 Emma와 영화를 볼 것이다.

05 (1) 운전하는 동안에는 전화 통화를 하지 마라.
(2) 집으로 들어오기 전에 신발을 벗어라.
(3) 그녀가 돌아올 때까지 여기서 기다리자.
(4) 나는 그와 싸운 이후로 그를 본 적이 없다.

CHAPTER 12
가정법

UNIT 01 가정법 과거

개념 QUICK CHECK   p.156

POINT 01   **1** helped   **2** were   **3** would   **4** knew

POINT 02   **1** b   **2** c   **3** d   **4** a

실전 연습   p.157

1 were, would buy   **2** (1) will be (2) knew

3 ④   **4** ⑤   **5** ⑤

1 현재 사실과 반대되는 상황을 가정하는 가정법 과거 문장으로 완성하며, if절의 be동사는 주어의 인칭과 수에 관계없이 were를 사용한다.

2 (1) 일어날 수 있는 상황에 대한 조건문이므로 주절에 미래시제를 사용하는 것이 알맞다.
(2) 현재 사실과 반대되는 상황을 가정하는 가정법 과거 문장이므로 if절의 동사는 과거형으로 쓴다.

3 현재 사실과 반대되는 상황을 가정하는 가정법 과거 문장으로 나타낼 수 있다. 직설법 현재 문장을 가정법 과거 문장으로 바꿔 쓸 때는 if절의 동사와 주절의 조동사를 과거형으로 바꾸고, 직설법이 긍정문이면 가정법은 부정문으로, 부정문이면 긍정문으로 바꿔 쓴다.

4 가정법 과거 문장을 직설법 현재 문장으로 바꿔 쓸 때 if는 as, because 등의 접속사로, 과거시제는 현재시제로, 긍정은 부정, 부정은 긍정으로 바꾼다.

5 조건을 나타내는 접속사 if가 사용된 단순 조건문의 부사절에서는 미래 상황을 현재시제로 나타낸다. (① I'll → I would 또는 had → have, ② we'll → we, ③ had → have 또는 can → could, ④ could → can 또는 is → were)

개념 완성 Quiz

1 동사의 과거형, 조동사의 과거형   **2** 현재시제

3 현재시제   **4** 조동사   **5** 실현 가능성

UNIT 02 가정법 과거완료

개념 QUICK CHECK   p.158

POINT 03   **1** had worn   **2** have enjoyed
          3 had known   **4** would have failed

POINT 04   **1** hadn't been, have gone
          2 had, could   **3** hadn't lost, have called

실전 연습   p.159

1 hadn't(had not) come, wouldn't have been

2 (1) have caught (2) go   **3** ②   **4** ①

5 didn't forget → hadn't(had not) forgotten

1 '내가 집에 늦게 오지 않았다면 엄마가 걱정하시지 않았을 텐데.'라는 의미로, 과거 사실과 반대되는 상황을 가정하는 가정법 과거완료 문장으로 완성한다.

2 (1) 「If+주어+had+과거분사 ~, 주어+조동사의 과거형+have+과거분사 ….」 형태의 가정법 과거완료 문장이다.
(2) 「If+주어+동사의 과거형 ~, 주어+조동사의 과거형+동사원형 ….」 형태의 가정법 과거 문장이다.

3 주어진 문장은 과거 사실과 반대되는 상황을 가정하는 가정법 과거완료 문장이므로 직설법 과거 문장(그가 여행을 가서 우리와 함께 하지 않았다.)으로 나타낼 수 있다.

4 주어진 현재 사실과 반대되는 상황을 가정하는 가정법 과거 문장이 이어져야 자연스럽다.

5 과거 사실과 반대되는 상황을 가정하여 말하는 가정법 과거완료 문장이 되어야 하므로 「If+주어+had not(hadn't)+과거분사 ~, 주어+조동사의 과거형+have+과거분사 ….」 형태가 알맞다.

개념 완성 Quiz

1 had+과거분사   **2** 가정하는 시점   **3** 과거, 반대되는

4 과거   **5** 과거 사실, 과거

UNIT 03 I wish+가정법, as if+가정법

개념 QUICK CHECK   p.160

POINT 05   **1** had   **2** had helped
          3 went   **4** had been

POINT 06   **1** a   **2** c   **3** b   **4** d

1 he were　　　**2** ⑤　　　　　　**3** knew
4 ③　　　　　　**5** did → had done

1 현재 사실에 대한 유감이나 아쉬움을 표현할 때는 「I wish+주어
+동사의 과거형」으로 나타내며, be동사는 were를 쓴다.

2 과거 사실에 대한 아쉬움을 표현하므로 「I wish+주어+had+과
거분사」 형태로 가정법 과거완료를 사용해 나타낸다.

3 as if 뒤에 가정법을 쓰면 '마치 ~인 것처럼'의 의미가 된다. 이어
지는 문장을 통해 현재 사실과 반대되는 내용을 나타내고 있음을
알 수 있으므로 가정법 과거(as if+주어+동사의 과거형) 형태가
되어야 한다.

4 「as if+가정법 과거」 문장으로, 주절의 시점(act)인 현재 사실과
반대되는 상황인 것처럼 행동한다는 내용이므로 실제로는 그들이
커플이 아니라는 사실을 알 수 있다.

5 말하는 시점 이전의 사실(숙제를 하지 않음)과 반대되는 상황인 것
처럼 말한다는 내용이므로 「as if+가정법 과거완료(as if+주어
+had+과거분사)」를 사용한다.

개념 완성 Quiz

1 동사의 과거형　　**2** had+과거분사　　**3** 주절과 같은 시점
4 동사의 과거형　　**5** had+과거분사

서술형 실전 연습　　　　　　　　　pp. 162~163

1 (1) came　(2) turn　(3) had been
2 (1) had, could pick
　　(2) hadn't practiced, would have lost
　　(3) could read
3 had not been busy, would have visited my
　　grandparents
4 (1) it were lunchtime
　　(2) I had taken her advice
5 happened → had happened
6 I had an umbrella
7 If it hadn't(had not) been noisy outside, I could
　　have slept well last night.
8 (1) went　(2) were　(3) wouldn't lie

1 (1) 주절의 동사가 could meet이므로 if절에 동사의 과거형을 써
　　서 가정법 과거 문장을 완성한다.

　　(2) 주절의 동사가 미래시제이므로 단순 조건문이며, 단순 조건문
　　에서 if절의 동사는 현재형으로 쓴다.
　　(3) 주절의 동사가 「조동사의 과거형+have+과거분사」이므로 if
　　절에 「had+과거분사」를 써서 가정법 과거완료 문장을 완성한다.

2 (1) 현재 사실과 반대되는 상황을 가정하는 문장이므로 가정법 과
　　거로 나타낸다.
　　(2) 과거 사실과 반대되는 상황을 가정하는 문장이므로 가정법 과
　　거완료로 나타낸다.
　　(3) 현재 실제로 마음을 읽을 수 없지만 읽을 수 있는 것처럼 웃는
　　다는 내용이므로 「as if+가정법 과거」를 사용한다.

3 가정법 과거완료 문장으로 「If+주어+had (not)+과거분사 ~, 주
　　어+조동사의 과거형+have+과거분사 ….」의 어순으로 쓴다.

4 (1) 현재 사실과 반대되는 상황을 소망하여 아쉬움을 나타내는 말
　　은 「I wish+가정법 과거(I wish+주어+동사의 과거형)」로 나타
　　낼 수 있으며, be동사는 인칭과 수에 관계없이 were를 쓴다.
　　(2) 과거 사실과 반대되는 상황을 소망하여 아쉬움을 나타내는 말
　　은 「I wish+가정법 과거완료(I wish+주어+had+과거분사)」로
　　나타낼 수 있다.

5 행동하는(acts) 시점 이전의 일(지갑을 잃어버림)이 사실이 아닌 것
　　처럼 행동한다는 내용이므로 「as if+가정법 과거완료(주어+had
　　+과거분사)」로 나타낸다.

6 현재 상황과 반대되는 상황을 소망하고 있으므로 「I wish+가정법
　　과거」 문장으로 써야 한다.

7 과거 사실과 반대인 상황을 가정하는 가정법 과거완료 문장으로 써
　　야 한다. 직설법 문장을 가정법 문장으로 바꿔 쓸 때는 내용상 반대
　　가 되도록 긍정문은 부정문으로, 부정문은 긍정문으로 쓴다.

8 (1) 현재 사실이 아닌 것을 사실인 것처럼 말하므로 「as if+가정
　　법 과거」 문장이 되도록 동사를 과거형으로 쓴다.
　　(2), (3) '내가 너라면 거짓말을 안 할 텐데.'라는 의미가 되도록 가
　　정법 과거 문장을 완성한다.

개념 완성 Quiz

1 현재형, 과거형, had+과거분사　　**2** 동사의 과거형, 과거형
3 had+과거분사, have+과거분사
4 동사의 과거형, had+과거분사　　**5** had, 과거분사
6 과거, 과거완료　　**7** had, 과거분사, have, 과거분사
8 were, wouldn't

실전 모의고사　　　　　　　　　　pp. 164~167

01 ④	02 ②	03 ②	04 ②	05 ③	06 ⑤
07 ③	08 ②	09 ④	10 ③	11 ④	12 ④
13 ①	14 ③	15 ①	16 ④	17 ③	18 ③

19 would, say, were

20 has been → had been

21 (1) I were good at sports

(2) she had invited me to her party

(3) he had traveled to Europe

22 (1) I would get up 30 minutes earlier

(2) I would take a note of what to do

(3) I would have made a list of things to buy

23 (1) If I had my wallet, I could take a taxi.

(2) If I hadn't had too much food, I wouldn't have had a stomachache.

24 (1) had been (2) I had been there

25 (1) as if she hadn't done

(2) if she had come, could have taken

01 가정법 과거 문장의 주절은 「주어+조동사의 과거형+동사원형」으로 쓴다.

02 주절의 시제와 같은 시점의 일을 반대로 가정하여 '마치 내가 아기인 것처럼 대한다'는 내용이므로 「as if+가정법 과거」를 사용하며, be동사는 인칭과 수에 관계없이 were를 쓴다.

03 첫 번째 문장은 단순 조건문이므로 현재형이 알맞다. 두 번째 문장은 가정법 과거 문장이므로 과거형이 알맞다.

04 과거 사실과 반대되는 상황을 가정할 때는 가정법 과거완료(If+주어+had+과거분사 ~, 주어+조동사의 과거형+have+과거분사 ….)를 사용한다. 사실과 반대로 가정하는 것이므로 if절에는 긍정의 표현이 알맞다.

05 현재 사실(노래를 잘 못함)과 반대되는 상황을 가정하여 아쉬움을 표현할 때는 「I wish+가정법 과거」를 사용하며, be동사는 were를 쓴다.

06 현재 사실과 반대되는 상황을 가정하는 질문이므로 가정법 과거 문장으로 답한다. if절이 생략되었으므로 「주어+조동사의 과거형+동사원형」의 어순으로 답해야 한다.

07 ③ 가정법 과거 문장이므로 if절은 If he weren't busy가 되어야 한다.

08 ② 과거(yesterday) 사실과 반대되는 상황을 가정하는 가정법 과거완료 문장이므로 if절의 동사는 「had+과거분사」 형태여야 한다. (→ had been)

09 말하는 시점 이전의 일(문제를 풀지 않았음)이 사실이 아닌 것처럼 말한다는 내용이므로 「as if+가정법 과거완료」를 사용한다. 과거 사실과 반대되는 내용이 되도록 긍정의 표현을 사용한다.

10 가정법 과거 문장은 직설법 현재 문장으로 나타낼 수 있으며, 반대 상황을 가정하므로 부정문은 긍정문으로, 긍정문은 부정문으로 바꾼다.

11 「I wish+가정법 과거」는 현재 사실과 반대되는 상황을 가정하며 아쉬움을 나타낼 때 사용한다.

12 if절이 가정법 과거이므로 주절도 가정법 과거 형태(주어+조동사의 과거형+동사원형)가 알맞다. ④는 가정법 과거완료 형태이다.

13 as if 다음에는 가정법 과거나 과거완료 문장이 온다.

14 현재 상황과 반대되는 상황을 가정하므로 가정법 과거(If+주어+동사의 과거형 ~, 주어+조동사의 과거형+동사원형 ….)로 나타낸다.

15 ② 과거 사실에 대한 유감을 표현할 때는 「I wish+가정법 과거완료」를 사용한다. (didn't eat → hadn't(had not) eaten)

③ 실제로 가지 않았지만 간 것처럼 말했다는 내용이므로 「as if+가정법 과거완료」를 사용한다. (has gone → had gone)

④ 단순 조건문이므로 if절에 현재시제를 사용한다. (I'll → I)

⑤ 가정법 과거 또는 과거완료 문장이 되어야 한다. (had → had had 또는 could have texted → could text)

16 ④는 단순 조건문이므로 현재형인 are가 알맞다. 나머지는 모두 가정법 과거이므로 be동사의 과거형 were가 알맞다.

17 ③ 현재 사실과 반대되는 상황을 가정하는 가정법 과거 문장이므로 주절은 「주어+조동사의 과거형+동사원형」의 형태가 되어야 한다. (→ could)

18 ⓐ 단순 조건문이므로 if절의 동사는 현재형이 알맞다.

ⓓ 가정법 과거완료 문장이므로 could go를 could have gone으로 써야 한다.

19 그가 여기에 없는 현재 상황에서 '있다면'이라는 반대 상황을 가정하여 묻는 말이므로 가정법 과거를 사용한다.

20 행동하는(acts) 시점 이전의 일(파티에 없었음)이 사실이 아닌 것처럼 행동한다는 내용이므로 「as if+가정법 과거완료(주어+had+과거분사)」로 나타낸다.

21 (1) 현재 사실에 대한 아쉬움을 나타낼 때는 「I wish+가정법 과거」를 사용한다.

(2) 과거 사실에 대한 아쉬움을 나타낼 때는 「I wish+가정법 과거완료」를 사용한다.

(3) 말하는 시점 이전의 일(유럽에 가지 않음)에 대해 사실이 아닌 것처럼 말한다는 내용이 되도록 「as if+가정법 과거완료」를 사용한다.

22 (1), (2) 현재 사실과 반대되는 상황을 가정하므로 [보기]에서 고른 어구를 가정법 과거 문장으로 바꿔 쓴다.

(3) 과거 사실과 반대되는 상황을 가정하므로 [보기]에서 고른 어구를 가정법 과거완료 문장으로 바꿔 쓴다.

23 (1) 현재 사실과 반대되는 상황을 가정하여 '내 지갑이 있다면 택시를 탈 수 있을 텐데.'라는 의미의 가정법 과거 문장으로 나타낸다.

(2) 과거 사실과 반대되는 상황을 가정하여 '내가 음식을 너무 많이 먹지 않았다면 배가 아프지 않았을 텐데.'라는 의미의 가정법 과거완료 문장으로 나타낸다.

24 (1) 과거 사실과 반대되는 상황을 가정해서 말하는 가정법 과거완료 문장이므로 「If+주어+had+과거분사 ~, 주어+조동사의 과거형+have+과거분사 ….」 형태가 되어야 한다.

(2) 과거 사실에 대한 유감은 「I wish+가정법 과거완료」로 나타내므로 I wish 다음에 「주어+had+과거분사」를 써야 한다.

25 (1) Kate가 행동하는(acted) 시점 이전의 일에 대해 사실이 아닌 것처럼 행동했다는 내용이므로 「as if+가정법 과거완료」를 사용하여 나타낸다.

(2) 과거의 사실과 반대되는 상황을 가정하여 하는 말이므로 가정법 과거완료로 나타낸다.

내신만점 Level Up Test   p.168

01 ④　　　　**02** ④　　　　**03** ④, ⑤

04 (1) If he had his glasses, he could see better.

(2) If she had been careful, she wouldn't(would not) have spilled(spilt) her coffee.

05 (1) (B) − (A) − (D) − (C)　(2) I wish I were in Hawaii.

---

01 (A)는 단순 조건문, (B)는 가정법 과거, (C)는 가정법 과거완료 문장이다.

02 ⓐ 감기에 걸리지 않았지만 마치 감기에 걸린 것처럼 들린다는 내용이므로 「as if+가정법 과거」로 나타낸다.

ⓑ 단순 조건문이므로 if절에 현재시제를 사용한다.

ⓒ 과거에 수영을 배웠더라면 좋았겠다고 아쉬움을 나타내는 상황이므로 「I wish+가정법 과거완료」로 나타낸다.

ⓓ 주절로 보아 가정법 과거 문장임을 알 수 있으므로 be동사의 과거형 were가 알맞다. (→ were)

ⓔ if절로 보아 가정법 과거완료 문장임을 알 수 있으므로 「조동사의 과거형+have+과거분사」 형태로 나타낸다.

03 ④, ⑤ 모두 과거 사실과 반대되는 상황을 가정하는 가정법 과거완료 문장으로 「If+주어+had+과거분사 ~, 주어+조동사의 과거형+have+과거분사 ….」의 형태가 되어야 하며, if절에서 부정어 not은 had와 과거분사 사이에 쓴다. (④ would win → would have won, ⑤ not had been → had not been)

04 (1) 현재 사실과 반대되는 상황(안경이 있는 것)을 가정하는 가정법 과거 문장으로 표현한다.

(2) 과거 사실과 반대되는 상황(조심했던 것)을 가정하는 가정법 과거완료 문장으로 표현한다.

05 (1) 추운지 물어보는 (B)로 시작하여, 그렇다고 대답한 (A)가 이어지고, 난방기를 켜 주기를 원하는지 물어본 (D) 다음에 긍정으로 답하는 (C) 순서로 이어지는 것이 자연스럽다.

(2) 「I wish+가정법 과거」는 현재 이루기 힘든 소망이나 현재 사실에 대한 유감을 나타내므로 I wish 다음에 be동사의 과거형인 were를 쓴다.

Final Test ❶회   pp. 1~2

1 ⑤	**2** ⑤	**3** ④	**4** ②	**5** ②

6 by himself　　**7** ③　　**8** ④　　**9** ④

10 ②　　**11** ④　　**12** will accept → accepts

13 so → too　　**14** ⑤　　**15** ⑤　　**16** ②

17 which is

18 If you don't eat breakfast, you cannot focus on your report.

19 Although she is very pretty, she hardly smiles.

20 how　　**21** Walking along the street　　**22** ③

23 has taught English since　　**24** ③

25 (1) were returned by　(2) was fixed by

(3) were not watered by

---

1 선행사 an actor가 관계대명사절에서 소유격으로 쓰였으므로 소유격 관계대명사 whose가 알맞다.

2 look forward to -ing: ~하는 것을 고대하다

3 expect, hope, plan, refuse는 목적어로 to부정사를 취하는 동사이고 imagine은 목적어로 동명사를 취하는 동사이다.

4 had better not+동사원형: ~하지 않는 것이 좋겠다

5 '~보다 몇 배 …한'은 「배수사+as+원급+as」 또는 「배수사+비교급+than」으로 나타내며, 비교 대상은 문법적으로 형태가 같아야 한다.

6 by oneself: 혼자서, 홀로

7 수여동사 ask가 쓰인 3형식 문장에서는 간접목적어 앞에 전치사 of를 쓴다. 성향이나 성격을 나타내는 형용사 뒤에 to부정사의 의미상 주어가 오면 「of+목적격」으로 쓴다.

8 ④ enjoy는 동명사를 목적어로 취하므로 helping이 알맞고, 나머지는 모두 to부정사 형태가 알맞다. (①, ⑤ 부사 역할, ② 진주어 ③ 형용사 역할)

9 one of the+최상급+복수명사: 가장 ~한 … 중 하나

10 [보기]와 ②의 현재완료는 결과, ①은 경험, ③, ④는 계속, ⑤는 완료의 의미를 나타낸다.

11 5형식 문장에서 allow는 목적격 보어로 to부정사를 쓰고, 지각동사 see는 동사원형 또는 현재분사를 쓴다.

12 시간의 부사절에서는 미래 상황을 현재시제로 나타낸다.

13 too+형용사+to부정사: 너무 ~해서 …할 수 없다

14 가정법 과거완료는 과거 사실과 반대되는 상황을 가정한다.

15 ① information은 셀 수 없는 명사이므로 단수동사를 쓴다.

②, ③ every와 each 다음에는 단수명사, 단수동사를 쓴다.

④, ⑤ either *A* or *B*, not only *A* but also *B*가 주어로 쓰이면 *B*에 동사를 일치시킨다.

16 ① and → or ③ will able to → will be able to
④ did → was ⑤ which → where 또는 at(for) which

17 「주격 관계대명사+be동사」는 생략할 수 있다.

18 조건을 나타내는 접속사 if를 사용하여 '네가 아침을 먹지 않으면 너는 보고서에 집중할 수 없을 거야.'를 나타낸다.

19 상반되는 내용을 이어주는 접속사 although를 사용하여 '그녀는 매우 예쁘지만 좀처럼 웃지 않는다.'를 나타낸다.

20 첫 번째 문장에는 '~하는 방법'을 나타내는 「how+to부정사」, 두 번째 문장에는 방법을 나타내는 관계부사 how가 알맞다.

21 접속사와 주어를 삭제하고 being을 생략하여 분사구문으로 쓴다.

22 「as if+가정법 과거」는 '(해당 시점의 사실과 반대로) 마치 ~인 것처럼'의 의미를 나타낸다.

23 '2002년부터 쭉 가르쳐 왔다'라는 의미가 되어야 하므로 현재완료와 전치사 since를 사용해서 나타낸다.

24 ⓐ '~하고 있는'이라는 의미의 현재분사(swimming) 형태로 쓴다.
ⓑ 미래시제 수동태이므로 과거분사(delivered) 형태로 쓴다.
ⓒ Although being loved ~에서 being이 생략된 형태이다.
ⓓ help는 목적격보어로 동사원형 또는 to부정사를 쓴다.

25 (1) 복수주어이므로 were를 쓰고 행위자 앞에 전치사 by를 쓴다.
(2) 단수주어이므로 was를 쓴다.
(3) 복수주어이므로 were를 쓰고 부정을 나타내는 not을 사용한다.

Final Test ❷회 pp. 3~4

1 ⑤ **2** ④ **3** ① **4** ④ **5** ⑤
6 Who invented this machine? **7** as expensive as
8 ④ **9** ⑤ **10** ③ **11** ②
12 peacefully → peaceful **13** other → others
14 ④ **15** ② **16** ① **17** ⑤ **18** ④
19 If Jina had free time, she could go shopping.
20 ③ **21** how **22** ④ **23** ⑤
24 Angela is to leave at 7 in the evening.
25 (1) twice, as (2) taller than (3) the most

1 진주어인 to부정사구가 문장 뒤에 있으므로 가주어 It이 알맞다.

2 '그가 되고 싶은 것'이라는 의미가 되어야 하므로 선행사를 포함하는 관계대명사 What이 알맞다.

3 ①은 4형식이고, 나머지는 모두 5형식이다.

4 상관접속사 neither *A* nor *B*(A도 B도 아닌)를 사용한다.

5 be used to -ing: ~에 익숙하다

6 행위자가 By whom이므로 능동태의 주어는 의문사 Who가 되어야 한다.

7 '~만큼 …한/하게'는 「as+원급+as」로 나타낸다.

8 '그녀는 Julie일 리가 없다. 그녀는 하와이로 가고 없다.'가 되도록 조동사 cannot과 현재완료 has gone이 들어가야 한다.

9 '그 유도 선수가 더 열심히 연습했더라면, 그는 첫 라운드에서 지지 않았을 텐데.'라는 뜻의 가정법 과거완료가 자연스럽다.

10 가 본 경험을 묻는 ③이 알맞다.

11 ②는 현재분사이고, 나머지는 모두 동명사로 쓰였다.

12 2형식 문장에서 감각동사 look 다음에는 보어로 형용사가 온다.

13 '몇몇은(some) ~, 다른 몇몇은(others) …'의 형태가 되어야 한다.

14 지각동사 hear는 목적격보어 자리에 동사원형 또는 현재분사를 쓴다. '테니스를 치고 있는'이라는 의미로 The boy를 수식할 때는 현재분사 playing을 사용해야 한다.

15 since는 '~ 때문에'라는 의미를 나타내는 접속사와 '~부터, ~ 이후로'라는 의미의 전치사로 모두 사용된다.

16 I have something interesting to show you.가 되어야 한다.

17 접속사와 주어를 삭제하고 동사원형에 -ing를 붙인 후 부정어를 분사 앞에 쓴 Not wanting ~이 알맞다.

18 [보기]는 주격 관계대명사, ④는 목적격 관계대명사 that이다.
(① 지시형용사, ② 지시대명사, ③, ⑤ 접속사)

19 현재 사실과 반대되는 상황이나 실현 가능성이 희박한 일을 가정할 때는 가정법 과거를 쓴다.

20 ③은 of, 나머지는 모두 with가 알맞다.

21 방법을 나타내는 관계부사 how가 알맞다. 관계부사 how는 선행사(the way)와 함께 쓰지 않는다.

22 ① help → helping ② calling → called
③ that → what ⑤ cold → colder

23 The car whose color is red is parked in front of my house.가 되어야 한다.

24 「be동사+to부정사」는 '~할 예정이다'라는 의미로 쓰일 수 있다.

25 (1) 「배수사+as+원급+as」: ~보다 몇 배 …한
(2) 「비교급+than」: ~보다 더 …한
(3) 「the+최상급」: 가장 ~한

1 ④	2 ⑤	3 ①	4 ⑤	5 ⑤
6 or	7 ②	8 ①		

9 was filled with John's toys

10 should not(shouldn't) be parked here

11 smart enough to solve the problem

12 ①, ③	13 ③	14 ②	15 ②

16 plays → playing　　17 satisfied → satisfying

18 ⑤	19 ①	20 ③	21 has lost

22 Eric gave what he had in his pocket to the girl.

23 I wish she were my best friend.

24 ⓐ which　ⓑ which(that)　ⓒ where

25 (1) going to the amusement park last year

　　(2) to buy a present for her parents

---

1 가정법 과거완료 문장이므로 if절의 동사는 「had+과거분사」 형태로 쓴다.

2 '예전에는 ~였으나 지금은 아니다'라는 의미이므로 「used to+동사원형」의 형태로 써야 한다.

3 사역동사 have는 목적격보어로 동사원형을 쓴다.

4 to부정사의 수식을 받는 명사가 전치사의 목적어이므로 a pen to write with가 알맞다.

5 관계대명사절에서 선행사 my cousin이 전치사 about의 목적어로 쓰였으므로 목적격 관계대명사 who 또는 whom을 사용한다. 전치사 다음에는 that을 사용할 수 없다.

6 「명령문, or ~.」는 '~해라, 그렇지 않으면 …할 것이다.'라는 뜻이고, either A or B는 'A와 B 둘 중 하나'라는 뜻이다.

7 [보기]와 ②의 must는 '~임에 틀림없다'라는 강한 추측을 나타내고, 나머지는 모두 의무를 나타낸다.

8 ①은 주어와 동사로 이루어진 1형식 문장이다.

9 능동태를 수동태로 바꿀 때는 능동태의 목적어를 수동태의 주어로 쓰고, 동사는 「be동사+과거분사」의 형태로 바꾼다. 능동태 문장이 과거시제이므로 be동사 과거형을 사용한다.

10 조동사의 수동태는 「조동사(+not)+be+과거분사」의 형태로 쓴다.

11 「형용사/부사+enough+to부정사」는 '~할 만큼 충분히 …하다'라는 의미를 나타낸다.

12 목적어 역할을 하는 명사절을 이끄는 접속사 that(①)과 목적격 관계대명사(③)는 생략 가능하다. (② 주격 관계대명사 that, ④ 진주어 명사절을 이끄는 that, ⑤ 동격의 접속사 that)

13 셋 중에 하나는 one, '나머지 모두'는 the others로 나타낸다.

14 무언가가 감정을 느끼게 할 때는 현재분사, 감정을 느끼게 될 때는 과거분사를 쓴다. '~하느라 시간을 보내다'는 「spend+시간+-ing」의 형태로 나타낼 수 있다.

15 [보기]와 ②는 '결과'를 나타내는 부사 역할의 to부정사이다. (① 판단의 근거, ③ 감정의 원인, ④ 목적, ⑤ 형용사 수식)

16 not only A but also B는 A(listening)와 B(playing)의 형태가 문법적으로 같아야 한다.

17 the musical은 감정을 느끼게 하는 주체이므로 현재분사를 쓴다.

18 ⑤ 현재완료를 사용하여 '예전에 먹어 본 적이 있다'라는 경험을 나타내는 문장이다.
(① have you met → did you meet, ② never have → have never, ③ haven't heard → didn't hear, ④ since → for)

19 ① 부사구 in the bathroom을 생략하면 어색한 1형식 문장이다. 강조 용법의 재귀대명사(②)와 수동태의 일반인 행위자(③), 일반적인 선행사 the time 뒤에 쓰인 관계부사 when(④), 「주격 관계대명사+be동사」(⑤)는 생략 가능하다.

20 ③ refuse는 목적어로 to부정사를 사용하는 동사이다.
(①, ⑤ 동명사 목적어 listening, ②, ④ 현재분사 listening)

21 '잃어버려서 지금은 없다'라는 의미이므로 결과를 나타내는 현재완료 has lost가 알맞다.

22 4형식을 3형식으로 바꿀 때는 간접목적어와 직접목적어의 위치를 바꾸고, 간접목적어 앞에 전치사를 쓴다. 수여동사 give가 쓰인 3형식 문장에서는 간접목적어 앞에 to를 쓴다.

23 「I wish+가정법 과거」는 '(현재) ~라면 좋을 텐데.'라는 의미이다.

24 ⓐ 선행사가 the town이고 전치사 뒤이므로 관계대명사 which가 알맞다.
ⓑ 선행사가 the country이고 관계대명사절에서 visit의 목적어로 쓰였으므로 which 또는 that이 알맞다.
ⓒ 선행사가 the city이고 뒤에 완전한 문장이 나왔으므로 관계부사 where가 알맞다.

25 remember+동명사: (과거에) ~한 것을 기억하다
remember+to부정사: (앞으로) ~할 것을 기억하다

빠르게 통하는
영문법 핵심 1200제
LEVEL 2

Answers

시험에 더 강해진다!

보카클리어 시리즈

하루 25개 40일, 중학 필수 어휘 끝!

중등 시리즈

중학 기본편 | 예비중~중학 1학년
중학 기본+필수 어휘 1000개

중학 실력편 | 중학 2~3학년
중학 핵심 어휘 1000개

중학 완성편 | 중학 3학년~예비고
중학+예비 고등 어휘 1000개

자세한 우리말 풀이로
혼자서도 쉽게!

고교필수·수능 어휘 완벽 마스터!

고등 시리즈

고교필수편 | 고등 1~2학년
고교 필수 어휘 1600개
하루 40개, 40일 완성

수능편 | 고등 2~3학년
수능 핵심 어휘 2000개
하루 40개, 50일 완성

시험에 꼭 나오는
유의어, 반의어, 숙어가 한 눈에!

학습 지원 서비스

휴대용 미니 단어장

어휘 MP3 파일

중등   고등

모바일 어휘 학습 '암기고래' 앱
일반 모드 입장하기 〉 영어 〉 동아출판 〉 보카클리어

안드로이드   iOS

영어 실력과 내신 점수를 함께 높이는
중학 영어 클리어 시리즈

문법 영문법 클리어 | LEVEL 1~3

최신
개정판

문법 개념과 내신을 한 번에 끝내다!

- 중등에서 꼭 필요한 핵심 문법만 담아 시각적으로 정리
- 시험에 꼭 나오는 출제 포인트부터 서술형 문제까지 내신 완벽 대비

쓰기 문법+쓰기 클리어 | LEVEL 1~3

영작과 서술형을 한 번에 끝내다!

- 기초 형태 학습부터 문장 영작까지 단계별로 영작 집중 훈련
- 최신 서술형 유형과 오류 클리닉으로 서술형 실전 준비 완료

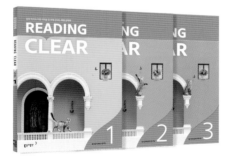

독해 READING CLEAR | LEVEL 1~3

문장 해석과 지문 이해를 한 번에 끝내다!

- 핵심 구문 32개로 어려운 문법 구문의 정확한 해석 훈련
- Reading Map으로 글의 핵심 및 구조 파악 훈련

듣기 LISTENING CLEAR | LEVEL 1~3

듣기 기본기와 듣기 평가를 한 번에 끝내다!

- 최신 중학 영어듣기능력평가 완벽 반영
- 1.0배속/1.2배속/받아쓰기용 음원 별도 제공으로 학습 편의성 강화